LA CIVILISATION
DE LA
GRÈCE ANTIQUE

133

PETITE BIBLIOTHÈQUE PAYOT
106, Boulevard Saint-Germain, Paris (6e)

TABLE DES MATIÈRES

TROISIÈME PARTIE

DERNIÈRES ÉPOQUES DE LA CIVILISATION GRECQUE

Bien que ce volume porte à peu de chose près le même titre que l'ouvrage publié par moi sur la civilisation hellénique, en 1922, il en diffère cependant non seulement par l'étendue, mais aussi par le plan. En élargissant sensiblement le cadre qui m'avait été alors imposé, j'ai pu caractériser moins sommairement les époques de cette civilisation, et j'ai essayé d'en mieux montrer le rapport avec les événements qui les ont déterminées. Je n'ai pas cru toutefois devoir donner à ces événements plus de place qu'il n'était strictement nécessaire ; car j'estime que l'exposé de la civilisation d'un peuple est tout autre chose que son histoire.

Ce qui me paraît le trait essentiel d'une civilisation, c'est la façon dont elle réalise l'organisation sociale, celle-ci ayant pour but, à mes yeux, d'assurer à l'individu, dans la cité, le plus large développement possible de ses aptitudes et, simultanément, de faire en sorte que les valeurs individuelles ainsi développées concourent au bien commun. Double exigence idéale, à laquelle aucune des sociétés humaines n'a jamais pu satisfaire complètement. Les unes, par une organisation trop forte de l'autorité publique, compriment et paralysent l'essor des individus, tandis que les autres, relâchant à l'excès la discipline sociale, se défendent mal du désordre intérieur. La Grèce, à cet égard, ne fait pas exception. Divisée en cités qui étaient à proprement parler autant d'États, elle offre des exemples d'organisations sociales variées, qui, à divers degrés, nous font voir en action ces deux tendances opposées. Il y a eu donc, en fait, plusieurs civilisations grecques. Et il serait sans doute impossible d'en dégager une image d'ensemble, qui ne fût pas composée de traits contradictoires. Aussi bien n'est-ce pas cette tâche irréalisable que j'ai cru devoir me proposer. Ce qui nous attache à la Grèce antique, c'est ce qui, du milieu de cette diversité, a émergé de meilleur. Et c'est cela qui doit ressortir d'un tableau de sa civilisation. Il n'est pas douteux, dès lors, qu'Athènes ne doive en occuper le centre. Mais la civilisation athénienne a ses origines dans le passé commun de tout le peuple grec et, d'autre part, elle s'est approprié des éléments qui s'étaient développés en dehors d'elle ; en outre, elle a besoin, pour être bien comprise, d'être éclairée par le contraste d'autres organisations sociales, considérées en elles-mêmes et dans ce qu'elles ont produit. Ces observations expliquent le plan de cet ouvrage. Elles rendent compte des raisons pour lesquelles j'ai passé vite sur certaines choses qui sont pourtant d'importance dans l'histoire, tandis que je me suis arrêté davantage sur d'autres qui m'ont paru être proprement de mon sujet. Celles-ci, d'ailleurs, n'ont pu elles-mêmes être traitées que brièvement. Il entre dans la civilisation d'un peuple, telle que je l'ai définie, tant d'éléments qu'il faudrait plusieurs volumes pour l'exposer en détail. Ce qu'on trouvera ici ne peut être considéré que comme un aperçu. C'est dans des ouvrages spéciaux qu'on doit se renseigner, si l'on veut tout connaître. La raison d'être d'un raccourci tel que celui-ci est de présenter les choses sous un aspect relativement simple, qui permet d'en saisir l'ensemble plus facilement et qui d'ailleurs leur donne une signification particulière. Ce livre est essentiellement une œuvre de synthèse. Il s'adresse à ceux qui veulent prendre une vue générale de la civilisation de la Grèce antique, non à ceux qui ont le désir ou le besoin de ne rien ignorer de ce qu'on en peut savoir. S'il donne au lecteur une occasion de réfléchir, s'il l'aide à se former des jugements raisonnés sur le sujet ici traité, j'aurai atteint le but que je me suis proposé.

Maurice CROISET.

PREMIÈRE PARTIE

FORMATION
DE LA CIVILISATION GRECQUE

1

LA CIVILISATION ACHÉENNE

Les Achéens. — La première population qui ait parlé grec sur le sol de la Grèce est celle qu'on désigne communément aujourd'hui du nom d'Achéens, emprunté à la poésie homérique. Si une civilisation est essentiellement liée à une langue, c'est donc avec les Achéens que commence la civilisation grecque. On fixe approximativement aux environs de l'an 2000 avant notre ère l'époque où les bandes achéennes semblent avoir pénétré en Grèce. Rameau détaché, depuis longtemps sans doute, de la souche indo-européenne, elles venaient alors du Nord-Est de la péninsule. Elles apportaient, outre l'usage des armes de bronze, celui d'une langue dont la haute valeur expressive allait se manifester rapidement. Gardons-nous d'ailleurs de nous les représenter comme un peuple en marche; c'étaient bien plutôt des tribus, entre lesquelles existaient déjà des différences de dialectes et, probablement, d'autres aussi plus ou moins marquées. Et elles durent arriver successivement, attirées les unes par les autres.

Populations préachéennes. — La contrée qu'elles envahissaient était occupée par des peuplades assez clairsemées et peut-être diverses, que les historiens anciens appellent cependant d'un nom commun, les Pélasges. Quelques-uns mentionnent aussi, sur quelques points, les Lélèges et les Cariens, surtout comme occupants des côtes et des îles. Les uns et les autres en étaient encore à l'âge néolithique. Voici comment un auteur moderne nous invite à nous les représenter : « Tatoués, armés de haches de pierre polie et de couteaux d'obsidienne, usant d'une poterie grossière et

11

décorée d'incisions, abrités dans des huttes rondes en branchage et en pisé, ces premiers habitants de ce qui sera la Grèce ne devaient pas différer beaucoup des sauvages de la Polynésie (1). » Vraie d'une manière générale, cette description ne tient peut-être pas assez de compte de différences qu'il nous est d'ailleurs impossible de préciser. Quoi qu'il en soit, les nouveaux venus n'eurent guère de peine à s'imposer à ces anciennes populations, à la fois par la force, étant mieux armés, et par leur supériorité intellectuelle. Vainqueurs, ils absorbèrent les vaincus à mesure qu'ils les conquirent, non pas toutefois sans subir en quelque mesure leur influence. Plus d'une survivance pélasgique se laisse apercevoir ou soupçonner dans la civilisation achéenne, ne fût-ce que dans certaines dénominations de lieux, de fleuves, de montagnes, et plus encore dans la religion. Mais, à vrai dire, il ne semble pas possible jusqu'ici de les préciser autant qu'il serait désirable.

Civilisation crétoise. — D'ailleurs, en pénétrant ainsi dans le monde égéen, ce n'était pas seulement avec ces peuplades arriérées que les Achéens entraient en contact. Une brillante civilisation, qu'on est convenu d'appeler minoenne, du nom du légendaire Minos, se développait alors en Crète et rayonnait au loin. C'est entre 1750 et 1450 qu'elle atteignit son apogée. Nous n'avons pas à en parler longuement, car elle n'a rien d'hellénique. Ses origines sont plutôt orientales et jusqu'à un certain point égyptiennes. Mais elle a eu sur les Achéens une influence profonde. Devenue maîtresse de la mer, après l'expulsion des Lélèges et des Cariens, elle dominait l'Égée, ses îles et une partie de ses rivages. La thalassocratie du roi Minos, mentionnée par Thucydide, fait époque dans cette histoire primitive. Mais ce qui nous intéresse surtout, c'est ce que les fouilles contemporaines nous ont révélé sur la vie des princes crétois, sur leurs mœurs fastueuses, sur leurs habitations et sur la riche décoration dont ils les embellissaient. Ce luxe, ces habitudes d'une vie large et facile ne pouvaient manquer de faire impression sur les chefs achéens. Ils en furent émerveillés et ils eurent à cœur de s'en assurer le bénéfice. Ils appelèrent à eux les artistes crétois, ils les firent travailler pour leur compte. La civilisation crétoise

(1) Jardé, *Formation du peuple grec*, Paris, 1923, p. 94.

gagnant de proche en proche finit par s'étendre sur toute la péninsule. Elle s'y implanta même et y fit naître une industrie locale qui la supplanta, lorsque les Achéens, devenus les plus forts, détruisirent la puissance de la Crète sur son déclin. Ils succédèrent alors à ceux qui avaient été leurs initiateurs et, de 1450 à 1200 environ, ils eurent à leur tour la primauté dans le monde égéen.

Autres influences. — Outre les Crétois, d'autres peuples aussi avaient eu quelque influence sur leur développement, les uns directement, les autres par divers intermédiaires. Mentionnons surtout les Phéniciens, hardis navigateurs et actifs commerçants, infatigables agents d'échanges entre les peuples, dont le trafic mettait la Grèce en communication avec l'Orient. Mentionnons encore l'Égypte, avec laquelle certains princes achéens eurent même des relations directes.

II. — LES ROYAUTÉS ACHÉENNES

Partage du pays entre les envahisseurs. — Comment le pays occupé par les bandes achéennes fut-il partagé entre elles? Sur ce point, le principal témoignage est celui qui nous est fourni par les poèmes homériques et notamment par le Catalogue qu'on trouve dans le second chant de l'*Iliade*. Ce Catalogue, il est vrai, date d'une époque postérieure de plusieurs siècles à ce partage et il a subi des remaniements évidents. Toutefois, la précision qu'on y remarque atteste qu'il procède de traditions anciennes assez bien conservées, dont on peut faire usage lorsqu'elles s'accordent d'ailleurs avec d'autres données historiques. Il représente en somme, sauf sur quelques points, un état du monde grec différent de celui qui résulta de l'invasion dorienne et par conséquent antérieur; et la description qu'il en donne procède manifestement des souvenirs de familles princières qui se rapportaient à leurs lieux d'origine. Au reste, ce n'est pas du détail qu'il peut s'agir ici. Seuls, quelques faits généraux nous importent. Deux surtout sont frappants : les Achéens y sont divisés en grandes tribus qui ont autant de noms distinctifs, et chacune de ces tribus comprend un certain nombre de clans désignés par des noms de villes. On devine que les noms ainsi énumérés représentent tantôt des bourgs ou des groupes de communautés rurales, tantôt des cités vraiment royales; et il paraît probable qu'en temps de paix presque toutes, même les moins importantes, avaient une existence plus ou moins autonome, tandis que, dans certains cas, en vue d'une action de guerre par exemple, elles étaient capables de se grouper.

D'après cela, on est en droit de se représenter la Grèce achéenne comme divisée, à l'origine tout au moins, entre un grand nombre de familles princières régnant sur de petites collectivités humaines. Mais il est naturel d'admettre que, l'ambition et la soif de domination entrant en jeu, quelques-uns de ces petits rois, plus énergiques ou favorisés par les circonstances, ont dû étendre leur puissance, subjuguer leurs voisins, et qu'ainsi ont pu se constituer un certain nombre de royautés puissantes, plus ou moins durables, dont le souvenir a survécu dans une tradition moitié historique, moitié légendaire. C'est d'ailleurs ce que paraissent attester les monuments que cet âge a laissés et qui excitent aujourd'hui l'étonnement et l'admiration.

Monuments. Palais et forteresses. — Ces monuments sont nombreux; on en a mis au jour dans presque toutes les parties de la Grèce, en Argolide, en Laconie, en Messénie, en Attique, en Béotie, en Thessalie, en Étolie, et jusque dans les îles. Les plus imposants sont en Argolide. Nous ne parlerons que de ceux-là, car ce sont les mieux étudiés et d'après ce qu'on en sait, on peut se faire une idée juste de tous les autres.

A une dizaine de kilomètres au sud-est d'Argos, sur une butte rocheuse, se dressent les antiques remparts de Tirynthe, formidable enceinte, bâtie, en partie, de blocs irréguliers à peine dégrossis, en partie, de grosses pierres plus ou moins équarries formant des assises moins inégales. En dedans de ces murs était l'Acropole. Là, on a retrouvé les restes d'un palais qui a dû être construit au temps où la civilisation achéenne, sous l'influence de l'art crétois, avait atteint son plein développement (entre 1400 et 1300). Les fouilles ont permis d'en reconstituer le plan général, dont les parties essentielles sont : d'abord une vaste place, puis une cour spacieuse, séparée de cette place par un propylée, et, au fond de la cour, le bâtiment principal, où se trouvait la salle royale ou mégaron, précédée d'un vestibule et d'un portique. Tout autour, un ensemble de constructions, destinées aux chambres d'habitation et aux pièces de service. Quelques débris de décoration provenant du mégaron et qu'on peut voir au musée central d'Athènes nous apprennent que, sur les murs de cette salle, couraient parallèlement l'une à l'autre une frise d'albâtre incrustée d'une pâte bleue et une fresque représentant une course de taureaux.

Au nord d'Argos et à peu près à même distance de cette ville, sur la route qui va vers Corinthe, une autre citadelle analogue mais plus imposante par le vaste horizon qu'elle domine s'offre à la vue du voyageur : c'est Mycènes, la ville à laquelle l'épopée homérique a attaché le nom d'Agamemnon. Comme à Tirynthe, une enceinte de remparts épais défendait l'Acropole où résidait le roi, entouré de sa famille, de ses serviteurs et de sa garde. Une seule porte y donnait accès. C'est celle qu'on voit encore en place. Le cadre en est formé de trois monolithes; au-dessus des deux montants qui s'appuient aux fortes assises du mur d'enceinte, un puissant linteau porte une plaque de pierre triangulaire, sur laquelle sont sculptées deux lionnes dressées face à face contre un pilier sacré, symbole de la divinité protectrice de la cité. A l'intérieur de l'enceinte subsistent, comme aussi à Tirynthe, les fondements ruinés d'un palais analogue à celui qui vient d'être décrit.

Sépultures. — Et, près des palais si puissamment fortifiés, voici les sépultures. Les plus anciennes, comprises à Mycènes dans l'enceinte de l'Acropole, consistent en fosses profondes, creusées dans le roc. On y a retrouvé en 1876 dix-neuf squelettes répartis entre six tombes, avec un grand nombre de bijoux, des vases d'or et de cuivre, des gobelets, des diadèmes, des poignards et des épées, mobilier funéraire destiné à satisfaire aux besoins que la croyance du temps prêtait aux morts. Trois masques d'or travaillés au repoussé reproduisaient vaguement les traits des personnages dont ils couvraient le visage. A ce mode d'ensevelissement succédèrent plus tard les tombeaux dits à coupole. Il en existe deux tout près de Mycènes. L'un des deux, connu vulgairement sous le nom de « Trésor d'Atrée » est le plus remarquable exemplaire connu de ce genre de monuments. Il se compose essentiellement d'une grande salle circulaire, voûtée en encorbellement et haute d'une quinzaine de mètres. On a pu constater qu'elle avait été autrefois revêtue intérieurement d'appliques de métal qui en décoraient les parois. Un caveau plus petit, percé dans le roc et communiquant avec cette salle, était sans doute réservé à la sépulture du roi, tandis que les membres de sa famille devaient reposer à peu de distance de lui sous la grande voûte. Pour accéder à ce tombeau, il fallait franchir une porte en pierre, précédée d'un couloir étroit entre deux murs, obstrué peut-être après chaque ensevelissement. On voit par là que l'habitation des morts n'était pas moins soignée ni moins imposante que celle des vivants et qu'elle était aussi bien défendue.

Guerres et entreprises des princes achéens. — Toutes ces constructions, palais, forteresses, tombeaux, sont éminemment révélatrices d'un état de choses sur lequel l'histoire proprement dite ne nous apprend rien. Les palais nous font connaître la richesse d'un certain nombre de rois achéens et leur goût pour les décorations brillantes; les peintures de leurs salles et les représentations ciselées sur leurs armes nous font voir qu'ils se plaisaient à la chasse et au spectacle d'exercices acrobatiques; leurs forteresses sont le témoignage des guerres qu'ils se livraient entre eux et aussi du besoin qu'ils éprouvaient de se faire redouter de leur peuple même; leurs tombeaux attestent, outre des croyances sur lesquelles nous reviendrons, l'existence de dynasties royales, dont quelques-unes au moins ont dû se perpétuer pendant d'assez longues séries de générations. Mais rien de tout cela ne nous ferait savoir quelles ont été leurs entreprises et quelle a été l'expansion du nom achéen si nous ne complétions ces données à l'aide des légendes et de faits connus par d'autres sources.

Dans ces légendes, il est fait mention de guerres nombreuses et de héros qui s'y sont illustrés : lutte des Lapithes contre les Centaures, rivalité sanglante de Pleuron et de Calydon, double expédition des Argiens contre Thèbes, pour ne rappeler que les plus célèbres. Quelque part qu'on veuille faire à la fiction dans ces récits, on ne peut guère douter, à tout le moins, que l'état de guerre n'ait été fréquent entre ces princes si bien armés et certainement soucieux de grossir leurs trésors. Les jalousies, les convoitises, les rapts, les vengeances, les disputes d'héritage ne pouvaient manquer de susciter entre eux de farouches hostilités. Toute frontière n'est-elle pas matière à litige? Or, dans la Grèce de ce temps, il y avait trop de frontières, trop de petites principautés dans un espace restreint. Une longue période de paix générale n'y était guère possible. Et c'est peut-être par cette difficulté de vivre en bon accord qu'il faut expliquer que des chefs achéens aient très anciennement cherché fortune au-dehors. Il paraît aujourd'hui avéré que ceux du Nord, dès le milieu du second millénaire, se sont avancés d'île en île sur la côte d'Asie et ont pris pied à Lesbos, tandis que ceux du Péloponnèse pénétraient en Crète, s'y substituaient aux anciens maîtres du pays et s'établissaient même sur le rivage lycien. Qui sait après tout si la fable des Argonautes n'est pas faite du souvenir de quelque tentative aventureuse pour franchir la limite des détroits? En tout cas, la guerre de Troie ne peut être tenue pour une simple invention poétique. Assurément, sur ce point aussi, bien des réserves s'imposent à l'historien. Ni les récits de l'*Iliade* ni ceux des poèmes cycliques ne nous font connaître ce qui s'est réellement passé en Troade au XIIᵉ siècle avant notre ère. Toutefois, les fouilles pratiquées dans cette région attestent qu'une ville forte existait vers ce temps aux lieux où la poésie situe la cité de Priam et qu'elle a péri dans un incendie. Était-ce la Troie homérique? Il y a aujourd'hui de bonnes raisons d'en douter. Mais il reste avéré qu'il y a eu là alors un champ de bataille. D'autre part, peu après l'époque où disparaît le royaume troyen, nous trouvons des Achéens établis sur le rivage d'Asie. La relation entre ces deux événements paraît évidente. Qu'ils aient organisé une grande expédition collective ou que le fait d'armes de quelques-uns de leurs chefs ait été transformé par la légende en une victoire nationale, le fait essentiel n'en demeure pas moins presque certain. Et il suppose l'existence d'une puissance militaire qui devait être alors à son apogée. L'époque de sa grandeur est comprise approximativement entre 1400 et 1200 avant notre ère. C'est celle qu'on appelle mycénienne en raison de la prédominance que semble avoir pris vers ce temps le royaume de Mycènes. Rien au temps de cette expédition ne faisait prévoir que cette puissance allait être renversée par une nouvelle invasion.

Mais la civilisation achéenne n'est pas définie lorsqu'on a parlé des rois de ce temps, de leurs mœurs et de leurs aventures. C'est même là ce qu'il y avait en elle de plus périssable. Essayons d'en dégager maintenant les autres éléments, dont beaucoup ont survécu, en tout ou en partie, dans les âges suivants.

La famille. — L'importance de la famille dans l'organisation sociale de la Grèce est un fait reconnu. Il n'y a aucun doute qu'elle n'en ait été déjà un des éléments essentiels chez les Achéens, dès le temps où ils subjuguèrent les populations préhelléniques. Ils apportaient avec eux le culte du foyer domestique associé intimement à celui des ancêtres. Consacré par ce culte, le lien familial avait un caractère religieux. Une famille, pour eux, comprenait tous ceux qui, groupés autour du maître de la maison, y participaient; même, en une certaine mesure, les serviteurs. Elle constituait ce qu'ils appelaient un *génos*, terme qui évoquait l'idée d'une communauté de descendance. Comme unité sociale, ce groupement représentait une force qu'on pourrait dire autonome. Car, en l'absence d'une puissance publique exerçant une police régulière pour la protection des individus, le génos avait sa justice à lui et devait se défendre par lui-même. Un principe de solidarité en liait les membres entre eux. L'offense faite à l'un d'eux était faite à tous. Un meurtre commis sur l'un quelconque d'entre eux imposait à tous le devoir de vengeance, à moins qu'une compensation, jugée suffisante par les plus proches parents de la victime, ne fût acceptée (1).

Phratries et tribus. — Un tel groupement est, par sa nature même, en croissance perpétuelle. Il se forme autour d'un père qui en est le chef et qui peut garder, dans certains cas, ses enfants et ses petits-enfants sous le même toit. Fait toujours exceptionnel et qui ne saurait se prolonger au-delà des premières générations. L'extension de la famille exclut la cohabitation. Forcément, si le lien initial ne doit pas être rompu, elle donne naissance à d'autres groupements de plus en plus larges, créés à son image. Ainsi s'est formée la phratrie, qui est un groupe de familles, et la tribu, qui est un groupe de phratries. Superposées au génos, elles en gardent le caractère essentiel. Comme lui, elles ont un culte propre, et elles reconnaissent un ancêtre commun, réel ou imaginaire.

Causes de perturbations. — De telles institutions donneraient à une société une force de cohésion singulière, si elles n'étaient

---

(1) Voir sur ce point l'ouvrage capital de G. Glotz, *La solidarité de la famille dans le droit criminel en Grèce*, Paris, Fontemoing, 1904.

sujettes à des perturbations qui tendent sans cesse à les altérer et à les affaiblir. Leur inconvénient est d'être naturellement exclusives. Il en résulte que, dans une société dont elles sont les éléments constituants, il n'y a pas de place pour qui vient du dehors et il n'y en a plus pour qui est une fois sorti de ces cadres trop rigides. En conséquence, si des étrangers, par l'effet des échanges, des industries nouvelles, ou pour toute autre raison, surviennent en assez grand nombre, ils sont, pour ainsi dire, sans état civil. Et, d'autre part, si des bâtards, exclus de l'héritage paternel, vont chercher fortune ailleurs et reviennent ensuite au pays natal, ils se trouvent dans la même situation que l'étranger. Ajoutons que les familles du type ainsi défini ont besoin pour durer d'un domaine, si modeste qu'il soit. Que cette demeure vienne à disparaître, que la misère disperse ses habitants, voilà une famille qui s'émiette, qui cesse en fait d'être une famille. En peu de temps ceux de ses membres qui subsistent cessent de se connaître, de pouvoir s'entraider. Ainsi se crée une classe de plus en plus nombreuse d'individus isolés, classe inférieure par sa situation sociale, à qui manquent les conditions de stabilité que le groupement des familles organisées semblait promettre. Il paraît certain que les guerres fréquentes, ainsi que les progrès du commerce et de l'industrie, ont dû produire, dès la période achéenne, de tels effets. Et ceux-ci auraient sans doute amené à la longue des révolutions, si cette période s'était prolongée. Elles furent contenues par les institutions politiques et surtout par la puissance royale.

Institutions politiques. — L'*Iliade* et l'*Odyssée* mettent en scène les héros achéens. Si nous acceptions les témoignages de ces poèmes comme des documents historiques, il serait aisé de décrire les institutions de leur temps. Nous y voyons des rois assistés d'un conseil de chefs, avec lesquels ils délibèrent et dont ils écoutent les avis; en l'absence du roi, ce conseil les remplace plus ou moins heureusement. Le peuple est réuni en assemblée; on lui communique ce qui a été décidé dans le conseil; il l'approuve par de bruyantes acclamations; c'est à cela que se réduit son rôle, car si par hasard un homme du peuple se permet de critiquer le roi ou ses conseillers, on lui fait payer cette témérité à coups de bâton. Que ce soit là en gros l'image de coutumes anciennes, on a tout lieu de le croire. Mais c'est assurément une image simplifiée. Nous sentons bien que de telles coutumes ne pouvaient avoir la valeur d'une constitution proprement dite et qu'elles ont dû varier selon les lieux et les circonstances. Il est possible qu'elles aient été assez bien observées là où quelque petit prince achéen régnait sur un territoire de médiocre étendue, au milieu de vieilles familles qu'il était tenu de ménager et dont le concours lui était nécessaire. Mais on croira difficilement qu'elles aient eu force égale dans les puissantes monarchies. D'immenses travaux, tels que ceux qui ont été exigés pour la construction des remparts de Mycènes, de Tirynthe, d'Orchomène, révèlent la volonté impérieuse d'un maître qui commande et d'une multitude qui obéit servilement. On ne les imagine pas exécutées autrement que par des corvées, astreintes aux plus durs labeurs. Les Cyclopes, auxquels la crédulité antique les attribuait, ont dû être en réalité des troupeaux humains qui ont durement peiné sous la menace et sous les coups; et nous concevons plutôt les rois de Mycènes à la ressemblance des Pharaons bâtisseurs de pyramides qu'à celle de l'Agamemnon de l'*Iliade*, délibérant en conseil avant d'agir, ou de cet Ulysse dont l'*Odyssée* vante la douceur presque paternelle à l'égard de son peuple. Il faut bien se dire d'ailleurs que, dans un pays divisé comme l'était alors la Grèce, l'uniformité des gouvernements persistant pendant plusieurs siècles eût été en soi un véritable miracle. Ce qu'on peut admettre, c'est que les États achéens furent constamment gouvernés par des rois, dont l'autorité fut tantôt tyrannique, tantôt plus légère, ici fermement assise, là vacillante et contestée, selon la valeur des hommes et le milieu où elle s'exerçait. Là où manquent les témoignages, il faut bien recourir aux conjectures; il suffit que celles-ci s'appuient sur les faits connus et soient conformes aux vraisemblances.

IV. — LA RELIGION

Vue d'ensemble. — Quelle était la religion de ces rois et de leurs peuples? Sur ce point encore, les précisions nous font défaut. Il n'est pas impossible cependant de s'en faire une idée au moins approximative. Les Achéens ont apporté en Grèce de très anciennes croyances : ils en ont trouvé d'autres chez les populations qu'ils ont subjuguées et ils s'en sont assimilé quelques-unes; enfin ils en ont emprunté d'autres encore aux peuples avec lesquels ils ont pris contact et ils les ont plus ou moins mélangées avec celles qui leur étaient propres. Il s'en faut de beaucoup qu'on puisse aujourd'hui distinguer sûrement chacun de ces éléments. C'est une des tâches auxquelles s'applique la science moderne; elle est loin d'être achevée. Écartant ici toutes les discussions, nous nous en tiendrons aux faits les plus importants.

Survivances pélasgiques. — Ce qui est le plus obscur dans ce sujet, ce sont les survivances pélasgiques qui ont pu se mêler à la religion proprement achéenne. Car, en fait, nous ne savons à peu près rien de ces populations préhelléniques. Toutefois, il est naturel de leur attribuer les croyances qui étaient les plus liées au sol et que les envahisseurs par conséquent n'ont pu apporter avec eux. Tels sont les cultes dans lesquels les puissances souterraines étaient adorées sous la forme de serpents, à Pytho, par exemple. Et comme ces cultes sont liés étroitement à celui de la Terre elle-même, on admettra facilement que les Pélasges ont transmis aux Achéens bon nombre de rites agraires qui, peut-être, n'étaient pas d'ailleurs étrangers à ceux-ci non plus. C'est dans cet ordre d'idées sans doute que des recherches nouvelles pourront nous apporter plus de certitudes. Pour le moment, il n'y a pas lieu de multiplier les conjectures.

La religion achéenne. — Quant à la religion propre des Achéens, c'était en somme celle qui s'est plus tard développée en Grèce; identique au fond, elle en représente seulement un état moins avancé. Elle consistait essentiellement en un polythéisme naturaliste. Sous les personnifications divines qu'elle distinguait par des noms propres, on peut reconnaître encore autant de phénomènes naturels, qu'il est d'ailleurs malaisé de définir exactement. Ces noms, dont l'étymologie est le plus souvent obscure, se révèlent par là même comme très anciens. Quelques-uns datent de l'indo-européen commun. Il en est ainsi, par exemple, de celui qui désigne le dieu suprême, Zeus, de qui relèvent les phénomènes célestes, la lumière, la pluie et la grêle, l'orage et la foudre. Et la plupart des grands dieux qui formèrent plus tard avec lui le panthéon hellénique, s'ils ne sont pas tous d'origine aussi ancienne, sont certainement antérieurs, eux aussi, à l'époque de la migration achéenne; c'est en pénétrant sur le sol grec, que les Achéens les y introduisirent. Il n'est guère douteux qu'il n'en ait été ainsi d'Héra, la parèdre de Zeus, d'Athéna, si proche de lui par ses attributs, et probablement aussi d'Arès. Mais, comme ce polythéisme, par sa nature même, se prêtait aisément à accueillir de nouveaux dieux, il était naturel qu'évoluant dans des conditions favorables à cet élargissement, au contact de religions différentes, et pourtant à certains égards analogues, il s'accrût rapidement par de multiples emprunts. Dans cet accroissement, l'influence de la Crète minoenne, celle de l'Asie antérieure, peut-être même de l'Égypte, se laissent déjà reconnaître en certains cas et soupçonner en plusieurs autres. Il est manifeste, par exemple, qu'une partie considérable de la légende de Zeus, telle que nous la voyons constituée dans les poèmes homériques et dans la Théogonie, provient d'une fusion des croyances achéennes avec les croyances crétoises. Le culte d'Apollon, lui aussi, a des liens avec la Crète, il en a d'autres avec l'Asie et les îles; Aphrodite est apparentée à l'Astarté orientale. Chacun des dieux grecs, pour ainsi dire, lorsqu'on scrute ce que nous savons de son histoire, laisse apparaître en lui quelques éléments étrangers. Et presque toujours, ces éléments sont si bien fondus dans sa personnalité qu'il est devenu très difficile de les discerner sûrement; à plus forte raison l'est-il d'assigner une date à tel ou tel de ces emprunts.

L'anthropomorphisme. — Mais les noms des dieux ne nous apprennent presque rien des croyances. Étaient-elles, alors, déjà, aussi nettement anthropomorphiques qu'elles le devinrent plus tard? Assurément, le fait même de donner un nom à un dieu, un nom analogue aux appellations par lesquelles les hommes se distinguent entre eux, dénote tout au moins une tendance à le considérer comme une personne. Mais cette tendance peut être plus ou moins consciente, plus ou moins vague. Pour nous éclairer sur ce point, il y a lieu de se référer aux indices fournis par le culte. Or nous savons par des témoignages et par des représentations figurées que les hommages des fidèles jusqu'aux derniers temps de la période achéenne s'adressaient souvent encore à des objets matériels, pierres debout, piliers, arbres sacrés. Le pilier double qui se dresse à la porte de Mycènes entre deux lionnes est significatif à cet égard. De tels faits ne nous donnent-ils pas à penser que, pour les hommes de ce temps, la notion de la divinité était surtout celle d'une puissance invisible, sans forme définie, qui pouvait résider dans certains objets déterminés, sans se confondre d'ailleurs avec eux ? Cela n'empêchait pas d'ailleurs qu'on n'assignât à chaque dieu un domaine où s'exerçait plus spécialement sa puissance et où il se plaisait à être adoré ou consulté. C'est ainsi que le dieu du ciel recevait sur les hauts lieux les hommages qui lui étaient dus et qu'il rendait ses oracles dans les chênes centenaires qui couvraient à Dodone les hautes terrasses du Tomaros. C'est ainsi encore qu'on offrait à Poséidon des sacrifices sur le rivage de la mer.

Isolement des dieux. — Moins assimilés aux hommes, les dieux de cet âge étaient sans doute aussi moins unis les uns aux autres qu'ils ne le furent plus tard. Nous verrons naître, dans l'époque suivante, le besoin de les classer, de dresser des généalogies, où chacun d'eux viendra prendre sa place, de les faire entrer tous, par conséquent, dans une même famille. Au temps où nous sommes, il est à croire qu'à part quelques couples déjà formés, quelques filiations naturelles, ces liens artificiels n'existaient pas. Chacun des dieux avait sa vie propre, et le monde divin restait ouvert aux nouveaux venus que les circonstances y introduisaient.

Grossièreté primitive. — Nul doute aussi qu'il n'y eût dans cette religion une certaine grossièreté à demi barbare, que le génie grec, en s'épurant et en s'affinant, a éliminée peu à peu. On l'aperçoit, mais comme refoulée à l'arrière-plan, jusque dans la Théogonie hésiodique, œuvre d'un temps où la civilisation avait singulièrement progressé. Des monstres, tels que les Gorgones, Briarée, les Hécatonchires, Tiphoeus et d'autres, appartiennent manifestement à des siècles où le sentiment du beau s'était encore à peine éveillé. On y devine les rêves d'un temps où la superstition, pleine d'épouvante, pesait lourdement sur des âmes naïves. Il fallait attendre, pour les dissiper, que la lumière de la raison vînt projeter ses clairs rayons dans les ténèbres de l'ignorance primitive. Certaines œuvres d'art nous mettent sous les yeux cet état d'esprit. « Une peinture de Mycènes représente un défilé de personnages à tête d'âne : ce ne sont pas des monstres créés par une fantaisie d'artiste, mais des hommes affublés d'une dépouille sacrée pour un acte rituel (1). » Quel acte ? Évidemment une cérémonie propitiatoire, destinée à conjurer quelques mau-

(1) Glotz, *La civilisation égéenne*, p. 276, d'après une peinture reproduite dans Perrot, *La Grèce primitive*, fig. 439.

vais génies, dont on croyait prendre la ressemblance. C'étaient surtout les cultes agraires, partout répandus, qui étaient l'occasion de telles manifestations religieuses. Ne fallait-il pas renouveler chaque année la fécondité de la terre dont l'approche de l'hiver semblait indiquer l'épuisement? Et comment cela pouvait-il se faire sinon par des rites magiques, par des sacrifices souvent sanglants, sacrifices d'animaux et parfois aussi de victimes humaines? La superstition ne recule pas devant la cruauté. Et ce qui nous paraît cruel, ce que la Grèce devait plus tard rejeter avec horreur, était nécessaire et même saint au jugement de cette humanité primitive.

Il n'y a pas lieu d'entrer ici dans plus de détails. Nous retrouverons plus loin la même religion, mais transformée sous l'influence d'une pensée toujours active. L'esquisse qui vient d'être tracée suffira à nous permettre d'apprécier l'étendue des progrès que nous verrons alors réalisés.

Valeur morale de cette religion. — Il importe toutefois d'examiner dès à présent si cette religion, toute grossière qu'elle fût à certains égards, ne contenait pas cependant certains éléments de moralité. Quelques remarques sur ce point seront suffisantes. Et tout d'abord il apparaît évidemment que le culte du foyer domestique était un de ces éléments. C'était ce culte qui assurait l'autorité paternelle, les devoirs mutuels des membres de la famille, le respect de la tradition; c'était lui qui habituait l'homme, dès son enfance, à prendre conscience de ses obligations, à se dire qu'il ne vivait pas uniquement pour lui-même, à sentir la présence des dieux. A ce culte était associée la notion d'une survivance de l'âme; notion très obscure assurément, mais très fortement attestée par le soin pieux donné à la sépulture. Sans doute, elle n'impliquait encore aucune idée de peines ou de récompenses à attendre dans une vie future. Mais elle renforçait du moins le sentiment d'une tradition à perpétuer, d'un nom glorieux à conserver, et aussi d'un secours à espérer ou d'une vengeance à redouter; car, après tout on ne savait trop si l'on ne devait pas attribuer au mort une vague puissance jusque dans le tombeau. Un autre élément de moralité dû à la religion était la force qu'elle prêtait au serment. Dans une société où les lois n'étaient presque rien, c'était le serment, garant des engagements mutuels, qui suppléait le mieux à leur silence. Grâce à lui, l'échange des promesses devenait une sorte de loi privée.

N'étant pas appuyée sur une garantie publique, il était bon qu'elle le fût sur une garantie divine. Aussi bien était-il mis sous la garde des plus grandes divinités ou des plus redoutables. C'était Zeus lui-même qu'on attestait le plus souvent ou la Terre, mère de tous les hommes, ou encore les dieux infernaux. Au serment il faut joindre l'imprécation, arme de ceux à qui manquait la force, mais arme redoutable puisqu'elle confiait la vengeance à l'Érinys, être enveloppé de mystère, et d'autant plus terrible; puissance impitoyable, toute prête à écouter qui l'invoquait et à s'élancer sur la trace du coupable devenu sa proie. Enfin, indépendamment de ces croyances particulières, n'est-il pas vraisemblable et presque nécessaire de penser que, dès ce temps, les faibles, les opprimés, les victimes de la violence ont dû avoir foi en cette justice divine qu'Hésiode, quelques siècles plus tard, attribuera expressément à Zeus? C'est là un sentiment si naturel à l'humanité qu'on a peine à se figurer un âge où elle en aurait été absolument dépourvue.

Au reste, les Achéens revivent dans l'épopée homérique, et la peinture qu'elle fait de leurs passions, la sincérité avec laquelle elle nous retrace la rudesse de leurs mœurs, nous autorisent à croire aux principales qualités qu'elle leur prête. Certes, elle nous représente au vif leur orgueil, leur âpreté au gain, la vivacité de leurs querelles et la force de leurs ressentiments, leur amour de la guerre, leurs accès de cruauté envers les vaincus, mais elle nous montre aussi leur belle vaillance, leurs sentiments d'honneur, la solidité de leur amitié, les dévouements dont ils étaient capables, la sagesse réfléchie de quelques-uns d'entre eux, et même ce qu'il y avait parfois de soudaine générosité dans ces âmes encores dures. L'impression qu'ils nous donnent est celle d'une race jeune, trop livrée encore aux impulsions instinctives, mais bien douée, naturellement portée vers tout ce qui ennoblit l'homme, capable par conséquent de se donner avec le temps une haute et délicate culture ou de la recevoir des influences du dehors.

V. — L'ART MYCÉNIEN

Tendances artistiques. — Il nous reste à parler du goût que les Achéens ont manifesté pour les arts et de ce qu'ils ont réalisé dans cet ordre d'idées. Ce n'est que dans les derniers siècles avant l'invasion dorienne qu'ils ont commencé vraiment à les cultiver. Ils ont dû leur initiation aux artistes crétois. Instruits par eux, ils ont réussi à créer des œuvres imitées de celles de leurs maîtres ; et peut-être auraient-ils développé une originalité propre, si le bouleversement de la Grèce vers la fin du XIIe siècle n'y avait fait obstacle. En fait, le temps leur a manqué pour le plein essor de leur génie. Ce qu'ils ont produit dans cette période restreinte, qu'on appelle communément mycénienne, est pourtant très digne d'intérêt.

L'architecture. — On a vu plus haut à quel point les princes achéens avaient été de grands bâtisseurs. Les ruines de leurs citadelles permettent de distinguer plusieurs modes de construction qui diffèrent par l'appareil des murs. Certaines murailles sont formées de blocs énormes, aux formes irrégulières, assemblées sans ciment et maintenues en place par leur propre poids ; des pierres plus petites bouchent les intervalles ; c'est l'appareil dit « cyclopéen » ; telles sont les galeries extérieures de Tirynthe (1). Un autre appareil, moins grossier déjà, dit « pélasgique », se compose encore de très gros blocs, mais travaillés plus régulièrement ; ils présentent également des formes polygonales, mais ils ont des surfaces aplanies qui permettaient de les assembler sans laisser de vides. Une partie des remparts de Mycènes en est un exemple. Enfin, cet appareil polygonal se montre sous un aspect plus régulier encore, qu'on peut appeler quadrangulaire ; tous les blocs alors sont taillés à angle droit ; seulement, ils sont encore inégaux ; par suite, les assises ne sont pas horizontales et les joints, au lieu d'être alternés comme ils seront plus tard, se croisent au hasard. C'est ce que l'on voit par exemple à Mycènes dans la partie des murs qui avoisinent la porte des lionnes. On admet en général que ces trois modes de construction appartiennent à des époques différentes. Est-il impossible, toutefois, qu'ils aient été employés simultanément, selon la destination des constructions et selon les ressources dont disposaient les constructeurs ? Quoi qu'il en soit, ces murailles, même les plus grossières, révèlent des moyens d'action puissants, réglés par une expérience déjà réfléchie et capable de résoudre nombre

(1) Ces murs passaient pour avoir été bâtis par les Cyclopes. Bacchylide, *Ode* X, 77.

de problèmes techniques. L'équilibre des masses, dans les portes notamment, n'a pas été obtenu sans un certain calcul.

Pour édifier les palais, les architectes mycéniens employaient naturellement d'autres matériaux. Ils se servaient surtout de la brique et du bois. L'état des ruines ne permet pas de reconnaître tous les détails de leur art. Elles laissent voir l'usage qu'ils faisaient du pilier pour les entrées, pour les jambages des portes, pour soutenir les plafonds. Les toitures à double rampant n'auraient pas été possibles s'ils n'avaient su établir des fermes en charpente. Ce qui caractérise surtout ces palais, c'est leur plan. Au milieu, la grande salle carrée, le mégaron, où est le foyer, pièce qui sert à la fois de cuisine, de salle à manger et d'appartement d'honneur, pour recevoir les hôtes. Autour du mégaron, se groupent les parties du palais servant à l'habitation et aux usages domestiques. Quelques-uns de ces édifices comportent un étage supérieur (l'hyperoon). Une ou plusieurs cours sont toujours réservées dans l'enceinte murée qui enclôt le tout. Cette distribution simple, où dominait déjà un certain esprit d'ordre, sinon de symétrie, distinguait ces demeures royales achéennes de celles de la Crète minoenne, conçues d'après un plan de groupement bien plus compliqué.

Arts décoratifs. — En revanche, elles devaient presque tout à la Crète pour la décoration intérieure. C'est vers 1600 que furent peintes les fresques de Mycènes et de Tirynthe et il est manifeste qu'elles le furent par des artistes crétois. Mais, après la ruine de la puissance crétoise, leurs successeurs, qu'ils fussent crétois eux aussi ou mycéniens disciples des Crétois, durent s'affranchir plus ou moins des traditions de leurs ateliers pour se prêter au goût de leurs nouveaux clients. Ceux-ci firent alors peindre sur la paroi des salles de leurs palais les processions et les défilés dont ils aimaient le spectacle, les scènes de chasse qui leur étaient familières (1). C'est ce qu'on observe à Thèbes comme à Tirynthe. On ne peut conclure que ces princes étaient au moins soucieux d'appeler à eux les bons ouvriers et savaient apprécier les belles œuvres.

La statuaire proprement dite n'était pas encore née. On a

(1) Voir Glotz, *Civilisation égéenne*, p. 360 et suiv. J'emprunte à cet excellent ouvrage beaucoup des renseignements ici résumés.

vu plus haut que les dieux étaient symbolisés par des objets sans aucun rapport avec la forme humaine. Les animaux eux-mêmes ne semblent guère avoir figuré en pierre que dans quelques bas-reliefs, tels que celui de la porte de Mycènes. Ce que l'art crétois avait produit en fait d'œuvres plastiques, c'étaient des statuettes, des figurines en stéatine, en ivoire, en terre cuite ou même en bronze. Le même goût s'imposa aux Achéens. Ils y joignirent celui de l'orfèvrerie. Il a été question plus haut des tombes de Mycènes et des objets d'art en métal de prix qui y furent trouvés. Conservés au Musée central d'Athènes, ils y sont pour le visiteur un sujet d'émerveillement. On y admire notamment une célèbre tête de taureau en argent et un mufle de lionne en or. Non moins curieux sont les fragments de rhytons en argent sur lesquels ressortent en relief des scènes de guerre : groupe de petits personnages, frondeurs, archers, guerriers armés de lances et, dans le fond, un rempart du haut duquel des femmes encouragent par leurs gestes les combattants. Le dessin, certes, en est encore très inexpérimenté, mais le mouvement, la vie éclatent dans ces petites compositions. D'autres tombes ont livré des gobelets en or, décorés d'une frise où figurent soit la capture des taureaux sauvages, soit l'élevage des taureaux destinés à être domestiqués. A Mycènes encore appartient tout un lot de poignards incrustés et damasquinés, d'épées à poignées ciselées où l'on voit des chasses au lion; en face de chasseurs couverts de leurs boucliers et armés de longues lances, bondissent les fauves; les uns se jettent sur les hommes, les autres reculent et même s'enfuient.

Plus encore que l'orfèvrerie, la céramique mycénienne est caractéristique d'une industrie d'art florissante. Continuant celle de la Crète, elle répandit bientôt au loin ses produits. On les rencontre disséminés sur une aire qui comprend toute la Grèce, les îles, la Troade même et d'un autre côté l'archipel ionien. Ce sont des vases très divers de forme et de plusieurs styles, destinés soit à des usages domestiques, soit à servir d'ornements. Il ne saurait être question ici ni de les énumérer ni de les décrire. « Le mycénien, écrit M. Glotz, a un répertoire éclectique. Il ne renonce pas au naturalisme : le décor végétal lui est familier; les oiseaux, surtout les oiseaux aquatiques, les poissons, les mollusques et les coquillages lui fournissent toujours d'amples ressources. En Argolide et à Cypre s'y joignent les grands quadrupèdes et les figures humaines. Sous l'influence de la peinture murale, le peintre de vases représente même des scènes d'ensemble, des chasses, des défilés de guerriers, des hommes montés sur des chars. Enfin, on revient au dessin géométrique de la vieille peinture indigène, à la couleur mate (1). » Après une période de création féconde et variée, il y eut donc un certain déclin. C'est la loi commune de tous les arts. Dans l'ensemble, l'art mycénien n'en a pas moins été une brillante réussite.

La poésie. — Dans cet essor remarquable des esprits, la poésie n'a-t-elle eu aucune part? Comment croire que, dans une société où l'art était si apprécié, où régnait le goût des fêtes et des jeux, où l'hospitalité princière se pratiquait si largement, elle ait été entièrement ignorée? C'est cette époque, ne l'oublions pas, qui a fourni à l'épopée ses légendes. Or, ces légendes ne sont pas de pures fictions. Elles sont faites manifestement de souvenirs, qui sans doute ont été altérés, idéalisés, grossis de nombreuses inventions, mais qui recouvrent un élément de réalité historique. Comment ces souvenirs se sont-ils transmis et conservés à travers plusieurs siècles au milieu de véritables bouleversements sociaux? L'épopée homérique ne répond-elle pas à cette question? Elle nous décrit les banquets et les fêtes des rois achéens, elle y fait figurer la musique, la danse et les longues récitations, accompagnements habituels de ces réunions. Elle nous montre des aèdes attachés à la cour de ces rois, vivant dans leur familiarité et les charmant par leurs beaux récits. N'est-ce là que la projection dans le passé des usages d'une époque postérieure? On pouvait le croire lorsque l'*Iliade* et l'*Odyssée* étaient considérées comme les premières inspirations de la muse, les essais d'une poésie naissante. Aujourd'hui, on est d'accord pour reconnaître qu'elles sont au contraire issues d'une évolution poétique déjà longue. La versification de ces poèmes, leur vocabulaire, leur phraséologie si particulière, les caractères mêmes des personnages, les allusions à tant de récits anciens supposés connus, tout, en un mot, témoigne qu'ils procèdent d'une élaboration qui a dû être lente et continue. Il ressort de là que les aèdes ioniens ont eu de nombreux prédécesseurs, et nous sommes ainsi amenés à tenir pour très vraisemblable

(1) Glotz, ouvr. cité, p. 419.

qu'il y ait eu déjà dans les palais d'Orchomène et de Thèbes, de Mycènes et de Tirynthe, des hommes qui se disaient voués à l'art de chanter les aventures du héros.

Bien entendu, il serait vain de chercher à nous faire une idée précise de ce qu'était leur poésie à ses débuts. Il suffit qu'on se la représente comme associée à la fois au culte des dieux par des hymnes et à la vie des princes par ses récits. L'aide de l'écriture, à supposer qu'elle en eût besoin, ne lui manquait peut-être pas absolument. Nous savons aujourd'hui que la Crète minoenne disposait de plusieurs sortes de caractères graphiques. Mais était-elle nécessaire aux aèdes? On a de bonnes raisons d'en douter. Une mémoire exercée, aidée par l'emploi de formules traditionnelles, a dû suffire à des compositions encore simples (1). Au reste, peu importe. Quelle qu'en ait été la forme, c'est par elles, pour une large part, que s'est établie la continuité entre cette première époque de la civilisation grecque et celle dont nous avons maintenant à parler.

VI. — Dernier regard sur la civilisation achéenne

Que serait-il advenu de cette civilisation achéenne, si le grand événement qu'on appelle l'invasion dorienne n'avait pas eu lieu? A une telle question on ne peut répondre que par des conjectures, et celles-ci seraient sans intérêt si elles n'appelaient par avance notre attention sur le résultat le plus grave peut-être de cette invasion. A quel moment de l'histoire l'unité de la Grèce est-elle devenue impossible? Autant qu'on en peut juger, rien ne s'opposait absolument au rapprochement des principautés achéennes, rien n'empêchait qu'elles se fondissent peu à peu en une seule nation. Aucune d'elles n'avait une assiette définitive, aucune n'était marquée profondément de ces traits distinctifs qui constituent une individualité ethnique. Ce fut l'invasion dorienne qui modifia défini-

(1) Voir, sur ce point, les études récentes de Milmann Parry, et notamment *Harvard studies in classical Philology*, vol. XLI, 1930. C'est un fait remarquable que, parmi les formules traditionnelles qui abondent dans les poèmes homériques, il en est où subsistent des formes et des mots appartenant à un dialecte déjà tombé en désuétude.

tivement cet état de choses. Nous aurons à montrer comment s'accomplit cet événement si grave, si chargé de lourdes conséquences. Dès à présent, toutefois, notons-en l'importance. Elle ne pourra être bien appréciée que si l'on garde quelque souvenir de ce qui existait avant qu'il se produisît.

L'INVASION DORIENNE.
ÉMIGRATION GRECQUE EN ASIE

I. — L'INVASION DORIENNE

L'immigration des tribus du Nord. — La civilisation achéenne semblait avoir, en somme, de belles chances d'avenir, lorsque, vers la fin du XIIᵉ siècle avant notre ère, survint une nouvelle immigration qui lui fut fatale. Les historiens anciens ont rattaché ce mouvement de peuples à la légende des fils d'Héraclès et l'ont appelé le retour des Héraclides. De notre temps, on a substitué à cette dénomination fabuleuse celle d'invasion dorienne, qui exprime au moins une partie de la réalité historique. Ce qu'on entend par là, c'est l'arrivée de tribus venues du Nord, parlant d'ailleurs comme les Achéens la langue grecque, et par conséquent issues originairement du même milieu, mais qui, étant restées jusque-là en arrière, n'avaient pu participer à leur civilisation progressive. Elles se trouvaient en ce temps groupées dans le Nord de l'Épire, autour de Dodone (Janina). Incultes et rudes relativement aux Achéens, ces Grecs retardés leur étaient supérieurs par une énergie qu'aucune habitude de luxe ni de mollesse, aucun contact avec d'autres peuples plus avancés, n'avaient encore atténuée. Ils l'étaient aussi par l'emploi des armes de fer, casques, cuirasses, lances et javelots. Pas plus que les Achéens, ils ne paraissent avoir envahi toute la Grèce en masse. La tradition ancienne, assez confuse d'ailleurs, avait gardé le souvenir de plusieurs expéditions successives. Il y a peu de fond à faire sur ces récits. Mais les faits historiques connus permettent de se représenter en gros leur marche et leurs établissements.

Établissements nouveaux dans la Grèce centrale. — Subissant la poussée d'autres peuplades ou obéissant simplement à un désir de conquête, un premier groupe d'envahisseurs pénétra en Thessalie et une partie d'entre eux s'y arrêta. Ils en chassèrent ce qui restait là des Béotiens et ceux-ci allèrent rejoindre dans la région du Copaïs et de l'Hélicon les clans du même nom qui s'y étaient déjà établis auprès des Cadméens. Cette invasion détermina l'exil d'un grand nombre d'Achéens, surtout des familles princières, qui s'enfuirent avec leur clientèle vers le rivage de l'Asie, où nous les retrouverons bientôt. Ceux qui restèrent furent assujettis. C'étaient sans doute des gens de moindre condition. Ils formèrent une classe inférieure, celle des Pénestes. D'autres envahisseurs, venus peut-être par une route plus directe, se fixèrent dans les montagnes du centre, au nord du Parnasse, et donnèrent à ce petit coin de la Grèce centrale, autour d'Érinéos, le nom de Doride. Plus tard, cette Doride passa pour la métropole des Doriens.

Les Doriens dans le Péloponnèse. — Mais c'est dans le Péloponnèse que la masse dorienne des nouveaux venus fit son principal établissement. Là, ils se rendirent maîtres de l'Ægolide, de la Laconie et de la Messénie et ils aidèrent la tribu étolienne des Éléens, leurs alliés, à occuper la région qui prit dès lors le nom d'Élide. L'Arcadie, défendue par ses montagnes, ne fut qu'à peine entamée. Le résultat de cette invasion fut la ruine des royaumes achéens, l'expulsion ou l'asservissement des anciennes populations. Une partie des vaincus reflua vers la côte du golfe de Corinthe, l'ancienne Aegialée, qui reçut et garda dès lors le nom d'Achaïe. D'autres quittèrent le continent et s'en allèrent chercher fortune dans les îles ou sur le rivage de l'Asie Mineure.

Ruine de la civilisation achéenne dans la Grèce propre. — A la suite de ces événements, de nouveaux États se formèrent soit dans le Péloponnèse, soit dans la Grèce centrale. Nous y reviendrons plus loin. Pour le moment, tout était ruine et perturbation dans la péninsule. Plusieurs siècles furent nécessaires pour qu'une civilisation nouvelle y apparût. Ce qui subsistait de l'ancienne s'était transporté en Asie. Nous devons l'y suivre; car c'est là que le génie grec allait d'abord refleurir.

II. — FONDATION ET DÉVELOPPEMENT DES ÉTABLISSEMENTS GRECS EN ASIE MINEURE

Émigration éolienne. — L'histoire de ces établissements grecs d'Asie à leurs débuts ne nous est qu'imparfaitement connue. Il apparaît toutefois que la première émigration fut celle des Achéens de Thessalie signalée ci-dessus. Déjà, sans doute, comme nous l'avons vu, la route vers l'Asie leur avait été ouverte par d'heureuses entreprises. Lesbos avait été occupée antérieurement par des hommes de leur race; peut-être même quelques points de la Troade. Ils n'eurent qu'à prendre pied le long du littoral asiatique, aux endroits les plus favorables, particulièrement sur le pourtour du golfe d'Adra-myttion et plus au sud jusqu'à l'embouchure de l'Hermos. Là se constitua un groupe de douze villes éoliennes, au nombre desquelles était d'abord Smyrne, enlevée plus tard par les Ioniens de Colophon. Mais le véritable centre de ce groupe-ment fut la grande île de Lesbos, avec ses cités de Mitylène, d'Érésos, de Méthymne. C'est surtout par le dialecte de Lesbos que nous connaissons le parler éolien plus ou moins commun à tous les Grecs de cette région et proche parent du thessalien; et c'est aussi grâce à Lesbos surtout que l'Éolide a eu son heure de renommée. A elle est due, en outre, une quantité de notables légendes. Ce sont les Éoliens de Thessalie qui ont dû emporter le souvenir de leurs héros nationaux, tels qu'Achille et Pélée, Philoctète, Protésilaos, ainsi que les traditions concernant les Minyens d'Iolcos, le roi Pélias et Jason, les Lapithes et les Centaures, matière d'épopées que leurs aèdes furent pro-bablement les premiers à mettre en forme.

Émigration ionienne. — Un peu plus tard, au moment où les Doriens se rendaient maîtres du Péloponnèse, se produisit l'émigration ionienne. A vrai dire, l'origine des Ioniens est obscure. Certains traits, tels que la division en quatre tribus, le culte d'Apollon Patroos et la fête des Apaturies, enfin l'unité fondamentale de leur parler, qui transparaît sous les diversités locales, ne permettent guère de mettre en doute une communauté primitive de vie, qui, pourtant, n'apparaît pas clairement dans l'histoire. C'est probablement en Attique et en Eubée, à l'époque achéenne, qu'elle s'est for-mée, et elle a pu se développer aussi dans quelques parties du Péloponnèse, sans qu'on puisse dire exactement sur quels points ni a quelle date. Devant l'invasion dorienne, ceux des Ioniens qui ne se résignèrent pas à subir la loi des vainqueurs partirent successivement pour l'Asie, entraînant à leur suite des Grecs d'autres tribus, qui, moins nombreux, se fondirent peu à peu sans doute, eux ou leurs descendants, avec l'élément ethnique prédominant. Hérodote cite notamment comme s'étant adjoints à l'émigration ionienne des Minyens d'Orchomène, des Cadméens, des Dryopes, des Phocidiens, des Arcadiens, des Épidauriens (1). Quoi qu'il en soit, les villes ioniennes d'Asie reconnnaissaient pour leurs fondateurs des chefs issus des rois achéens de Pylos, ce qui indique tout au moins à quoi se rattachaient les souvenirs des plus nobles familles. Douze villes successivement furent fondées par ces émigrants, soit sur le littoral asiatique depuis l'embouchure de l'Hermos jusqu'à celle du Méandre et au-delà, soit dans les îles voisines. Ce furent Milet, Myonte, Priène, Éphèse, Colophon, Lébédos, Téos, Clazomène, Érythrée, Phocée et les deux cités insulaires Chios et Samos. Plus tard s'ajoutèrent à ce groupe Smyrne, enlevée aux Éoliens, et Halicarnasse, détachée de la Doride. Entre ces émigrants rapprochés par des intérêts communs, l'unité originelle se resserra naturellement. Au contact de peuples étrangers, ils prirent plus fortement conscience de tout ce qui les rapprochait. Sous l'influence de ce sentiment s'établit entre eux une confédération religieuse consacrée par le culte de Poséidon Héliconios, qu'elle célébrait au sanctuaire appelé Panionion sur les flancs du mont Mycale. Dans cette sorte d'amphictyonie, Milet, grâce à son temple renommé d'Apollon Didyméen aux Branchides, jouissait d'un prestige particulier, bien que chaque cité d'ailleurs n'abdiquât rien de son autonomie. Privilégiée par son climat, par la fécondité naturelle du sol, par ses ports, par ses relations avec l'intérieur du continent asiatique, l'Ionie ne pouvait manquer de prendre un rôle prépondérant dans la civilisation grecque d'Asie. Nous allons voir qu'elle réussit en effet à se l'attribuer.

Émigration dorienne. — Une dernière émigration, de date postérieure et d'origine dorienne, celle-là, acheva l'investissement du littoral anatolien par les Grecs. Elle fut sans doute la conséquence des luttes entre les Doriens, conquérants du Péloponnèse. Ces derniers émigrants occupèrent la Crète, Rhodes et la pointe méridionale du continent. Là, ils fondèrent Cnide, Cos, Halicarnasse, et, dans l'île de Rhodes, les trois villes de Lindos, Ialysos et Camiros. Leur lien religieux fut le culte d'Apollon Triopios, qu'ils célébraient en commun par des jeux au promontoire Triopion. Jaloux de leur carac-

(1) Hérodote, I, 146.

tère national, ils excluaient rigoureusement de ce culte quiconque n'était pas membre de leur confédération.

Divisions entre les Grecs d'Asie. — D'après cette simple
esquisse de l'émigration grecque en Asie, il semble bien que
les divisions produites dans le monde achéen par l'invasion
dorienne aient eu leur contrecoup au-delà de la mer. En particulier, la création de l'Ionie (et son rapide développement)
fut l'effet, au moins en partie, de l'entrée violente des Doriens
en Grèce, et elle ne contribua pas peu, par une sorte de choc
en retour, à faire naître le sentiment d'une forme de civilisation
opposée à celle dont les Doriens étaient les promoteurs. Dis-
cordance dont les conséquences dans l'histoire de la Grèce
devaient se faire bien gravement sentir.

III. — Développement de la civilisation dans la Grèce d'Asie

Formation d'une civilisation nouvelle. — C'était la civilisation
de l'époque mycénienne que ces émigrants emportaient avec
eux, lorsqu'ils franchirent la mer. Ils en furent naturellement
les continuateurs. Mais, transportée sur un terrain nouveau,
fécondée par des influences étrangères, contrainte par les
circonstances à un effort constant de création, elle s'y développa rapidement et y prit en peu de temps un tout autre
aspect. Ce qui la caractérise peut-être le mieux, c'est précisément cet esprit d'innovation, cette activité qui tendait à dégénérer en agitation. Elle se manifesta vivement dans les révolutions qui troublèrent les cités.

Révolutions politiques. — La première occupation des points
de débarquement sur le rivage d'Asie avait dû se faire par
la force, ou, en tout cas, par des arrangements que la force
aidait à imposer. Ce fut donc, en fait, une série d'expéditions
militaires. Elles furent conduites par des chefs, qui n'étaient
autres le plus souvent que les princes dépouillés par l'invasion
et fuyant avec leurs anciens sujets. Rois au départ, ils restèrent
rois à l'arrivée. Ainsi la royauté fut dans la plupart des villes
nouvelles, sinon dans toutes, la première forme de gouvernement. Mais la royauté a besoin de s'appuyer sur une forte
tradition. En Asie, cette tradition manquait ou s'était affaiblie.
Les tribus s'étaient mélangées; les liens avec le passé étaient

détendus. Autour des familles royales s'agitaient d'autres familles d'ancienne noblesse. A celles-ci vinrent se joindre bientôt celles que le développement de l'industrie et du commerce ne cessait d'enrichir. Devenues puissantes, elles supportaient mal la sujétion. La royauté dut capituler devant leurs ambitions. Elle céda la place à l'oligarchie. Alors les mêmes causes qui créaient et renouvelaient sans cesse l'aristocratie de fortune, multiplièrent peu à peu, au-dessous d'elle, une classe moyenne d'artisans, de marins, de commerçants, de gens d'affaires, qui s'accordaient mal avec ces maîtres et supportaient impatiemment leur autorité. Et, plus bas encore dans l'échelle sociale, se formait dans les villes maritimes une dernière classe, véritable plèbe, sans droits reconnus, ouvriers des ports, travailleurs de toute sorte, étrangers, particulièrement disposés à suivre les agitateurs. Dans un tel milieu, les factions devaient éclore spontanément. Nous les voyons en lutte dans ces villes d'Asie dès le début du VIIᵉ siècle, peut-être plus tôt, car nous ne connaissons guère leur histoire intérieure. Le résultat, presque partout, fut l'avènement de tyrans qui rétablirent la paix par les exils et les prescriptions. Les plus célèbres furent Pittacos de Mitylène vers la fin du VIIᵉ siècle, Thrasybule de Milet, son contemporain à quelques années près, et, un peu plus tard, au VIᵉ siècle, le fastueux Polycrate de Samos. Il y en eut de cruels qui régnèrent par la crainte, il y en eut de modérés et de bienfaisants. Dans quelques cités, on évita la tyrannie en recourant à des arbitres qu'on appelait *aesymnètes* et qui réussissaient, par leur autorité acceptée de tous, à concilier les factions. Ce ne fut pas sans doute le cas le plus fréquent. Il semble bien qu'au VIᵉ siècle, lorsque l'Asie grecque passa sous la domination de la Perse, la tyrannie était devenue la forme de gouvernement de presque toutes les cités, sinon de toutes.

L'agriculture. — Une des principales causes de ces révolutions, comme on le voit, fut l'accroissement rapide de la richesse avec la disproportion des fortunes qui en résulta. Cette richesse provenait à la fois de l'agriculture, de l'industrie et du commerce. Dès que les premières difficultés d'établissement eurent été vaincues, les riches plaines côtières durent êtres exploitées par les nouveaux venus. La description dans l'*Iliade* de quelques-uns des sujets représentés sur le bouclier d'Achille peut donner l'idée de ce que dut être alors la grande propriété. Le poète nous fait assister au labour sur un vaste domaine. De nombreux attelages tracent de longs sillons à travers une jachère. Les hommes peinent durement à enfoncer les charrues dans une terre profonde. De temps à autre, un serviteur du maître leur apporte, pour les réconforter, une coupe de vin. La scène de la moisson n'est pas moins significative. Les journaliers en longues files coupent le blé à la faucille; des enfants ramassent et rassemblent les javelles et les passent aux botteleurs qui les lient en gerbes. Le maître, que le poète appelle « le roi », est là qui observe tout d'un regard satisfait, tandis que les hérauts immolent un bœuf en sacrifices et que les femmes préparent le repas (1). N'avons-nous pas sous les yeux, dans ce passage, le tableau de la culture telle qu'elle était pratiquée au temps du poète par les grands propriétaires éoliens et ioniens autour des villes où ils résidaient?

Commerce et expansion coloniale. — Toutefois ce n'est pas l'agriculture qui fit principalement la prospérité des Grecs d'Asie. Établis sur le littoral, c'était de la mer surtout qu'ils devaient tirer leur richesse. Dès qu'ils eurent occupé les rivages, ils se firent navigateurs et commerçants. Leur commerce dut être d'abord un commerce de transit. Par les routes de l'intérieur qui pénétraient, de pays en pays, jusqu'au cœur de l'Asie, ils recevaient des denrées, des matières premières, qu'ils transportaient partout où ils trouvaient à les placer. Mais ces routes ne pouvaient leur suffire. Les communications qu'elles procuraient étaient trop incertaines et trop peu fréquentes. Ils eurent à cœur de s'en créer d'autres. Ce fut assurément une des grandes causes de leur expansion coloniale, notamment de celle de Milet, véritablement étonnante par son étendue. Dès le VIIIe siècle, ses navigateurs pénétraient dans le Pont. Après s'être établis à Cyzique sur la Propontide, à l'entrée de cette mer alors redoutée, ils créaient des factoreries à Sinope, puis à Trapézonte, sur la route de la Colchide, puis peu à peu semaient leurs colonies sur tout le littoral de la Scythie et sur la côte orientale de la Thrace. D'autres villes ioniennes se développaient également au-dehors par l'envoi de colons. Au siècle suivant, des relations se nouaient entre l'Ionie et le roi d'Égypte Psammétichos, à la suite desquelles

(1) *Iliade*, XVIII, 541-560.

celui-ci ouvrit son royaume aux marchands grecs. Ses successeurs continuèrent la même politique. Les Milésiens purent établir un marché près d'une des bouches du Nil. Par là les produits de l'Afrique aussi bien que ceux du littoral syrien affluèrent chez eux et s'y rencontrèrent avec ceux des autres contrées mentionnées ci-dessus.

L'industrie, l'art et le luxe. — De ce commerce toujours croissant naquit de bonne heure une industrie active. On recevait d'Orient des tapisseries, des étoffes brodées, des œuvres d'art qu'on apprenait à imiter. Instruite ainsi du dehors, cette industrie se fit de jour en jour plus inventive et plus originale. Milet excellait dans le travail des laines que lui fournissaient ses troupeaux. Les mains adroites de ses femmes les filaient et les tissaient pour en fabriquer des étoffes qu'elles brodaient de mille dessins et paraient de couleurs éclatantes. L'*Iliade* fait allusion aux pièces d'ivoire que les ouvrières méoniennes et cariennes savaient teindre en rouge pour orner les chars et les harnachements des chevaux (1). L'industrie fut probablement l'école de l'art. Celui-ci prit en Ionie, à partir du VIIe siècle, un essor des plus brillants. Bronziers, sculpteurs en marbre, ciseleurs, céramistes se montrèrent en des genres divers également novateurs. Mais, ce que nous aurions à en dire viendra plus à propos quand nous considérerons le développement de l'art grec dans une vue d'ensemble. Pour le moment, c'est surtout l'influence exercée sur les mœurs par ces choses nouvelles qui appelle notre attention.

La vie de société et les mœurs. — Certes, ces Grecs d'Asie connurent des jours pénibles. Sans parler des révolutions intérieures dont il a été question plus haut, ils eurent à repousser au VIIIe siècle l'invasion des Cimmériens, puis à se défendre contre leurs voisins de Lydie, qui, sous la dynastie des Mermnades, ne cessèrent de s'agrandir à leurs dépens jusqu'au temps où Crésus, le dernier roi lydien, les soumit entièrement. Vint ensuite la conquête perse qui, au VIe siècle, les réduisit à la condition de vassaux du grand roi. Mais leur tendance fut constamment de se soustraire à ces préoccupations du dehors pour jouir des agréments de la vie. C'est chez eux que l'on apprit le plus tôt à goûter les plaisirs de la société. Le poète qui décrivait dans l'*Odyssée* le séjour d'Ulysse chez les Phéa-

(1) *Iliade*, IV, 141.

40

ciens, le palais et le jardin de leur roi Alkinoos, leurs banquets, où se faisait entendre un aède renommé, leurs jeux et leurs danses, n'était pas sans s'inspirer d'une réalité ambiante qu'il idéalisait. Toutes les formes de poésie nées là dans ces quelques siècles, l'épopée, l'élégie, l'iambe, les odes lesbiennes, les chants d'amour, sont le produit d'une vie sociale très intense, où la communication des idées et des sentiments était pour tous un besoin et une joie. Cette disposition, éminemment favorable au progrès de la pensée, a suscité d'admirables poètes, des moralistes avisés et de grands penseurs, dont nous allons avoir à parler, mais elle n'était pas sans danger à d'autres égards. Dans cette existence agréable et facile, l'énergie des premiers émigrants ne pouvait manquer de s'affaiblir de génération en génération. Leurs fils et leurs petits-fils se défendirent de moins en moins de certains exemples dangereux que leur donnaient des peuples voisins. L'historien Phylarque rapportait que les Colophoniens, originairement rudes et sobres, s'étaient laissés aller, en liant amitié et alliance avec les Lydiens, à imiter leur mollesse, et il citait en témoignage le fragment d'une élégie satyrique écrite au VIe siècle par le poète philosophe Xénophane, leur compatriote (1) :

Des Lydiens ils ont appris le luxe efféminé, lorsqu'ils n'étaient pas encore sous le joug odieux d'un tyran. Ils venaient à l'agora tout vêtus de pourpre, au nombre de mille, orgueilleux, fiers de leur chevelure soigneusement tressée, et imprégnés des plus fins parfums.

Ce que Xénophane nous apprend de Colophon était certainement vrai de la plupart des villes grecques d'Asie vers le même temps. Nous allons au reste en trouver la preuve dans quelques-unes des œuvres littéraires auxquelles nous emprunterons les derniers traits de ce tableau.

IV. — CONTRIBUTION DE L'ÉPOPÉE IONIENNE A LA CIVILISATION GRECQUE

Les créations du génie grec en Asie. — La Grèce d'Asie a été le berceau de la littérature grecque. Chez elle, sont nés plu-

(1) Bergk, *Poetae lyrici graeci*, t. II, p. 113.

sieurs des genres de poésie dont elle s'est fait le plus d'honneur, notamment l'épopée; chez elle a pris naissance la philosophie. Si les créations de la pensée sont un des plus importants éléments de la civilisation d'un peuple, elle peut donc revendiquer une très large part dans l'histoire de la civilisation grecque. Et c'est éclairer cette histoire que de rechercher quelles idées et quels sentiments essentiels se révèlent dans ces œuvres, soit qu'elles leur aient donné naissance, soit qu'elles les aient recueillies dans le milieu d'où elles-mêmes sont issues et leur aient conféré ensuite une efficacité nouvelle.

L'épopée homérique. — C'est de la fusion des légendes éoliennes et ioniennes qu'est issue l'épopée. Ajoutons-y les récits plus ou moins fabuleux, que les aventures maritimes, notamment les premières expéditions poussées dans le Pont-Euxin, multipliaient, à mesure que la navigation devenait plus hardie ; ajoutons-y aussi certains apports, assez restreints d'ailleurs, provenant de contacts avec l'Orient. La langue des poètes épiques fut donc naturellement un mélange des dialectes éolien et ionien, ce dernier toutefois accusant une prédominance marquée. L'Éolide eut sans doute l'initiative, mais l'Ionie prit bientôt le premier rôle et se l'adjugea définitivement. C'est elle qui perfectionna l'art de composer et en donna le modèle dans de grandes œuvres. On vit alors les souvenirs plus ou moins historiques, associés aux créations libres de l'imagination, se grouper, se coordonner, former des cycles de chants, qui se reliaient les uns aux autres. L'émulation excitait les aèdes à enrichir sans cesse d'épisodes nouveaux ces thèmes, consacrés à la gloire des ancêtres. Ainsi se constitua la « geste » des Minyens, célébrant l'aventure de Jason, le navire Argo et cette troupe de héros qui, partis d'Iolcos, allèrent tout au fond de Pont, au pays d'Eétés fils d'Hélios, arracher au dragon la toison d'or. On sait par un témoignage de l'*Odyssée*, à quel point ce récit « ravissait tous les hommes (1) ». Ainsi encore furent chantées les deux guerres de Thèbes, auxquelles l'*Iliade* fait de nombreuses allusions ; et, de même, la Chasse du sanglier de Calydon avec les exploits et la mort de Méléagre ; enfin toute la guerre de Troie, c'est-à-dire, outre l'*Iliade* et l'*Odyssée*, la longue chaîne des compositions poétiques qui s'y rattachaient. De ces nombreux poèmes, deux seulement sont

(1) *Odyssée*, XII, 70.

parvenus jusqu'à nous, ceux qui viennent d'être mentionnés en dernier lieu, attribués l'un et l'autre à Homère. Ce n'est pas ici le lieu de discuter les problèmes relatifs à la forme primitive de ces deux chefs-d'œuvre ni ceux que suscite cette attribution. Il suffit pour notre étude que tous deux représentent éminemment le mouvement d'idées qui se produisit en Éolide et en Ionie entre le xe et le viiie siècle environ. Quant au nom glorieux d'Homère, rien n'empêche d'en user sans y attacher la valeur d'une dénomination entièrement individuelle. Ce qui importe, c'est de faire ressortir ce que ces poèmes ont apporté d'éléments nouveaux dans la vie intellectuelle et morale du temps.

La valeur dramatique et morale de l'Iliade. — Leur beauté originale consistait dans le spectacle dramatique qu'ils mettaient sous les yeux du public. A des esprits encore simples, avides de beaux récits, ils révélaient bien autre chose que des aventures captivantes ; ils leur apprenaient à mieux connaître la nature humaine dans sa variété. Ce qu'ils leur faisaient voir, comme dans un tableau vivant, c'était le jeu profond des sentiments, c'était la lutte des passions. Les héros depuis longtemps célébrés et idéalisés paraissaient là comme des hommes supérieurs et pourtant semblables à tous les autres par le fond de leur être. Le poète découvrait, pour ainsi dire, au regard de ses auditeurs le secret de ces âmes, leurs émotions, leurs motifs, il laissait deviner souvent ce qu'elles dissimulaient, parfois ce qu'elles se cachaient à elles-mêmes. Ces grandes figures prenaient vie, chacune avec son caractère propre, avec ses qualités distinctives et ses faiblesses. Achille apparaissait au premier plan, hautain, agressif, emporté, vivement dépeint dans la spontanéité de sa nature juvénile, tantôt indomptable, tantôt pleurant comme un grand enfant auprès de sa mère, d'abord inflexible dans son ressentiment, puis soudainement abattu à terre par la mort de son ami, cruel envers Hector vaincu, généreux envers Priam suppliant. Contraste saisi en pleine réalité vivante, évocation suggestive des impulsions qui se jouent de nos volontés. Et autour d'Achille, ses compagnons, ses adversaires, ses ennemis, autant de personnages fortement caractérisés, autant de variétés de la nature humaine : Ajax, dur combattant, confiant en sa force, type d'une vertu quelque peu brutale ; Diomède, ardent et fougueux, guerrier superbe, intrépide contre les dieux eux-mêmes ;

Ulysse, l'homme avisé entre tous, dévoué au bien public, prêt à toutes les entreprises difficiles, admirablement patient dans les épreuves, riche en ressources d'esprit et en bon conseil ; Hector, d'autre part, si noble, si tendre pour les siens, si courageux sur le champ de bataille, si touchant dans sa lutte finale et dans sa mort. Combien de réflexions, combien d'impressions profondes et neuves tous les acteurs d'un tel drame ne devaient-ils pas éveiller dans des esprits si peu habitués encore à considérer l'homme comme un objet d'observation.

*L'action de l'*Iliade. *Valeur morale du poème.* — L'action de ces poèmes, d'ailleurs, n'invitait pas moins à penser. L'*Iliade* nous montre les Achéens en guerre contre les Troyens. Cette guerre n'est pas une guerre de conquête. Elle a pour cause une revendication de droit. Un prince troyen, Pâris, a enlevé une femme achéenne, Hélène, épouse du roi de Sparte, Ménélas. Les princes achéens, confédérés sous l'autorité d'Agamemnon, frère de Ménélas et le plus puissant d'entre eux, sont venus en armes assiéger Troie. Ils réclament Hélène et ses trésors. Le roi troyen, Priam, dominé par son fils Pâris, refuse de céder. Telles sont les données. L'acte de Pâris est un trait de mœurs. Il nous fait voir le rapt et le pillage exercés non par des pirates de profession, mais par des princes aventuriers que ne désavouent ni leur famille ni leur peuple. Il nous montre aussi à quelle vengeance légitime s'expose celui qui agit ainsi. D'ailleurs le rapt se complique d'une violation de l'hospitalité. C'est la femme de son hôte que Pâris a séduite et enlevée. Au fond, l'opinion des siens mêmes est contre lui. Il est responsable des malheurs de son pays et il ne rachète pas par son courage le mal dont il est l'auteur. Le caractère que lui prête le poète est comme une condamnation indirecte qu'il suggère à ses auditeurs. Ne faut-il pas, d'ailleurs, tenir compte à cet égard des poèmes qui racontaient la suite de la guerre? Pâris était tué, Priam et tous les siens massacrés, Troie réduite en cendres. La perfidie trouvait ainsi son châtiment.

Une autre leçon morale, plus évidente, ressort aussi du même poème. Plein de la peinture des passions il en montre fortement les effets funestes. Agamemnon, irrité par la réclamation juste d'Achille, s'emporte et lui inflige une grave injure. Peu après, nous le voyons réduit à implorer celui qu'il a ainsi traité ; finalement, c'est à celui-ci qu'il doit le salut de son armée. Mais Achille, de son côté, sous l'influence du ressentiment, refuse une réparation équitable. Il s'obstine dans une attitude orgueilleuse qui n'a plus sa justification. Ce refus devient la cause de la mort de Patrocle, son plus cher ami. Il est victime, lui aussi, de la violence de sa nature.

Et, en outre, combien de scènes où respire une profonde sympathie pour les faibles, pour ceux que le destin frappe cruellement ! Hector, quittant pour quelques instants le champ de bataille, rentre dans Troie. Il y rencontre sa femme, Andromaque, accompagnée de la nourrice qui tient dans ses bras leur unique enfant, Astyanax. Il va les quitter pour retourner au combat ; le pressentiment de la mort hante son esprit ; n'importe, il n'a pas le droit de se dérober au péril. En vain, Andromaque le supplie et pleure ; ému jusqu'au fond du cœur, il s'arrache de ses bras, non sans avoir baisé tendrement l'enfant qu'il ne reverra plus, non sans avoir prié les dieux pour qu'il soit un jour aussi glorieux que son père. Plus loin, c'est Priam et Hécube, c'est Andromaque encore qui du haut des murs de la ville, sont témoins du combat dans lequel Hector succombe sous les coups d'Achille ou des outrages infligés au cadavre du vaincu ; rien de plus émouvant que la peinture de leurs angoisses, de leur détresse. Au terme de l'action, nous assistons aux funérailles d'Hector : tour à tour, sa mère, Hécube, sa veuve, Andromaque, sa belle-sœur, Hélène, se lamentent près de son bûcher. Ainsi, d'un bout à l'autre de ce poème qui exalte les vertus guerrières, une part est faite à la pitié, et cette part n'est ni la moins importante, ni la moins belle. Par là, un très noble côté de l'âme grecque se découvre dans cette œuvre ; nul doute qu'elle n'ait contribué à développer une de ses meilleures inclinations naturelles.

L'Odyssée. — L'*Odyssée*, bien qu'inférieure à l'*Iliade* en force dramatique, est pourtant un admirable poème, elle aussi. Au premier plan, un seul personnage, Ulysse, et, chez ce personnage, un sentiment presque unique, l'attachement passionné au foyer domestique, vers lequel sa pensée se reporte sans relâche pendant une absence forcée de dix ans ; ce foyer lorsqu'il l'a retrouvé, il doit encore le reconquérir par la ruse et par la force. Ses pérégrinations involontaires donnent occasion à de longs récits d'aventures, contes merveilleux, dans lesquels il n'est guère possible de discerner ce qui appartient aux libres et capricieuses fantaisies de l'imagination et ce qui n'est peut-être qu'une déformation de réalités mal connues. L'itinéraire du héros semble avoir été brouillé à plaisir par le narrateur. Il forme tout un cycle de légendes, d'origines diverses, dont une partie n'est pas spécialement hellénique. Les terres que le poète nous représente sont censées n'avoir été jamais visitées avant lui par aucun homme. Leurs habitants sont ou des géants, ou des sauvages, ou des peuples privilégiés, ou des dieux ; tout un monde de féeries, propre à enchanter un public qui, assurément, gardait encore une large part de naïveté enfantine. Sur lui, le charme de l'inconnu était tout-puissant. Nul souci de critique ; il suffisait que le poète sût prêter de la vraisemblance à l'invraisemblable ; or, il y excellait, au point qu'aujourd'hui encore nous nous laissons prendre à la grâce ingénieuse de ses fictions.

Le caractère d'Ulysse. — D'ailleurs, si les aventures d'Ulysse sont merveilleuses, le caractère que le poète lui a prêté est singulièrement vrai et attachant. Il a fait de lui comme le type du marin grec de Milet ou de Phocée, tel qu'il dut être, au temps des premières explorations lointaines. Nous le voyons avec ses compagnons sur d'assez frêles bateaux, peu faits pour résister aux fureurs de la mer. Il longe le littoral dont les caps lui servent de points de repère ; il déploie sa voile unique lorsque le vent est favorable, avance péniblement à force de rames en cas contraire ; il ne navigue que de jour, craignant de perdre sa route dans les ténèbres, tire son bateau sur le sable quand arrive la nuit. Prévoyant et sachant tous les dangers qui le menacent, il fait tout pour les éviter ; mais quand sa prudence est en défaut, son courage et sa présence d'esprit y suppléent. Poussé vers un rivage inconnu, il cache son bateau dans quelque abri, s'avance avec précaution en explorant du regard les environs ; il se défie, il observe, prêt à combattre ou à fuir. En lui, nous reconnaissons partout le chef, doué de toutes les qualités du commandement, l'homme responsable du salut commun, celui qui pense à tout, celui dont le courage n'est jamais abattu et dont l'esprit avisé n'est jamais à court.

Tout autre est la seconde partie du poème, et pourtant Ulysse y est toujours le même. En son absence, Pénélope, sa femme, et Télémaque, son fils, souffrent l'angoisse des longues attentes. Le peuple d'Ithaque ne croit plus guère à son retour. Les jeunes seigneurs du pays et du voisinage convoitent la femme séduisante et intelligente entre toutes, qu'ils considèrent comme veuve : et comme elle refuse leurs propositions par fidélité à l'absent, ils s'installent par contrainte dans la demeure de celui-ci, s'y comportent insolemment en maîtres et dissipent ses biens, sans que le jeune Télémaque, intimidé par eux et sentant sa faiblesse, ose ni les chasser ni les réprimer. Ulysse revient pourtant, mais il revient seul; tous ses hommes ont péri. Que faire contre tant d'adversaires ? Déguisé en mendiant, il observe ses ennemis, rallie en secret deux serviteurs fidèles, se fait reconnaître de son fils, prépare le coup de surprise qui lui permettra de se venger. Le récit de cette préparation nous conduit d'abord dans le domaine rustique d'Ulysse, nous fait connaître, dans des scènes charmantes, son vieux et dévoué serviteur, le porcher Eumée, et en même temps le bel ordre de son exploitation. Il nous introduit ensuite dans la demeure urbaine, et là, une série d'épisodes font passer devant nos yeux les détails de la vie domestique, tout en nous décrivant l'insolence des prétendants. A ces scènes d'intérieur, succède brusquement le drame terrible de la vengeance, suivi de la reconnaissance émouvante d'Ulysse et de Pénélope.

Valeur morale du poème. — Comme l'*Iliale*, l'*Odyssée* a dû gagner dès l'origine l'admiration et le succès, non seulement par sa beauté poétique et par l'intérêt propre des événements racontés, mais aussi par sa valeur morale. Elle montrait l'insolence et la violence justement châtiées, elle représentait un drame domestique où les vertus de la famille étaient mises en valeur, elle faisait sentir la supériorité de l'intelligence au service du droit sur une audace dressée contre les lois divines et humaines. Et surtout elle exaltait en Ulysse le type de l'homme aussi sage qu'énergique, usant en chaque circonstance de toutes les ressources de l'esprit, ferme dans son propos, admirablement armé de courage contre tous les dangers et forçant en quelque sorte le succès, avec l'aide tardive des dieux que ses rares qualités obligeaient à le secourir.

Nous ne connaissons pas assez les autres poèmes épiques de ce temps pour apprécier ce qu'ils ont pu avoir d'importance et d'efficacité dans le progrès de la civilisation. Il n'est pas douteux cependant qu'ils n'aient contribué pour leur part à la conception de ce monde de héros, dans lequel la Grèce a longtemps aimé à reconnaître son image idéalisée. Mais, de bonne heure certainement, l'*Iliade* et l'*Odyssée*, en raison de leurs mérites propres, se sont détachées de cet ensemble inégal et ont pris une influence incomparable. Ces deux poèmes, nés en Ionie, mais portés bientôt par les rhapsodes de ville en ville, devinrent en fait les éducateurs du peuple grec tout entier. Ils furent une des sources vives de tous les genres de littérature, un des recueils vénérés et presque sacrés où l'on cherchait des exemples et des principes, un sujet de réflexions pour les moralistes, une autorité parfois dans les contestations politiques.

V. — AUTRES GENRES DE POÉSIE

La poésie personnelle. — La poésie épique est, par définition, une poésie impersonnelle. Le narrateur s'efface derrière ses personnages ; ce sont eux qu'il fait agir et parler ; lui-même n'intervient qu'exceptionnellement pour invoquer la Muse qui l'inspire. La raison en est que cette poésie traite uniquement du passé. Elle ne doit rien y mêler du présent. Par là même, elle ne pouvait suffire à une société où les choses du jour prévalaient de plus en plus sur celles d'autrefois. Telle était précisément celle qui, vers le VIIe siècle, s'était formée dans les villes de la Grèce d'Asie. Les familles nobles, qui vivaient sur leurs traditions et s'y complaisaient, n'y étaient plus maîtresses. Aux chefs des factions, aux marchands enrichis, aux navigateurs aventureux, à ceux qui aimaient le plaisir, il fallait des formes de poésie plus appropriées à leurs pensées habituelles, à leurs goûts et à leurs passions.

L'élégie. — L'une d'elles fut l'élégie. Assez voisine encore de l'épopée par sa structure, elle s'en distinguait nettement par l'esprit. C'était une sorte d'allocution en vers, par laquelle le poète, dans un cercle d'amis, s'entretenait librement et familièrement des sujets actuels, quels qu'ils fussent. En temps de guerre, l'élégie parlait de guerre. Quelques fragments d'un poète d'Éphèse, Callinos, nous rendent en quelque sorte témoins des inquiétudes de l'Asie grecque, menacée, au début du VIIe siècle, d'une ruée soudaine de barbares, Trères ou Cimmériens. C'est un appel aux armes, une exhortation ardente à la défense du pays menacé. L'esprit guerrier de l'épopée y respire encore ; mais il ne s'agit plus des exploits des aïeux ; c'est au danger présent que le poète adjure ses concitoyens de faire face. Un demi-siècle plus tard, le péril vient de la Lydie. Dans un poème de même forme, Mimnerme de Colophon témoigne de la résistance opposée aux tentatives ambitieuses du roi Gygès. Mais, chose caractéristique du temps et du milieu, ce poète qui exalte la valeur d'un des meilleurs défenseurs du pays, est en même temps un des premiers qui aient fait de l'élégie l'interprète de l'amour et qui se soient plaints, en vers harmonieux et mélancoliques, de la fuite trop rapide de la jeunesse. Il marque ainsi l'éveil d'une pensée méditative, qui réfléchit et qui se plaît à moraliser, à propos même des plaisirs. Nous la retrouverons plus loin à Athènes, qui la recevait alors de l'Ionie.

L'iambe. — A cette poésie tantôt ardente, tantôt langoureuse, mais gardant encore quelque chose du ton soutenu de l'épopée, s'oppose le genre satirique qui se révèle tout à coup, vers le même temps, grâce au génie d'un homme, Archiloque de Paros. Pour la première fois, la poésie devenait, entre les mains de ce railleur impitoyable et passionné, une arme terrible, meurtrière. Insoucieux des convenances, il osait tout dire dans ses vers agiles, acérés comme des flèches : les injures échangées, ses ressentiments furieux ; et il le disait merveilleusement. Poète d'instinct, mais artiste achevé, associant la vigueur à la souplesse, la sensibilité à la colère, composant au jour le jour des chefs-d'œuvre retentissants, il les emplissait de sa personnalité puissante et, dans ces pamphlets de circonstance, il savait mettre quelque chose de durable. Non seulement, en effet, il prêtait un admirable langage à certaines passions éternelles de l'humanité, mais son esprit avisé mêlait naturellement à la vivacité mordante de la moquerie les fines observations, les réflexions suggestives. Il usait en maître du proverbe, de l'apologue, du conte. Sa verve était intarissable et sous cette invention débordante, il y avait une philosophie de la vie.

Après un tel exemple et un tel succès, l'impulsion était donnée. L'esprit satirique avait conquis droit de cité dans la société grecque. Nous n'avons pas à nous arrêter ici sur les successeurs d'Archiloque, un Sémonide d'Amorgos, un Hipponax d'Éphèse. Ce qu'il faut signaler, c'est qu'avec ce genre de poésie apparaît un trait nouveau de l'esprit public.

Sans doute le sarcasme, l'indiscrétion insolente sont le fait personnel du poète; mais le public qui s'en amuse l'encourage par le plaisir qu'il y prend; il n'a pas de réprobation énergique contre ces attaques sans mesure qui n'épargnent ni l'honneur des hommes ni la dignité des femmes. La malignité prévaut chez lui sur le sentiment des convenances. L'opinion est si complaisante pour la médisance qu'elle en devient indulgente pour la calomnie. Nous voyons ainsi naître une disposition qui se retrouvera jusque dans l'Athènes du ve siècle et sans laquelle la Comédie de Cratinos et d'Aristophane n'aurait pas été possible.

La poésie lesbienne. — A ces créations de l'Ionie, la Grèce éolienne répondait vers la fin du viie siècle par de non moins brillantes inventions poétiques. C'était le temps où naissait dans l'île de Lesbos une forme familière et charmante de la poésie chantée, une ode à la fois simple et ingénieuse dans sa structure, finement adaptée à l'expression vive de sentiments personnels. Elle a illustré les noms d'Alcée de Mitylène et de Sapho d'Érésos. L'un et l'autre se servirent du dialecte de leur pays; l'un et l'autre imaginèrent des rythmes analogues, sinon identiques, qu'ils savaient combiner et enlacer gracieusement, procédant par courtes strophes, toutes semblables entre elles dans un même poème. Un air très simple, qu'accompagnaient les notes d'une sorte de lyre appelée *barbitos*, devait prêter à ces strophes tantôt un charme délicat, tantôt une agréable vivacité. Il ne nous reste de leur œuvre que des fragments trop peu nombreux, morceaux d'autant plus précieux qu'ils nous aident à nous représenter une vie brillante et quelquefois tumultueuse, partagée entre le plaisir, les arts, les voyages et troublée par les discordes civiles. C'est sans doute pour un cercle d'amis appartenant comme lui-même au parti oligarchique de Mitylène, qu'Alcée a composé ses « chants d'amour » et ses « chants de guerre civile »; c'est devant eux qu'il les chantait. Quelquefois, il disait, avec autant de grâce que d'ardeur, le charme des femmes qu'il aimait; quelquefois, aussi, dans la fougue de ses passions aristocratiques, il exhalait sa haine et son mépris pour un Mélanchros ou un Myrsilos, chefs du parti populaire ou tyrans de la cité, et il appelait ses amis à la révolte vengeresse. Sa contemporaine, Sapho, nous introduit dans une société de jeunes filles et de jeunes femmes, qui semblent avoir été, comme elle, vouées au culte de la poésie et de la musique. Au milieu d'elles, en amie passionnée, elle épanchait, dans des chants variés, notamment dans ses Épithalames, sa tendresse ardente et jalouse, tous les mouvements de son âme brûlante, auxquels son génie prêtait une immortelle beauté. On peut dire que quelques-uns des sentiments les plus vifs de l'âme humaine n'ont jamais vibré plus mélodieusement que sur ces deux lyres rivales. Ce qui subsiste de leur poésie fait voir combien la sensibilité était devenue alors plus délicate, plus frémissante, pour ainsi dire, dans cette société élégante, et quelle finesse d'esprit s'y associait.

VI. — LA PHILOSOPHIE ET LA SCIENCE

Vers l'indépendance de la pensée. — Mais le progrès général de la civilisation en Ionie est attesté plus nettement encore par les débuts de la philosophie et de quelques-unes des sciences. Les contemporains d'Homère avaient considéré l'univers en véritables enfants. Vivement frappés des grands phénomènes de la nature, ils attribuaient à autant d'êtres surhumains le jeu ou le conflit des forces qui excitaient leurs craintes ou leurs étonnements. Ils peuplaient donc l'univers de dieux, qu'ils se représentaient comme semblables aux hommes par leurs passions, bien qu'infiniment supérieurs en puissance. Accoutumés au miracle, ils ne songeaient ni à le scruter, ni à le discuter. Peu à peu, cependant, quelques esprits précurseurs commencèrent à réfléchir. C'est en Ionie que ce mouvement intellectuel se fit d'abord sentir. Milet, la grande cité commerçante, en relations avec la Chaldée et l'Égypte, métropole de colonies nombreuses, une des villes où affluaient le plus de connaissances nouvelles, était prédestinée à en prendre l'initiative.

Les Philosophes de Milet. — C'est vers la fin du VII⁰ siècle qu'une manière toute neuve de comprendre la nature des choses y fit son apparition en la personne de Thalès. Ingénieur, astronome, géomètre, homme d'État, son titre de gloire est d'avoir ouvert la voie à une explication rationnelle de l'origine des choses et de la vie de la nature. Le premier, il eut nettement l'idée que la genèse du monde était tout autre chose qu'une théogonie; et il osa le dire. Dans quelle forme exactement?

Nous l'ignorons. Toujours est-il qu'obéissant à un instinct de simplification vraiment hellénique, il conçut une substance primordiale dont les transformations auraient donné naissance à l'infinie variété des choses et serviraient encore à les régénérer. Quelques observations, évidemment très imparfaites, lui donnèrent à penser que cette substance était l'eau. Idée assez grossière en elle-même, il faut l'avouer, mais tentative singulièrement intéressante et bien propre à exciter l'esprit de recherche.

Ainsi amorcé, ce mouvement ne pouvait que se perpétuer. Reprenant et continuant les recherches de Thalès, deux autres Milésiens, Anaximandre d'abord, puis Anaximène, essayèrent successivement d'autres explications, considérées par eux comme plus vraisemblables; notable exemple de l'activité de l'esprit grec, attaché de plus en plus à la critique des idées et à la poursuite de la connaissance. Anaximandre peu satisfait du rôle que Thalès attribuait à l'eau, imagina, comme origine de tout ce qui est, quelque chose d'indéfini et d'illimité, sans forme propre par conséquent, et d'autant plus apte par là même à prendre, par le seul effet du mouvement, toutes les apparences que nous présente la nature. Dans cette conception volontairement vague se laisse apercevoir l'idée d'un passage éternel de l'inorganique à ce qui est organisé. Il n'est pas surprenant que le même penseur ait fait sur la nature des observations qui l'amenèrent à des vues voisines du transformisme. Anaximène, moins observateur peut-être, mais plus physicien d'instinct, et plus fidèle aussi à la notion d'une substance primordiale accessible à nos sens, pensa que cette substance était l'air, dont la malléabilité lui paraissait sans doute se prêter à tout. Pour lui, toute la vie de l'univers consistait dans les métamorphoses que l'air subissait en se contractant ou en se raréfiant. Il eut ainsi le mérite, à tout le moins, d'attirer l'attention sur l'importance des phénomènes de condensation et de dilatation.

Héraclite d'Éphèse. — Malgré ces différences de vue personnelles, on peut dire que les trois milésiens tournaient en somme dans le même cercle. Tous considéraient la matière comme arrivant, à travers une série de changements, à se stabiliser dans des formes définies. Affirmation implicite qu'osa contredire vers la fin du VIe siècle Héraclite d'Éphèse, le plus puissant esprit de ce temps. Rompant avec la croyance commune, il eut l'idée que l'être n'est au fond qu'un perpétuel devenir. Il conçut donc la réalité comme une succession d'états purement passagers, sous lesquels sa raison découvrait un flux sans interruption. Toutefois, dans cette fuite éternelle des choses, il attribuait au feu une importance prédominante. Il le concevait sans doute comme la force qui marquait le commencement et la fin de chacune des périodes qu'il distinguait dans cette continuité sans terme. N'y avait-il pas là comme un obscur pressentiment de la science moderne qui fait de la chaleur une des formes de l'énergie? Ces vues profondes, il les traduisait en sentences dogmatiques, condensées et obscures comme des oracles, déconcertantes souvent par leur concision, saisissantes toujours par le caractère hautain d'un style à demi poétique. Le recueil qui en est venu jusqu'à nous est un des beaux monuments de la pensée antique.

Ce qu'on doit aux philosophes ioniens. — Qu'est-il resté de ces spéculations? Peu de certitudes assurément. Mais ce qu'il faut admirer en elles, c'est la curiosité hardie de ces hommes qui, osant les premiers s'affranchir des mythes, comprirent que l'avenir de la science était dans l'étude de la nature et dans l'effort libre de l'esprit pour en expliquer les phénomènes. « C'est donc à eux, a dit justement John Burnet, que nous devons la conception d'une science exacte, qui devait finalement prendre le monde entier pour son objet (1). »

Géographie et histoire. — Il faut encore mentionner ici le nom et l'œuvre d'Hécatée de Milet, qui fut en Ionie, dans la seconde moitié du VIᵉ siècle, le promoteur des études géographiques. Dans son *Périple*, il paraît avoir coordonné et précisé, grâce à ses fréquents voyages, les données géographiques, alors éparses, et les avoir complétées, particulièrement en ce qui concernait la partie occidentale du bassin méditerranéen. Quant à son œuvre historique intitulée *Généalogies*, elle débutait par cette intéressante déclaration : « J'écris ici ce qui me paraît vrai; car les récits des Grecs sont nombreux, mais, à mon avis, ils prêtent à rire (2). » Dans quelle mesure, ses *Généalogies* justifiaient-elles cette profession initiale de

---

(1) J. Burnet, *L'aurore de la philosophie grecque*, trad. d'Auguste Raymond, Paris, Payot, 1919.
(2) Fragm. Hist. Graec., I, p. 25, frg. 382.

vérité historique? Il est difficile d'en juger aujourd'hui, puisque nous ne les connaissons que par quelques fragments ou témoignages. En tout cas, elle dénote au moins un certain esprit critique et une intention qui mérite d'être louée. Écrivain de mérite, Hécatée a d'ailleurs contribué avec Anaximène à faire de la prose ionienne une langue littéraire.

VII. — LE RÔLE DE L'IONIE

Tout ceci montre assez quelle part importante l'Ionie, grâce à ses poètes et à ses penseurs, a le droit de revendiquer dans le développement de la civilisation grecque. Nous aurons plus loin à noter sous combien de formes son influence s'est exercée sur la Grèce propre. Mais ce n'était pas en Asie, évidemment, que cette civilisation pouvait s'achever. La Grèce de l'émigration n'était que la bordure du monde hellénique. Voisine de races étrangères, elle avait grandement profité de leur contact, mais elle ne se défendait pas toujours assez de ce qu'il pouvait avoir de fâcheux. Son commerce avec les Lydiens avait affaibli son énergie avant de détruire son indépendance. Lorsque la Perse eut soumis la Lydie, elle eut peu à faire pour réduire aussi les cités grecques du littoral. Les victoires des guerres médiques ne devaient les libérer que pour un temps et encore incomplètement. Si la race grecque avait été confinée sur l'étroite bande de terre qu'elle avait occupée au pied du plateau anatolien, il est à peu près certain qu'elle aurait été absorbée peu à peu et qu'elle aurait fini par disparaître. Sa force était sur le continent, dans la Grèce propre. Là, l'invasion dorienne avait, il est vrai, produit un état de confusion qui a été signalé plus haut. Ce fut la cause d'un certain retard pour les États nouveaux qui en étaient issus. Mais ceux-ci n'en étaient pas moins le tronc vigoureux du grand arbre dont l'Ionie n'était qu'une branche. C'est donc à eux qu'il faut revenir maintenant pour nous rendre compte des progrès qui s'y étaient réalisés.

3 LES SUITES DE L'INVASION DORIENNE DANS LA GRÈCE PROPRE

I. — COLONISATION DE LA SICILE ET DE L'ITALIE

Troubles et régression produits par l'invasion. — L'invasion dorienne causa dans la Grèce propre un ébranlement prolongé. Durant trois cents ans environ, depuis le commencement du XIe siècle jusqu'à la fin du IXe, tout le pays fut en proie à une confusion que l'histoire ne peut éclairer qu'imparfaitement. Guerres entre les envahisseurs et les anciens possesseurs du sol, guerres entre les États nouveaux qui tendaient à se constituer et se heurtaient les uns les autres. Une telle période ne pouvait contribuer efficacement à la civilisation; elle menaçait plutôt de la faire totalement disparaître; elle la fit tout au moins rétrograder. Ce qu'il y avait de meilleur dans le monde achéen profondément bouleversé s'était transporté en Asie, et c'était là, comme on vient de le voir, que la nation grecque avait pu se reconstituer dans une certaine mesure, c'était là qu'elle avait préservé et même développé ses brillantes qualités. En Europe, il lui fallut longtemps pour reprendre le cours normal de sa vie. Ce n'est guère que vers le milieu du VIIIe siècle que se manifesta sa renaissance. Alors seulement apparaît une activité féconde, créatrice de progrès.

Expansion coloniale. — La première et la plus importante manifestation de ce renouveau de vie fut l'expansion coloniale qui, dans un espace de temps relativement court, élargit alors singulièrement les limites du monde grec. Elle résulta, il est vrai, en partie du moins, des révolutions qui trop souvent agitaient les cités et déterminaient le départ d'un certain nombre d'habitants; mais ce ne fut là qu'une cause occasionnelle. La plus puissante était certainement l'accroissement de la population, combiné avec l'esprit d'aventure qui animait une partie de la nation. Le mouvement qui avait déterminé les migrations dans la période précédente se continuait sous une nouvelle forme. Aux déplacements plus ou moins tumultueux de tribus entières succédaient maintenant des expéditions organisées. Un groupe se constituait autour d'un chef qui inspirait confiance. Un oracle consulté, généralement celui de Delphes, approuvait l'entreprise, désignait souvent le lieu le plus favorable au nouvel établissement, l'encourageait, s'il le jugeait utile. Sur la foi de ses promesses, de nouveaux aventuriers accouraient; une petite armée se formait avec femmes et enfants; on s'équipait le mieux qu'on pouvait, et l'on partait vers l'Occident ou vers l'Orient, pour aller fonder une cité nouvelle en pays barbare. C'est ainsi que sur les côtes de l'Adriatique, à partir du VIIIe siècle, Corinthe fonde à Leucade, à Anactorion, à Ambracie, des établissements, qui deviennent bien vite pour elle des moyens d'étendre son commerce. Elle occupe l'île de Corcyre, où s'élève une cité qui devait, en grandissant, devenir sa rivale et son ennemie; pour le moment, elle assurait à ses vaisseaux la route vers l'Italie. En Sicile, elle prend pied à Syracuse; et voici qu'en moins d'un siècle, la grande île et le rivage méridional de l'Italie voient se multiplier les établissements grecs. Chalcis, l'Achaïe, Mégare, la Locride y envoient leurs colons; et successivement naissent des cités d'avenir, dont plusieurs essaiment à leur tour; c'est Naxos, Agrigente, Géla, Catane, Mégare Hyblæa en Sicile; Tarente, Métaponte, Sybaris, Rhégion, et plus loin Cumes, Élée, Naples en Italie, sans parler de la colonie phocéenne de Marseille, établie en Gaule, près des bouches du Rhône, future métropole, elle aussi, de mainte cité. Dans le même temps, un mouvement analogue a lieu vers l'Est. Chalcis occupe la presqu'île thrace et y constitue tout un groupe de colonies qui valent à cette région le nom de Chalcidique. Sur le Bosphore, Mégare fonde Chalcédoine, Périnthe, Byzance, maîtresse désormais du détroit. Athènes enfin, au VIe siècle, prend pied dans la Chersonnèse de Thrace. Ainsi, dans les parages orientaux, la colonisation de la Grèce propre se rencontrait avec celle des villes grecques d'Asie dont il a été question plus haut. Rien ne peut donner une plus juste idée de la vitalité puissante de la Grèce entre le VIIIe siècle et le VIe que cet essor merveilleux, qui développait à la fois son commerce et sa civilisation. Pénétrant ainsi de tout côté chez des peuples moins avancés, elle les imprégnait de son esprit, en même temps qu'elle nouait avec eux des relations profitables. Et, pour elle-même, ces établissements lointains devenaient de nouveaux foyers de culture, dont nous aurons plus d'une fois à signaler l'importance.

Stésichore. — Nous aurons notamment à exposer plus loin ce que la philosophie grecque a dû à cette Grèce d'Occident. Disons dès à présent qu'elle donna aussi naissance à une forme nouvelle de poésie. C'est en Sicile, en effet, à Himère, que vers le début du vi^e siècle, le génie du dorien Stésichore créait un genre intermédiaire, pour ainsi dire, entre le lyrisme et l'épopée. Empruntant à l'épopée, principalement aux récits attribués à Hésiode, les légendes des héros, il en fit le sujet de ses compositions chorales. Ce qui nous en reste est bien peu de chose, mais les témoignages anciens ne permettent pas de douter que ce Grec de Sicile n'ait été un grand poète. Et les succès qu'il obtint prouvent clairement que les belles œuvres de la pensée et de l'imagination n'étaient pas moins goûtées dans ces colonies que dans la Grèce propre.

Révolutions et institutions. — En Sicile comme en Italie, les colons venus de Grèce n'avaient pas seulement occupé certains points des côtes; ils avaient aussi conquis, autour de leurs villes neuves, des territoires qu'ils faisaient exploiter le plus souvent par d'anciens habitants du pays, réduits à une condition inférieure. C'étaient donc des aristocraties de grands propriétaires qui y prédominaient à l'origine. S'il y eut, quelque temps, des rois dans certaines de ces cités, leurs pouvoirs furent bientôt restreints ou abolis au profit de ces puissantes oligarchies. Mais le commerce maritime, par ses progrès rapides, ne pouvait manquer de créer des conditions de vie nouvelle. On vit se former, autour des grandes familles, une population toujours croissante de marchands, de marins, de pêcheurs, d'artisans, d'ouvriers, qui supportaient mal leurs privilèges. Par là l'occasion fut donnée à quelques membres ambitieux de l'aristocratie d'ameuter les mécontents, de se mettre à leur tête et de s'emparer du pouvoir par la force. Ainsi naquit la forme de gouvernement que les Grecs appelaient la tyrannie et qui était pour eux le pouvoir absolu aux mains d'un seul, quel qu'en fût d'ailleurs le caractère. Au vi^e siècle, presque toutes les colonies de la Grèce occidentale subirent des révolutions de ce genre; presque toutes eurent pour chefs des tyrans, la plupart éphémères, quelques-uns assez habiles ou assez heureux pour transmettre leur puissance et leur titre à leurs enfants. Il y en eut qui laissèrent une réputation de cruauté, peut-être exagérée, comme le célèbre Phalaris d'Agrigente. D'autres rendirent de réels services en qualité de chefs militaires dans les luttes que leurs compatriotes eurent à soutenir contre les Carthaginois en Sicile, contre les Italiotes dans la Grande Grèce. D'ailleurs, les villes grecques elles-mêmes étaient divisées par des intérêts et des passions qui les armaient souvent les unes contre les autres. Ces conflits aussi favorisaient l'ambition des généraux : plus d'un tyran fut un chef d'armée victorieux. Toutefois, il y eut des cités qui surent se préserver de la tyrannie, ou qui, l'ayant renversée, s'honorèrent par de sages législations. Les Locriens d'Italie eurent pour législateur Zaleucos au vie siècle, et les gens de Catane le célèbre Charondas, vers le même temps. Leurs lois ne nous sont guère connues; mais nous n'avons aucune raison de mettre en doute la valeur des éloges que les anciens leur ont décernés. Par ces lois, comme par la poésie, la philosophie et les arts, cette Grèce d'Occident a contribué à l'œuvre commune de la civilisation hellénique.

II. — CHANGEMENTS SURVENUS DANS LA GRÈCE PROPRE

Formation de groupements ethniques. — Revenons maintenant à la Grèce propre et voyons les principaux changements qui s'y étaient produits, ceux du moins qui devaient avoir d'importantes conséquences.

Et tout d'abord, nous remarquons qu'aux nombreuses et mouvantes principautés achéennes s'étaient substitués, sinon des États au sens moderne du mot, du moins des groupements de tribus ou de cités, qui ne devaient plus guère subir désormais d'importantes modifications. Ce qui les caractérise, c'est que chacun d'eux porte un nom collectif qui n'appartient qu'à lui et qui atteste chez tous ses membres le sentiment d'une origine commune. Bien peu de ces groupements d'ailleurs réussirent à se donner une véritable unité politique; il n'y aura guère, au ve siècle et même au ive, que l'Attique et la Laconie, plus tardivement la Béotie et passagèrement la Thessalie, qui feront vraiment figure d'États unifiés. Dans tout le reste de la Grèce, ces noms collectifs ne recouvrent en réalité que des individualités urbaines, formant autant de petites communautés distinctes, chacune cantonnée dans un étroit territoire et très attachée à son autonomie. A défaut d'un lien fédéral — qui n'existe que rarement — ce qui les unit, c'est le sentiment d'une parenté attestée par le dialecte, par des souvenirs historiques ou légendaires; c'est quelquefois un culte local auxquels tous participent; c'est plus encore, mais passagèrement, la conscience d'intérêts communs. En fait, rien de tout cela n'empêche ces cités de se battre les unes contre les autres, de chercher à se dominer mutuellement et de recourir dans ce dessein à des alliances extérieures. Dans ces conditions, la plupart de ces semblants d'États ne possèdent guère qu'une apparence d'unité sujette à se détendre ou à se resserrer selon les circonstances. Ce sont autant de proies offertes aux plus puissants. A ces distinctions originelles vont s'ajouter les divisions politiques qui accentueront leur particularisme. Il résultera de là une diversité qui s'opposera longtemps à l'unité de la civilisation grecque et qui ne l'enrichira un jour qu'en s'absorbant peu à peu dans une de ses formes devenue prédominante.

Développement de la vie urbaine. — Le développement de la vie urbaine est un autre fait caractéristique du même temps. La vieille cité achéenne était une forteresse, l'habitation d'une famille royale, autour de laquelle se groupaient ceux qui vivaient dans sa dépendance ou sous sa protection; population rustique, attachée presque tout entière à l'exploitation du sol. Lorsque l'ordre se rétablit en Grèce après la période d'invasion, des formes nouvelles d'activité se produisirent. Le développement de l'industrie, le besoin des produits étrangers, l'expansion coloniale provoquèrent un mouvement d'échanges tout nouveau. Enfin se formèrent d'importantes agglomérations urbaines, qui tendirent à se rapprocher de la mer, comme l'a remarqué Thucydide (1). D'anciennes villes furent reliées par des routes à des ports aménagés à proximité, d'autres furent fondées sur le rivage même ou à peu de distance, notamment la plupart des cités grecques de Sicile et d'Italie. Celles de l'intérieur prirent, elles aussi, un accroissement dé-

(1) Thucyd. I, 7.

venu nécessaire. Il s'y forma des populations uniquement urbaines, bien différentes des paysans par l'esprit et par les mœurs. Ainsi rapprochés les uns des autres, les hommes perçurent plus vivement les inégalités sociales et les ressentirent avec plus de force. Ceux pour qui la vie était dure eurent plus de facilité pour mettre en commun leurs revendications, ils se virent plus capables de les faire valoir. Par là, le développement de la vie urbaine qui, à d'autres égards, était favorable au progrès de la civilisation, comme nous le verrons plus loin, devint aussi pour elle un danger. La ville fut le foyer où s'allumèrent les guerres civiles.

Les révolutions. — La fréquence des révolutions est en effet un autre trait caractéristique de cette même période. Aux royautés achéennes détruites par les envahisseurs avaient succédé presque partout de nouvelles royautés, celles des chefs conquérants. En général, elles durèrent peu. Ce qui s'était passé dans la Grèce d'Asie, en Sicile et en Italie se reproduisit dans la Grèce d'Europe. Ces royautés furent ou renversées ou dépossédées peu à peu de toute puissance effective et réduites à un titre purement honorifique par les chefs des familles nobles, auxquels s'adjoignirent parfois les membres d'une aristocratie d'argent, gens d'affaires enrichis. De monarchiques, les gouvernements de beaucoup de cités devinrent ainsi oligarchiques. Puis, presque partout, de ces oligarchies se détachèrent quelques ambitieux, qui, pour dominer, s'associèrent aux revendications des classes populaires, les excitèrent même et réussirent, par surprise ou par force, à s'emparer du pouvoir avec l'assentiment du grand nombre ; ils l'exercèrent arbitrairement. La tyrannie s'établit ainsi dans plusieurs États de la Grèce propre comme elle s'était établie dans les colonies d'Orient et d'Occident. Il y eut, en somme, dans ces révolutions, une sorte d'enchaînement logique et comme une loi de succession, qui a été notée plus tard par Platon et par Aristote, non sans quelque excès de rigueur, mais qui pourtant ne doit pas être méconnue. Ces discordes civiles, malheureusement, ne prirent pas fin avec les progrès de la civilisation. Là même où elles semblèrent s'être apaisées, elles laissèrent des ressentiments ou des espérances qui devinrent l'aliment des factions et qui demeurèrent dans les cités grecques, au plus beau temps de leur histoire, la cause de douloureuses et funestes agitations.

Mais à travers ces révolutions et malgré les diversités signalées ci-dessus, il est incontestable que c'est entre le VIIIe siècle et la fin du VIe que s'est élaborée la brillante civilisation des Ve et IVe siècles. Nous devons montrer maintenant quels peuples de la Grèce y ont principalement contribué et quelle a été, dans cette œuvre commune, la part vraiment utile de chacun d'eux.

III. — LA GRÈCE CENTRALE

Choix à faire. — Si nous laissons de côté les populations de l'Acarnanie, de l'Étolie et les montagnards du Pinde qui demeurèrent longtemps plus ou moins rudes et incultes, les groupements de la Grèce centrale qui figurent alors dans l'histoire sont la Thessalie, les Locrides, la Phocide, la Béotie et l'Eubée. L'Attique doit être réservée pour être considérée à part.

La Thessalie. — Le rôle de la Thessalie, au point de vue de la civilisation de ce temps, est à peu près négligeable. Nous y voyons de grandes familles princières, les Aleuades, les Scopades, fortement établies dans quelques villes, à Larissa, à Cranon, à Pharsale, et au-dessous d'elles, une aristocratie de grands propriétaires, dont les domaines sont mis en valeur par la classe plus ou moins asservie des Pénestes. Amis du luxe, ces riches Thessaliens ne sont indifférents à rien de ce qui peut leur procurer du plaisir. Ils accueillent avec faveur les artistes, les poètes en renom, ils reçoivent du dehors tout ce qui jette de l'éclat, mais ils ne produisent rien par eux-mêmes.

La Phocide et Delphes. — La Phocide, qui possède sur son territoire le sanctuaire de Delphes, a par là même une tout autre importance. A un antique oracle de la Terre, s'était substitué sur le Parnasse le culte d'Apollon et à ce culte s'était ajouté celui de Dionysos. Un passage de l'*Iliade* fait allusion déjà aux richesses accumulées en dedans du seuil de pierre qui sans doute, marquait alors l'entrée de l'enceinte consacrée au dieu (1). Au VIIe siècle, sa renommée s'étendait au-delà des limites du monde grec; elle allait sans cesse en grandissant. Delphes recevait les offrandes somptueuses des rois de Lydie,

(1) *Iliade*, IX, 404.

d'un Gygès, d'un Crésus; celles des peuples grecs y affluaient. Le premier temple fut incendié au vi⁰ siècle, on en reconstruisit un second à grands frais. Des jeux, qui comptaient parmi les plus renommés, étaient célébrés là tous les quatre ans. Nous en parlerons plus loin ainsi que de l'Amphictyonie qui en assurait la perpétuité et qui avait la garde du temple. Ce qui nous intéresse pour le moment, c'est le rôle civilisateur de l'Apollon delphien. Sans l'exagérer, comme on l'a fait quelquefois, il est impossible d'en méconnaître la valeur. Les oracles de la Pythie avaient pour interprètes des prêtres qui, naturellement, les marquaient de leur esprit. On a vu plus haut combien ils servaient utilement l'expansion coloniale. Consultés sur toutes les affaires publiques et par conséquent obligés de s'en informer constamment, ils avaient le moyen d'exercer dans les conflits entre les peuples grecs une influence modératrice; en fait, ils ont pu prévenir parfois des entreprises nuisibles, lorsque leur intérêt personnel n'était pas en jeu; ils ont pu surtout confirmer par leur autorité des mesures utiles, sanctionner de bonnes lois, contribuer à rétablir le calme après des troubles civils. Mais pour exercer un arbitrage impartial, il aurait fallu qu'ils fussent pleinement indépendants. Ils ne l'étaient pas. Obligés de s'appuyer sur les plus forts et, en tout cas, de les ménager, ils n'ont pu, en beaucoup de circonstances, se défendre de calculs intéressés. En revanche, dans les consultations privées, qui étaient en somme les plus nombreuses, ils se devaient à eux-mêmes, comme représentants d'une pensée divine, de préconiser la modération, le respect du serment, l'observation de la justice. La formule delphique : « Connais-toi toi-même », c'est-à-dire : « Ne prétends pas t'élever au-dessus de la condition humaine », résume sans doute assez bien l'esprit général de leurs réponses. Assurément elles ne constituaient pas un enseignement moral ni religieux à proprement parler. Mais c'étaient tout de même des leçons de circonstance qui pouvaient être profitables.

La Béotie, la Locride et l'Eubée. — La Béotie était également, vers la fin du viii⁰ siècle, une des régions de la Grèce où se révélaient de sérieuses promesses d'avenir. Sur ce point, nous sommes renseignés principalement par les œuvres du poète Hésiode et par celles qui s'y rattachent. Elles nous font voir que ce pays, d'où était partie, trois siècles auparavant, une importante émigration éolienne vers l'Asie, n'avait pas rompu ses relations avec ces anciens émigrants et qu'il recevait d'eux maintenant le bénéfice de leur culture, si supérieure à celle de la Grèce centrale. Hésiode nous apprend, en effet, que son père, un Éolien d'Asie, avait abandonné sa ville natale de Kymé pour revenir au pays de ses ancêtres, en Béotie. Fixé à Ascra, au pied de l'Hélicon, il y avait laissé à ses deux fils, Hésiode et Persès, lorsqu'il mourut, un domaine rural de médiocre étendue qu'ils se partagèrent. Ce partage ne satisfit point Persès. Ses réclamations furent portées par lui devant un tribunal d'arbitrage, où siégeaient sans doute quelques-uns de ceux qu'Hésiode, dans ses vers, appelle les rois. Son poème, intitulé les *Travaux et les Jours*, nous montre en action ces roitelets béotiens qui étaient alors puissants dans la région de Thespies comme dans le reste du pays. Le poète leur reproche âprement leur vénalité. A son frère, il fait honte de sa paresse, de son goût pour la chicane, et il tente de le convertir à la vie laborieuse, dont il montre la nécessité et dont il exalte les mérites. C'est tout le poème, satire, semonce et leçon tout à la fois; car la principale partie est un corps de préceptes à l'usage des petits cultivateurs qui apparemment formaient alors le gros de la population béotienne. Pour eux, la vie était dure; elle apparaît à Hésiode sous un sombre aspect. Les âges heureux sont loin dans le passé; le siècle présent est l'âge de fer : « Des peines sans nombre, s'écrie-t-il, errent au milieu des hommes; la terre est pleine de maux, la mer en est pleine (1). » Mais le pessimisme, chez lui, n'abat pas le courage; il l'excite au contraire; et c'est là une des choses qui font la haute valeur de son œuvre, riche d'ailleurs en recommandations pratiques. Son laboureur, qui évidemment n'est autre que lui-même, n'a qu'une charrue, simple araire fabriquée de ses propres mains; pour la tirer, un seul bœuf de labour. Un serviteur, unique aussi, l'assiste et peine avec lui. Sa femme, de son côté, travaille au logis; c'est elle qui file le lin ou la laine, elle qui tisse l'étoffe pour les vêtements et prépare la nourriture. Aucune saison, aucun moment de l'année n'est perdu. Depuis le temps du labour et des semailles jusqu'à celui de la récolte, le détail des opérations à faire est prévu, catalogué. La parcimonie est extrême. Pauvre nourriture soigneusement mesurée; les tranches de pain sont

(1) Hésiode, *Travaux et jours*, 100-102.

comptées. On comprend que les bouches à nourrir le soient aussi. Hésiode estime que son campagnard ne doit pas avoir plus d'un fils. Cette existence si étroite est-elle donc absolument dénuée de joie? Ce n'est pas l'impression que laisse en somme ce poème austère. Il y a, dans cette année laborieuse, des moments de détente. La moisson et la vendange sont jours de fête. Lorsqu'elles ont été bonnes, toute la maisonnée se donne du bon temps. On se repose à l'ombre, on se réjouit à boire frais près du ruisseau, on cause gaiement. Le tableau que le poète trace de ces instants de bonheur rustique est charmant (1). D'ailleurs, on devine chez lui une autre satisfaction plus durable et d'un ordre plus élevé. C'est celle de l'homme qui sait et qui aime son métier, qui a conscience de bien faire et qui se complaît dans son expérience. Observateur attentif de la nature, il l'épie en quelque sorte constamment; il interprète sûrement toutes les indications qu'elle lui fournit, il en profite et il enseigne aux autres à en profiter. On trouve dans son poème l'ébauche d'une science agricole qui n'est pas sans valeur. Disons en outre qu'il est animé d'un sentiment religieux et plein d'une conception de la justice qui lui confèrent une véritable beauté morale. Nous aurons à revenir plus loin sur ce point.

Voilà la preuve que la Béotie, en ce temps, se laissait pénétrer par l'influence de la poésie venue d'Ionie et ne restait aucunement étrangère au mouvement général des idées. D'ailleurs ce poème des *Travaux* n'est pas isolé. L'œuvre hésiodique en comprend plusieurs autres, dont nous aurons à parler en leur lieu. Il y a plus. Les muses qu'invoque Hésiode sont les muses de Piérie, c'est-à-dire de Thrace, mais nous voyons dans son poème qu'elles habitent l'Hélicon, voisin d'Ascra et de Thespies ; et Strabon nous apprend qu'elles avaient là un sanctuaire (2). L'Hélicon et la source voisine, l'Hippocrène, étaient donc alors un foyer de poésie. Ce qui le prouve d'ailleurs, c'est que ce poète béotien s'exprime à peu de chose près dans la langue ionienne d'Homère, bien qu'il s'adresse aux gens de son pays, à des Béotiens. Nous devons en conclure que l'épopée ionienne y était récitée et bien connue. Jusqu'où s'étendait son influence ? D'une part, la

(1) Hésiode, *Travaux*, v. 588-596.
(2) Strabon, *Géogr.*, IX, 25.

64

légende d'Hésiode le met en relation avec le pays des Locriens Ozoles et, parmi les poèmes que l'antiquité rattachait à la tradition littéraire dont elle le considérait comme le principal représentant, on citait les *Chants de Nauparte*. Ainsi cette région n'était pas étrangère non plus au goût des vieux souvenirs évoqués par la poésie. D'autre part, le poète des *Travaux* nous parle d'un concours poétique qui avait eu lieu à Chalcis, en Eubée, aux funérailles d'Amphidamas, concours où il obtint comme prix un trépied qu'il consacra aux muses de l'Hélicon (1). C'est dire que les princes de l'Eubée, eux aussi, appelaient à eux les poètes et se faisaient honneur de les récompenser. En fait, nous voyons que la poésie ionienne, transportée dans la Grèce centrale, avait un foyer en Béotie et qu'elle rayonnait de là sur les régions voisines.

Ceci se rapporte aux VIIIe et VIIe siècles. Au VIe siècle, quand la poésie épique cède partout le premier rang au lyrisme, la Béotie est une des régions où celui-ci se manifeste avec éclat. Vers la fin de ce siècle, Corinna de Tanagra et Myrtis d'Anthédon se signalent en ce genre par des compositions où elles se servent de leur dialecte local; et c'est le temps où naît à Thèbes, Pindare, dont l'œuvre sera un des plus beaux titres littéraires de la période suivante.

IV. — Sparte et le Péloponnèse

Caractère et rôle de Sparte. — Si maintenant, de la Grèce centrale, nous passons dans le Péloponnèse, c'est Sparte évidemment qui doit tout d'abord attirer notre attention. Car elle est la grande cité dorienne, à l'influence de laquelle aucune des populations péloponnésiennes n'échappe complètement. Aucun peuple grec n'a déployé plus d'énergie ni fait preuve de plus de constance et de force morale, mais aucun non plus n'a plus nui à l'unification de la nation. Sparte a honoré la Grèce par d'éclatants exemples d'héroïsme, de discipline volontaire, de dévouement au devoir, et cependant elle a été, en raison de son intolérance et de l'étroitesse de ses vues, une des causes de sa ruine. Paradoxe apparent, qui

(1) Il est possible, mais nullement certain, que ce passage soit une interpolation. Il serait en tout cas presque aussi ancien que le poème lui-même et, comme témoignage historique, ne perdrait rien de sa valeur.

s'explique par l'étrangeté de son organisation et de ses mœurs.

Organisation politique. — Née d'une conquête, la cité spartiate, faute d'avoir pu ou voulu s'assimiler les vaincus, ne sut jamais déposer les armes; elle resta toujours une armée d'occupation en territoire ennemi. Pour surveiller ceux qu'elle avait asservis, pour les maintenir dans l'obéissance par la crainte, elle dut être constamment sur le qui-vive. Non seulement elle se fit une loi d'exclure de toute participation au gouvernement quiconque n'était pas de la race conquérante, mais encore, elle sentit la nécessité de s'imposer à elle-même une règle qui tenait perpétuellement ses citoyens dans la plus étroite union, en les assujettissant à une discipline inflexible et à des exercices quotidiens. C'était là pour elle une nécessité vitale. La cité fut organisée à l'image d'un camp.

Sa constitution, qu'elle attribuait à un législateur à demi légendaire du nom de Lycurgue, avait pris, dès le VIIIᵉ siècle, sa forme à peu près définitive. Au sommet, une royauté héréditaire, partagée entre deux rois, issus de deux lignées distinctes. Chefs de l'armée et investis en temps de guerre d'un pouvoir absolu, ces rois n'avaient dans la vie civile qu'une autorité restreinte. A côté d'eux était un conseil de gouvernement, composé de vingt-huit *gérontes*, âgés de plus de soixante ans, qui, élus par l'assemblée des citoyens, n'étaient, une fois nommés, ni révocables ni astreints à rendre des comptes. C'étaient eux, en fait, qui administraient la cité. En théorie, il est vrai, le pouvoir souverain appartenait à l'Assemblée du peuple ou *apella*, à laquelle prenaient part tous les citoyens âgés de plus de trente ans; mais cette assemblée ne se réunissait que sur la convocation des rois; réunie, elle ne délibérait pas; son rôle se bornait à élire les nouveaux gérontes par acclamations, à approuver ou à désapprouver par des cris les propositions qui lui étaient soumises. A ces trois pouvoirs coordonnés s'était ajouté très anciennement celui des cinq Éphores, magistrats élus également par l'Assemblée du peuple et investis non seulement de pouvoirs judiciaires, mais aussi d'une autorité de surveillance et de contrôle assez mal définie, qui, peu à peu, les rendit à peu près maîtres du gouvernement. C'était en somme une oligarchie d'un caractère militaire, qui tendait à concentrer le pouvoir dans quelques mains.

Le même esprit se manifestait en tout. Partout prévalait un

même principe, subordination rigoureuse et sans réserve de l'individu à l'État; droit absolu pour celui-ci de tout régler en vue de l'intérêt public, jusqu'à la vie privée. Soucieuse de prévenir les rivalités et les discordes, la cité s'efforça de créer entre les citoyens l'égalité, non seulement des droits, mais des fortunes. Elle crut y réussir par la répartition de lots de terres égaux, par l'institution de repas communs obligatoires (*syssities*), par l'emploi d'une lourde monnaie, qui se prêtait aussi mal que possible à la circulation, enfin, par une éducation commune imposée à tous les enfants et que réglaient souverainement les pouvoirs publics. Façonné durement à l'obéissance dès le premier âge, endurci par de rudes exercices, entraîné à la marche, à la course, au maniement des armes, le jeune Spartiate ne dut avoir d'autre passion que le patriotisme et l'honneur militaire. Lacédémone parvint ainsi, il faut le reconnaître, à engendrer chez les siens une force morale exceptionnelle et un esprit de coopération, qui, joint à l'expérience du métier militaire, la rendit longtemps supérieure sur les champs de bataille à la plupart des autres cités grecques. Et dans l'ordre des vertus qu'elle estimait le plus, elle donna de magnifiques exemples. Mais ces institutions, qui faisaient violence à la nature et méconnaissaient la force des choses, ne pouvaient être maintenues artificiellement qu'à la condition d'écarter les influences étrangères. Sparte dut s'enfermer en elle-même et se condamner à l'isolement. Elle fut inhospitalière par principe. Nous en montrerons plus loin les conséquences.

Manifestations religieuses et artistiques. — Du VIIIe siècle au VIe, sa vitalité puissante se manifesta avec éclat par la conquête de la Messénie, et par le prestige de ses armes, qui groupa autour d'elle en un système d'alliances presque tous les États du Péloponnèse. Elle fut même un foyer de poésie. Nulle cité, en effet, ne se prêtait mieux aux créations artistiques du chant et de la danse qui exigent des sentiments communs et des mouvements concertés; nulle part, les cérémonies religieuses n'étaient plus en honneur. La poésie chorale y trouva les conditions les plus favorables à son essor. Les témoignages anciens nous parlent de l'influence qu'y exerça, au début du VIIe siècle, le Crétois Thalétas, un des premiers maîtres de cet art nouveau (1). Un autre poète du même temps, Terpandre de

(1) Plutarque, *Lycurgue*, IV, 1-2.

Lesbos, n'y trouva pas un moins favorable accueil, si nous en jugeons par un fragment dans lequel il vante Sparte comme la cité où florissaient également « la valeur militaire et la mélodie chère à la muse » (1). Plutarque, dans sa *Vie de Lycurgue* décrit sommairement les fêtes où des chœurs d'enfants, d'hommes et de vieillards manifestaient à l'envi, avec une sorte d'émulation, l'union profonde de la cité entière dans les mêmes sentiments d'honneur et de dévouement à la patrie (2). Les jeunes filles elles-mêmes, soumises à une discipline qui s'inspirait du même esprit, avaient leurs fêtes et leurs poètes. Alcman, dont la tradition a fait un Lydien, mais qui semble bien avoir été un Spartiate, excellait à composer pour elles des poèmes appelés *Parthénées*. Des fragments importants d'une de ses compositions nous font sentir encore avec quelle vivacité et quelle grâce, avec quelle hardiesse piquante aussi, il savait exprimer leurs sentiments et les siens (3).

Le poète Tyrtée. — Rivalisant avec cette poésie chorale, dorienne d'origine et de langage, l'élégie ionienne pénétrait vers le même temps à Sparte, en y prenant d'ailleurs le ton approprié à son esprit. Ce fut le poète Tyrtée — probablement lacédémonien lui aussi et non athénien, comme le voudrait une invraisemblable légende — qui sut l'adapter aux mœurs et aux sentiments de ses concitoyens. Ses poèmes nous transportent à l'époque de la seconde guerre de Messénie, vers 650. Quelques-uns exaltent en de beaux vers, d'un accent mâle et patriotique, les souvenirs des luttes récentes; ils traduisent poétiquement ce qui devait se dire dans ces syssities où les convives se rappelaient mutuellement les belles actions des plus braves, où l'on se confirmait dans le sentiment du devoir ; avec quel accent ils flétrissaient ceux qui faiblissaient devant le danger ou songeaient à s'y dérober!

Il est beau de mourir en brave, frappé au premier rang, en combattant pour son pays. Abandonner sa ville et ses bonnes terres pour aller mendier à l'étranger, quelle misère! et puis, errer avec une mère et un vieux père, avec de petits enfants et une jeune femme! Talonné par le besoin et par l'odieuse pauvreté, le vagabond est détesté de tous ceux qu'il vient implorer. Il déshonore sa race, il

(1) Plutarque, *Lycurgue*, XXI, 3.
(2) *Ibidem.*
(3) Bergk, *Poetae lyrici graeci*, III, p. 23.

dément la noblesse de son aspect, tout en lui est honte et infamie. Donc, si pour l'homme sans domicile il n'y a plus ni estime, ni respect, ni attention, ni pitié, combattons, nous, avec courage pour notre terre et pour nos enfants et mourons sans souci d'épargner notre vie (1).

D'autres morceaux du même poète exposent les lois du pays, rappellent qu'elles ont été dictées ou sanctionnées par le dieu de Pytho, font valoir le bel ordre qu'elles ont institué dans la cité, en commentent la signification politique et morale. C'est un maître de sagesse et de discipline que nous entendons, mais il ne parle que pour son peuple. Et ceci s'applique également à Alcman, probablement même à Thalétas. La poésie de Sparte n'est pas une poésie universelle; elle ne l'est du moins qu'à un faible degré; elle ne contient d'universel que ce fond de sentiments humains qui se retrouve nécessairement dans toute poésie destinée à agir sur des hommes. Ce qui lui donne sa couleur et sa force, c'est ce qu'elle a de particulier, ce qui est en elle spécifiquement lacédémonien.

Particularisme de Sparte. — Ainsi cette poésie même fait ressortir vivement le caractère singulier de cette communauté où ceux qui s'appelaient hommes libres et citoyens ne disposaient librement ni de leurs biens, ni de leurs familles, ni de leurs propres personnes, où la vie était ascétisme perpétuel, abandon volontaire de soi-même à une loi représentée par quelques magistrats, où l'État enfin était en réalité le seul maître et le plus dur des maîtres, et où, cependant, nulle protestation ne se faisait entendre, la contrainte étant aimée là autant que la liberté l'était ailleurs. Évidemment une telle cité ne pouvait se fondre dans une nation animée d'un tout autre esprit. Elle était essentiellement inassimilable. Et, d'autre part, elle était incapable d'imposer à toute la Grèce sa domination; il aurait fallu pour y réussir qu'elle lui fît accepter ses principes, ce qui était manifestement impossible. L'histoire en est la plus éclatante démonstration. Lorsque Sparte, par sa puissance militaire, a semblé prête à saisir la suprématie, elle a provoqué partout la révolte. Il ne pouvait en être autrement. Ou bien ceux des siens à qui elle déléguait son autorité restaient fidèles à ses principes, et, en ce cas, ils se rendaient intolérables; ou bien, éloignés de leur milieu,

(1) Bergk, *Poetae lyrici graeci*, II, p. 13.

ils dégénéraient plus ou moins, et alors c'était elle qui les condamnait. Ainsi se justifie ce qui a été dit plus haut. Impuissante à réaliser l'union nationale, Sparte a empêché que d'autres ne la fissent.

Toutefois, dans le Péloponnèse, où elle ne rencontrait pas d'adversaires capables de la refouler d'une manière durable, elle exerça une profonde influence. Non seulement elle y créa un système d'alliances qui accrut sa force propre, mais encore elle y maintint la prédominance de l'esprit dorien, conservateur et oligarchique. C'est même par son action surtout que l'opposition entre Doriens et Ioniens prit dès le VIᵉ siècle une valeur qu'elle n'aurait jamais eue probablement si Sparte n'avait pas existé. C'est donc bien à elle qu'il faut imputer d'avoir été une des causes principales de cette division funeste, qui prépara la ruine de l'indépendance nationale.

Reconnaissons d'ailleurs que, pour un temps au moins, sa politique étrangère, si dénuée qu'elle fût d'inspiration libérale, se montra libératrice à l'égard des tyrannies locales qui avaient succédé à l'oligarchie dans un assez grand nombre de cités au cours du VIIᵉ et du VIᵉ siècle. Dominée par la conception d'une subordination absolue des intérêts individuels à l'intérêt public, elle devait être l'ennemie naturelle d'une forme de gouvernement fondée sur la prédominance égoïste d'un individu ou d'une famille. Pour un Spartiate, la tyrannie était en elle-même une absurdité et comme un défi insolent à la morale civique. D'ailleurs, il lui paraissait, non sans raison, qu'une alliance avec un pouvoir instable, dépendant des intérêts passagers ou des volontés arbitraires d'un homme, était une alliance sans garantie. Sparte fut donc par vocation la destructrice des tyrans. En cela du moins, elle joua un rôle qui ne fut pas inutile au progrès de la civilisation.

V. — AUTRES ÉTATS DU PÉLOPONNÈSE

Parmi les autres États du Péloponnèse, ni la Messénie, ni l'Arcadie, ni l'Achaïe, ni l'Élide n'intéressent vraiment notre étude. La Messénie, dès le VIIᵉ siècle, n'est plus qu'une dépendance de Lacédémone; l'Arcadie, confinée dans ses montagnes, ne songe qu'à préserver sa liberté et se mêle le moins qu'elle peut à la politique générale; l'Achaïe, sans unité, sans cohésion, vit assez obscurément du travail de ses paysans et du commerce de ses marins; l'Élide ne joue qu'accidentellement un rôle politique, toujours secondaire; son principal titre à l'attention, ce sont les jeux Olympiques, dont nous parlerons ailleurs. Les seules cités à considérer après Sparte, sont Argos, Corinthe, Sicyone, Égine et Mégare.

L'Argolide. — L'histoire de l'Argolide est obscure. La conquête dorienne ne semble pas y avoir réduit l'ancienne population à un asservissement aussi général qu'elle le fit en Laconie. Aux trois tribus doriennes s'en ajouta une quatrième, où prirent place sans doute des éléments ioniens. Une fédération s'établit entre les cités argiennes, entre lesquelles Argos eut la primauté. Quelle était précisément la nature de ce lien fédéral? Il est probable qu'il fut tantôt plus étroit, tantôt plus lâche, selon les temps. L'un des rois argiens, Pheidon, sur la date duquel il y a de notables divergences, mais dont le règne peut être situé sans invraisemblance vers la fin du VIIIe siècle, paraît avoir joui d'une réelle puissance, s'il est vrai qu'il ait imposé sa volonté jusqu'en Élide. On lui attribue l'introduction en Argolide de la monnaie et d'un système de poids et de mesures, ce qui donnerait à penser que le mouvement des échanges commerciaux y était alors important. Mais cette puissance, en tout cas, ne fut pas de très longue durée. Si le pouvoir royal subsista de nom à Argos, il fut dépouillé de son autorité. Puis la fédération argienne tendit à se dissoudre. Les cités du littoral argien, notamment Épidaure, Trézène, ne reconnaissaient la suprématie d'Argos qu'autant qu'elles y étaient contraintes. Dès qu'elles le pouvaient, elles reprenaient leur autonomie. Enfin, la rivalité d'Argos avec Sparte donna lieu à une suite de guerres dont l'issue fut défavorable à la première de ces deux cités. Elle en sortit affaiblie pour longtemps, et n'eut désormais en Grèce qu'une situation de second plan. Dans les arts, au contraire, elle se fit, comme nous le verrons plus loin, une brillante renommée.

Corinthe. — Celle de Corinthe est attestée déjà par un passage de l'*Iliade* (1). Elle la devait à son commerce. Assise dans une merveilleuse situation, à l'entrée de l'isthme par où le Péloponnèse communique avec la Grèce centrale, elle avait en

(1) *Iliade*, II, 570.

71

outre deux ports, qui lui donnaient accès sur deux mers. Par Cenchrées, son port de l'Est, elle fut très anciennement en relations avec la Phénicie, avec la Crète, avec les villes grecques d'Ionie, avec l'Égypte. Par Léchaeon, son port occidental, elle put envoyer ses vaisseaux et ses colons en Épire, en Italie, en Sicile. Devenue ainsi la métropole de cités qui se développèrent rapidement, elle acquit de bonne heure une importance commerciale de premier ordre. Ce fut elle, nous dit Thucydide qui, la première, construisit des navires à trois rangs de rames ou trières (1). Son industrie n'était pas inférieure à son commerce. Nous aurons à parler ailleurs des vases peints que fabriquaient ses potiers et qu'elle exportait au loin. Ses tapis, ses bronzes ciselés, ses œuvres d'art en tout genre étaient recherchés et demandés partout, en Italie principalement. Cité indépendante et formant à elle seule un État, elle fut gouvernée au VIIIᵉ siècle par une puissante famille, celle des Bacchiades, probablement d'ancienne noblesse, mais engagée à coup sûr dans des entreprises commerciales et industrielles, qui entretenaient sa richesse. Cette dynastie fut renversée en 657 par Kypsélos, qui exerça une autorité sans contrôle et la transmit en 627 à son fils Périandre. La tyrannie de celui-ci dura quarante ans. Celle de son successeur fut courte. En 583, une révolution mit fin à ce régime, au profit d'une oligarchie qui semble avoir usé d'une certaine modération. Sous ces divers gouvernements, la prospérité matérielle de la cité n'eut pas à subir d'éclipse. Ville d'affaires, Corinthe était aussi une ville de luxe et de plaisirs. C'était d'elle que relevaient les jeux isthmiques, une des grandes solennités de la Grèce. Ce fut pour elle que le poète lesbien Arion organisa au VIIᵉ siècle les premiers chœurs cycliques, un des éléments que la tragédie devait s'approprier plus tard. Ouverte à toutes les influences de l'Orient, la même ville fut aussi une de celles où le culte d'Aphrodite avec son cortège d'hiérodules eut le plus de popularité. Politiquement, Corinthe était prédestinée par ses intérêts commerciaux à devenir une rivale d'Athènes, et, en qualité de cité dorienne, à rechercher contre elle l'appui de Lacédémone. Les Corinthiens seront, au siècle suivant, les promoteurs de la guerre funeste du Péloponnèse.

Sicyone. — Sicyone, voisine de Corinthe, mais moins favori-

(1) Thucydide, I, 13, 2.

sée par sa situation, devint, comme elle, un État indépendant, après s'être affranchie d'Argos. Au VIIe siècle, le pouvoir y était aux mains d'une riche famille, celle des Orthagorides. Son plus célèbre représentant fut le tyran Clisthène. Voulant abolir les souvenirs qui rattachaient encore Sicyone à Argos, il crut bon d'interdire les fêtes qu'on avait gardé l'habitude de célébrer en l'honneur du héros argien Adraste, et il les remplaça d'autorité par des chœurs de chanteurs et de danseurs déguisés en satyres (1); innovation manifestement empruntée aux rites dionysiaques. Il voulut sans doute complaire ainsi à une population rustique, auprès de laquelle ces rites étaient en faveur. De ces chœurs, imités de proche en proche, devait naître en Attique au VIe siècle le drame satyrique, destiné à devenir un des éléments des grandes représentations dramatiques d'Athènes. Ne fût-ce qu'à ce titre, Sicyone ne pouvait être omise dans cette revue sommaire.

Égine. — Égine, île montagneuse, d'environ 85 kilomètres carrés de surface, dut à sa marine une grande importance. Située dans le golfe Saronique, en face d'Athènes elle la tint longtemps en respect. Ce n'était cependant qu'une colonie d'Épidaure, mais qui, de bonne heure, s'était affranchie de toute dépendance envers sa métropole. Peut-être fit-elle partie de l'Argolide au temps du roi Pheidon. C'est à elle, semble-t-il, qu'il emprunta la monnaie à l'effigie de la tortue qui reçut le nom d'éginétique. La diffusion de cette monnaie est le signe de l'importance que prit Égine, devenue un État autonome. De même que les Corinthiens, les Éginètes participèrent à la fondation de Naucratis en Égypte et ils eurent là des agents d'affaires (2). D'autre part, leurs marchands allaient chercher dans le Pont les blés que l'île ne fournissait pas et ils en faisaient le commerce. Eux-mêmes travaillaient le bronze; leur métallurgie approvisionnait leur exportation. Ville dorienne, de constitution aristocratique, possédant une flotte nombreuse et une population de marins, Égine fut pour Athènes, souvent une ennemie, toujours une rivale redoutable, jusqu'au moment où elle fut contrainte de se soumettre en 455.

Mégare. — Le dernier État dorien à mentionner est Mégare.

(1) Hérodote, V, 67.
(2) Hérodote, II, 78.

Située dans l'isthme même qui rattache le Péloponnèse à la Grèce centrale, elle en défendait le passage. Mais son importance lui vint surtout de sa marine et de son port de Nisæa sur le golfe saronique. Comme Égine, elle pratiquait largement le commerce avec le Pont. Il a été parlé plus haut de ses deux colonies de Chalcédoine et de Byzance qui la rendaient maîtresse du Bosphore, et de son établissement en Sicile à Mégare Hyblæa. Toutefois, ce qui nous intéresse le plus dans son histoire, ce sont ses révolutions intérieures. Car les passions qu'elles excitèrent ont eu un éloquent interprète à la fin du VIᵉ siècle en la personne du poète Théoguis; et ses vers nous font connaître les sentiments de son parti, qui devaient être, à peu de chose près, ceux des partis oligarchiques dans toutes les cités où régnaient les mêmes divisions. Ces révolutions de Mégare, à vrai dire, ont dû remplir une bonne partie du VIIᵉ siècle et du VIᵉ (1). Il s'en faut de beaucoup que l'on puisse aujourd'hui en faire l'histoire. Deux éléments sont en lutte : d'une part de riches propriétaires, sans doute aussi armateurs et commerçants; de l'autre, des paysans et, à côté d'eux, une plèbe urbaine. A la royauté primitive, succède, comme à l'ordinaire, l'oligarchie; à l'oligarchie, la tyrannie, appuyée d'abord par le peuple, tant qu'elle le flatte, puis détestée de lui, quand elle s'en défie et s'en fait craindre. Théognis, attaché au parti aristocratique, triomphant avec lui, proscrit avec lui, exhale dans ses élégies destinées sans doute à un cercle d'amis, ses colères et ses haines. Il prie Zeus, il lui demande justice, et sa prière est un cri de vengeance :

Zeus, dieu de l'Olympe, fais droit à ma prière, car elle est juste. Accorde-moi, après tant de souffrances, un peu de bien. Autant mourir si mes soucis et mes peines ne peuvent avoir de fin, si tu m'infliges le malheur et encore le malheur. N'est-ce pas là mon destin? Nous ne voyons pas se lever le jour de la vengeance, le jour où je pourrais châtier ceux qui, par la violence, m'ont pris mes biens. Comme le chien de la fable qui traversait le torrent, j'ai tout perdu dans les eaux soulevées. Ah! si je pouvais boire leur sang! Si, enfin, s'élançait le dieu secourable qui accomplira ce que mon cœur désire (2)!

Ailleurs, s'adressant en imagination à quelque tyran inconnu de nous, qui avait réussi à s'emparer du pouvoir,

(1) Thucydide. I, 108.
(2) Bergk, *Poetae lyrici graeci*, II, p. 149.

il jouit de penser qu'il aura en lui un vengeur; il l'invite à écraser de son joug ce peuple qui avait cru trouver en ce maître, maintenant abhorré, un allié et un libérateur :

Foule-le donc aux pieds ce peuple insensé, frappe-le de ton aiguillon de fer, courbe sa tête sous le poids du joug. Nulle part tu ne trouveras, dans toute l'étendue qu'éclaire le soleil, un autre peuple qui aime autant à servir (1).

A la violence de ce langage, on peut juger de l'état d'exaspération auquel les révolutions avaient amené les partis à Mégare, et sans doute ailleurs, à la fin du VIᵉ siècle. Mais un fait curieux s'est produit dans la destinée de cette œuvre. Comme Théognis s'adressait particulièrement à un jeune ami, une grande partie de ses élégies consistait en conseils. Ces conseils avaient pour objet de lui apprendre comment il devait se conduire à l'égard de ceux que le poète appelait les bons et les méchants, les bons étant ceux de son parti, les méchants ceux du parti adverse. Plus tard, cette signification politique fut oubliée; on prit les termes de bons et méchants au sens moral; et ainsi ce poète de faction fut classé parmi les moralistes et ses vers devinrent un livre d'éducation. C'est par son œuvre, grâce à cette confusion, que Mégare peut revendiquer l'honneur d'avoir contribué à la formation de la morale grecque. Accordons-lui ce mérite, sans méconnaître qu'au point de vue politique c'était un de ces petits États dont l'individualité jalouse allait rendre si difficile la formation d'une vie nationale.

Tel était, en somme, durant cette période, l'état de choses dans le Péloponnèse. Nous avons dit plus haut ce qu'il était dans la Grèce centrale, comme aussi dans les colonies grecques d'Italie et de Sicile. Il nous reste à parler de la cité à laquelle il était réservé de s'approprier et de développer les plus purs éléments de la civilisation grecque.

VI. — Athènes jusqu'a la fin du VIᵉ siècle

Privilège de l'Attique. — L'Attique eut un double privilège. D'une part, elle réussit, dans ces siècles de préparation, à s'organiser comme Sparte en un véritable État, assez étendu

(1) Même ouvrage, II, p. 192.

pour posséder une force respectable et des ressources variées, doué pourtant d'une solide unité. D'autre part, si elle eut, comme les autres cités, ses révolutions, celles-ci du moins s'enchaînèrent de façon à réaliser peu à peu un progrès social. C'est ce qu'il faut expliquer brièvement.

Formation de l'État athénien. — La population de l'Attique, qui se disait née du sol même qu'elle habitait, paraît en réalité s'être formée de plusieurs éléments successifs, sans qu'il y ait eu jamais de conquête à proprement parler. A un élément pré-hellénique, se mêla, à l'époque achéenne, par immigration, un groupe de langue grecque, grâce auquel, là comme dans le reste de la Grèce, se développa une première civilisation. Cette Attique achéenne fut en relation avec la Crète minoenne à laquelle peut-être elle dut payer quelque temps tribut, et dont, en tout cas, elle subit fortement l'influence. Les ruines dégagées à Athènes même, sur l'Acropole, à Éleusis, à Ménidi, à Spata, palais ou tombeaux, attestent que là ont vécu des princes dont l'existence était la même que celle des seigneurs de Mycènes, de Tirynthe et d'Orchomène. Il est certain aussi que les Phéniciens fréquentaient alors les côtes du pays, pour y pêcher le murex ou pour y faire le commerce. Plus tard, à partir du XIᵉ siècle environ, l'établissement des Doriens dans le Péloponnèse fit refluer vers l'Attique des émigrants qu'une certaine parenté de langue et de coutumes attirait vers ce pays. Ainsi se forma une population mêlée, dans laquelle prévalut l'élément ionien. Plusieurs principautés se partageaient alors le pays. Comment s'opéra la concentration qui fit d'Athènes la capitale d'un État vraiment uni? La tradition courante, rapportée par Thucydide, l'attribuait à Thésée, c'est-à-dire à un temps antérieur à l'invasion dorienne; c'était là une de ces simplifications qui sont fréquentes dans l'histoire grecque. D'autres traditions divergentes et les connaissances acquises de nos jours par l'archéologie démontrent clairement qu'il y eut des luttes prolongées entre ces petites royautés. Éleusis, notamment, ne se laissa pas vaincre sans de longs efforts par les Érechtéides. Toujours est-il qu'Athènes finit par prédominer. Dès le VIIᵉ siècle, l'Attique était unifiée.

Abolition de la royauté. — Il n'est pas invraisemblable que cette unification du pays ait contribué à l'abolition de la royauté. Un chef unique était moins nécessaire, lorsque la paix intérieure fut établie. Les chefs des grandes familles, ceux qu'on appelait les Eupatrides, formaient une aristocratie puissante, qui voulut avoir part au gouvernement. Le titre royal fut conservé cependant parce qu'il était lié au culte, mais il fut dépouillé de ses attributions politiques. Le pouvoir passa aux mains de magistrats élus appelés *archontes*. Il y eut d'abord des archontes à vie; c'étaient encore presque des rois. Mais, dès 752, l'archontat devint décennal; il fut annuel à partir de 683. A côté de l'archonte-roi, on créa successivement un archonte polémarque, chef de l'armée, puis un troisième archonte, dit éponyme, chargé du gouvernement civil et de la justice; celui-ci était en fait le premier en importance; c'était lui qui donnait son nom à l'année. Plus tard, l'organisation des tribunaux exigea la nomination de six autres archontes, chargés de répartir les affaires à juger et de les présider. Ce furent les archontes législatifs, dits Thesmothètes. Ainsi fut constitué, dans le cours du VIIe siècle, le Collège des neuf archontes qui devait rester une des institutions fondamentales de la cité.

L'Aréopage. — Le gouvernement ainsi formé appartenait alors à l'aristocratie de naissance. C'était parmi les représentants des grandes et riches familles qu'étaient choisis les archontes. Ils avaient pour les assister un conseil, l'Aréopage, ainsi nommé parce qu'il siégeait sur la colline consacrée au dieu Arès. Renouvelé sans cesse par l'accession des anciens archontes, qui y prenaient place en sortant de charge, ce conseil, investi de certains pouvoirs judiciaires, exerçait en outre une surveillance générale sur toutes les affaires publiques; rôle d'autant plus important qu'il était assez vaguement défini et par conséquent toujours extensible. Tout dans cette constitution portait l'empreinte aristocratique. Il n'y avait d'ailleurs d'autres lois que les coutumes, sujettes aux interprétations arbitraires des plus puissants.

Législation de Dracon. — Un coup d'État tenté vers 630 par un ambitieux nommé Cylon fut un avertissement pour la classe dominante. Bien que Cylon eût échoué et que ses complices eussent été massacrés, on aurait pu craindre un mouvement du peuple en sa faveur. Le régime de la grande propriété pesait lourdement sur les gens de la campagne. La plupart de ceux-ci, appelés *hectémores*, cultivaient les grands domaines des Eupatrides, moyennant le prélèvement d'un sixième seulement de la récolte; c'était leur unique salaire. Les petits propriétaires de la montagne n'étaient guère plus heureux. Et déjà, sans doute, il se formait dans les bourgs, et surtout dans Athènes, une plèbe qui commençait à s'agiter. On voulut lui donner quelque satisfaction. Un Eupatride, Dracon, fut chargé de rédiger une législation. C'était substituer à l'incertitude et à l'obscurité des coutumes la précision d'un texte rendu public; progrès incontestable. Cette législation, dont la partie relative aux crimes est la mieux connue, assurait plus de garanties aux faibles, elle réglait le droit de porter plainte devant les tribunaux, elle tendait à restreindre les vengeances personnelles en déterminant certains modes d'arrangement. Des lois civiles de Dracon, nous ne savons presque rien.

Période de troubles. — Au reste, son œuvre eut peu de durée. La fin du VII⁰ siècle fut une période de troubles. La cité athénienne subit alors une crise grave, qui eut pour cause principale le déséquilibre des fortunes. Le commerce et l'industrie avaient pris à Athènes, comme dans beaucoup d'autres parties de la Grèce, une grande expansion. Des habitudes nouvelles de bien-être, de luxe même, en étaient résultées, qui avaient amené la cherté de la vie. Les petits cultivateurs en souffraient durement. La plupart contractaient des dettes en hypothéquant leurs terres. Hors d'état de s'acquitter à l'échéance, ils voyaient leurs terres confisquées; eux-mêmes étaient vendus comme esclaves. Écrasée sous une loi impitoyable, la classe populaire s'indignait; elle réclamait l'abolition des dettes, le partage même des terres. Il semblait qu'une révolution violente allait éclater. Elle fut conjurée par l'intervention d'un homme auquel la confiance de tous attribua la tâche de servir d'arbitre entre les partis prêts à entrer en lutte. Cet homme fut Solon, élu archonte en 594 et investi, en fait, d'un pouvoir souverain.

Solon. Son caractère et son rôle. — C'était un citoyen à la fois prudent et décidé, qui avait fait fortune dans le commerce et qui était devenu populaire à Athènes par l'énergie dont il avait fait preuve dans une guerre récente contre Mégare; il avait alors entraîné ceux qui hésitaient, fait décider l'expédition en vue d'occuper Salamine, sujet de dispute entre les deux cités, et cette expédition avait été victorieuse. Chargé maintenant de maintenir la paix dans la ville, il montra le même esprit de décision, tempéré par un sentiment très vif de l'équité. Ce qu'il voulut faire, il l'a dit lui-même dans divers poèmes, destinés évidemment à être récités par lui ou par ses amis dans des réunions de société et répandus ensuite dans le public. Il y expose, en vers faciles et parfois mordants, ses desseins, les difficultés rencontrées et vaincues; il argumente, il répond aux reproches et aux objections, il donne de graves et sages avertissements. Sa sincérité éclate partout. L'avidité des riches créanciers le remplit d'indignation :

Ceux qui sont à la tête du peuple n'ont plus souci de la justice. Par l'excès de leur violence, ils se préparent un dur lendemain. Blasés, ils ne savent plus modérer leurs désirs; plus de plaisir pour eux dans l'honnête et paisible gaieté des banquets... Combien de pauvres gens ne voit-on pas qui, mis en vente, partent pour l'étranger, chargés de liens, réduits à l'odieuse servitude! Leur créance les poursuit, l'un après l'autre, jusque chez eux; les portes de la maison n'en défendent plus l'habitant; elle franchit le seuil, elle va saisir le malheureux, fût-il caché dans son lit (1).

C'est contre cet abus de la force, contre ce mépris de l'humanité qu'il s'est dressé. Mettre un frein à l'avidité, défendre la liberté des humbles, leur assurer la sécurité, le travail paisible, tel fut son but. Il aurait pu comme d'autres, dit-il, s'il avait voulu tromper le peuple, se faire tyran; il ne le voulut pas. Et plus tard, il se fit justement honneur de ce désintéressement en répondant à ceux qui ne le comprenaient pas :

Si j'ai épargné ma terre natale, si je n'ai pas voulu de la tyrannie ni de la violence cruelle, qui aurait flétri et déshonoré mon nom, je n'ai pas à m'en justifier. C'est même par là surtout que je me flatte d'être reconnu supérieur aux autres hommes (2).

Chaque parti, au fond, avait compté sur lui pour triompher; il se proposa simplement d'être juste et de concilier le mieux possible les intérêts en lutte :

J'ai donné au peuple ce qu'il lui fallait de pouvoir; je ne l'ai fait ni trop petit ni trop grand. Aux autres, qui avaient la puissance et l'éclat des richesses et me suis gardé de faire rien d'injuste. Debout entre les deux partis, j'ai opposé aux violents un bouclier solide, je n'ai laissé ni les uns ni les autres triompher aux dépens du droit (3).

(1) Démosthène, *Des prévarications de l'ambassade*, 254.
(2) Plutarque, *Solon*, 14.
(3) Aristote, *Rép. Ath.* XII.

Tout l'esprit de sa politique est défini dans ses vers. L'œuvre qu'il voulut faire était une œuvre de modération et d'équité.

Sa législation. — Comment s'y prit-il pour réaliser ce dessein? Sans entrer ici dans un détail superflu, voici en résumé l'essentiel de ses réformes. Visant d'abord au plus pressé, son premier soin fut de soulager les débiteurs insolvables en réglant la question des dettes. Il ne semble pas qu'il lui ait été possible de les abolir purement et simplement; mais il n'est pas douteux qu'il les ait réduites sensiblement. Le droit odieux qui permettait au créancier de vendre son débiteur insolvable fut supprimé. La terre se trouva libérée. C'est ce qu'il appelle dans ses vers « la décharge » (*seisachteia*). Quant à la constitution de l'État, il n'y toucha qu'avec prudence. Le peuple athénien n'était pas encore mûr pour la démocratie; un législateur prudent devait se borner à l'y préparer. Il conserva l'ancienne division de la population en quatre classes, distinguées les unes des autres par le cens : pentacosiomédimnes, cavaliers, zeugites et thètes. Mais, tandis que le cens, à en juger par ces appellations mêmes, était autrefois fondé sur la production du sol, il est probable qu'il dépendit désormais du revenu, quelle qu'en fût la source (1). L'accès aux classes supérieures était ainsi ouvert aux commerçants, aux industriels, aux artisans même, sans que l'acquisition de la propriété territoriale fût exigée d'eux. Les charges publiques demeurèrent réservées aux classes supérieures, l'archontat à la première exclusivement. Les thètes n'eurent accès à aucune. L'Aréopage même conserva son rôle de conseil suprême; en fait, Solon restreignit sa puissance en instituant un conseil de quatre cents membres représentant les quatre tribus, qui dut être le conseil des archontes, comme l'Aréopage l'avait été au temps où l'aristocratie était maîtresse. Enfin, il paraît avoir donné un statut plus précis à l'Assemblée du peuple (*ecclésia*), à laquelle les thètes eux-mêmes participaient. Elle eut sans doute désormais des réunions à dates fixes et des attributions mieux définies. En somme, la législation de Solon visait à créer un gouvernement mixte, une démocratie fortement tempérée d'aristocratie. D'autres mesures favorisaient le commerce.

(1) Il est remarquable que, dans un de ses poèmes (fragm. 24), Solon, considérant les différentes formes de richesses, rapproche « *ceux qui ont beaucoup d'or et d'argent, ceux qui sont propriétaires de terres productrices de blé et ceux qui ont des chevaux et des mules* ».

Ce fut l'objet de sa réforme monétaire. Bien des choses, dans cet ensemble de réformes, restent encore obscures pour nous. Ce qui nous paraît certain, c'est qu'elle fut le point de départ du mouvement qui devait faire d'Athènes, au siècle suivant, la cité la plus démocratique que l'antiquité ait connue. Il est possible qu'en cela les intentions et même les prévisions du grand législateur aient été de beaucoup dépassées. Son mérite propre avait été de chercher la stabilité, non dans la prédominance d'un parti, mais dans l'équilibre des forces sociales et l'harmonie des intérêts.

Pisistrate et ses fils. — Après lui, et même de son vivant, les discordes se rallumèrent. Elles aboutirent, comme partout, à l'avènement d'un homme. Ce fut Pisistrate, chef du parti le plus avancé, qui réussit vers 560 à s'emparer du pouvoir. Renversé par ses adversaires quatre ans plus tard, rétabli vers 550 et contraint de se retirer de nouveau presque aussitôt, il ne redevint définitivement maître de l'État qu'en 539; mais cette fois il garda le pouvoir jusqu'à sa mort en 527, et il le transmit en mourant à ses fils qui le détinrent jusqu'en 510. Ce gouvernement des Pisistratides eut une influence décisive sur l'avenir d'Athènes. S'inspirant de l'esprit de Solon, ils prirent leur point d'appui sur la classe moyenne. Par l'effet de leur politique, la petite propriété rurale se développa notablement dans la seconde moitié du VIe siècle. Ainsi se constitua un élément de stabilité propre à contrebalancer politiquement l'influence d'un autre élément plus mobile, plus remuant, formé par la partie urbaine de la population qui grossissait chaque jour. Cette classe rurale, favorisée et paisible, s'accrut et s'enrichit, elle prit conscience de sa valeur, et, lorsque la tyrannie fut renversée, en 510, elle était devenue capable de jouer son rôle dans l'État. Au moment où Athènes se constituait en démocratie, elle trouva donc réunies des conditions particulièrement favorables à un régime qui, plus que tout autre, a besoin d'opposer une certaine force de résistance aux excès de la liberté. Elle était alors le seul État en Grèce qui pût en faire l'expérience avec autant de chances de succès.

Comme puissance, Athènes, en 510, n'était pas encore la rivale de Sparte. Celle-ci, par sa force militaire, tenait le premier rang entre les États grecs. Son influence prédominait sur tout le Péloponnèse, son prestige rayonnait même au-delà. Mais son ambition s'imposait à elle-même des limites. Elle était entourée de trop de dangers pour songer dès lors à assujettir la Grèce centrale. Toutefois, il était manifeste qu'elle n'y verrait pas grandir sans inquiétude une puissance qui menacerait de s'égaler à la sienne et qui pourrait un jour s'ingérer dans ses affaires. Or, déjà la prospérité d'Athènes, ses ressources, son unité politique, l'activité de ses citoyens, pouvaient faire pressentir qu'elle deviendrait cette puissance. Il ne fallait qu'une occasion pour l'amener à prétendre, elle aussi, à la primauté. Les circonstances la lui fournirent au début du Ve siècle.

Mais avant d'aborder l'époque où la civilisation grecque allait atteindre son apogée, il est nécessaire de compléter l'aperçu qui vient d'être donné et dans lequel bien des progrès de la civilisation n'ont pu être qu'effleurés en passant. Nous avons à exposer sommairement ce que le génie grec avait réalisé, au milieu de ces révolutions politiques, en matière de science et de religion et dans le domaine de l'art, où il devait bientôt produire tant de chefs-d'œuvre.

VII. — Progrès général de la pensée

Enrichie de connaissances qui se multipliaient rapidement, la pensée s'était faite de jour en jour plus réfléchie. Le développement de la vie urbaine, dont on a signalé plus haut les conséquences politiques, eut aussi pour effet de rendre plus fréquentes les relations de société, de rapprocher des individus différents par le caractère, par les occupations et les professions, par l'expérience acquise; de là des échanges d'idées, des comparaisons instructives, propres à aiguiser les esprits. L'industrie d'ailleurs, par son essor rapide, apportait à cette activité nouvelle un stimulant efficace. Toute technique, en effet, en sollicitant l'invention, ouvre des vues nouvelles, et, parce qu'elle travaille la matière pour l'approprier aux besoins de l'homme, elle en fait observer et découvrir les propriétés. Ses créations, son outillage, ses pratiques introduisent dans le langage des mots nouveaux, évocateurs d'idées. Et, lorsque l'art s'ajoute à l'industrie, cette suggestion mentale devient singulièrement féconde. Sans cesse se multiplient alors les jugements, les opinions se confrontent, les points de vue se diversifient, les façons diverses de sentir cherchent à se définir, les moyens de s'exprimer s'assouplissent, s'affinent et font naître de nouvelles ressources de pensée. Plus importants encore furent les effets des entreprises commerciales. On a vu quel avait été depuis le VIIIe siècle le mouvement colonisateur. Un puissant développement du commerce en fut la suite naturelle. De l'Asie à la Grèce d'Europe, de celle-ci à l'Italie, à la Sicile, à l'Égypte, à la Libye, à la Phénicie, les échanges devinrent de plus en plus fréquents. Des contacts directs ou indirects s'établirent avec des pays qu'on appelait barbares, mais en fait avec des civilisations antiques et riches d'exemples, avec celles de l'Égypte, de l'Assyrie, de la Chaldée, avec celle même de l'Étrurie. Le navigateur grec fit comme Ulysse : « il visita beaucoup d'hommes et de cités et il apprit à les connaître. » Connaissance très profitable. Non seulement bien des terres émergèrent, pour ainsi dire, de l'ombre et se dégagèrent des récits fabuleux, mais elles révélèrent leurs productions, leurs climats, de nouveaux modes de vie, de nouveaux aspects de la nature, et elles firent voir en quoi l'homme en tout lieu ressemble à l'homme, malgré les différences souvent suggestives des croyances, des institutions et des mœurs. Certes, il fallut du temps pour assimiler tant de choses nouvelles, pour mettre de l'ordre dans cette masse d'acquisitions; mais quel élargissement de l'intelligence et quelle excitation pour la pensée !

Les sept sages. Poésie gnomique. — Ce progrès intellectuel, nous l'avons senti dans toutes les créations de la poésie dont il a été parlé précédemment, chez les lyriques lesbiens, chez Hésiode, chez Stésichore, chez Tyrtée, chez Théognis, chez Solon. L'iambe, l'élégie, la poésie personnelle et la poésie chorale manifestent également ce goût de la réflexion, cette habitude de juger, cette propension aux idées générales qui sont la marque indubitable d'un mouvement des esprits tendant à s'affranchir de la tradition pure. Rien d'ailleurs ne fait mieux saisir sur le vif cette disposition nouvelle que la faveur qui s'attacha en ce temps aux sentences et aux préceptes de conduite. Il semble que les plus avisés se faisaient un honneur de formuler leurs jugements et de leur donner un tour propre à les fixer dans la mémoire des hommes. La légende des sept sages en est le témoignage. En réalité, il n'y eut jamais en Grèce sept hommes investis par l'opinion publique d'une sorte de fonction, qui aurait fait d'eux comme les distributeurs patentés de la sagesse. Tous ceux qui ont voulu les compter en les nommant se sont embrouillés et contredits dans leurs comptes. Mais il est vrai qu'au VIIe et au VIe siècle, il y eut beaucoup de sages recommandations répandues et accueillies partout, quels qu'en aient été les auteurs. C'étaient en général des préceptes de modération, de prudence religieuse, énoncés en termes d'oracles, quelquefois sous une forme plus ou moins énigmatique. Le dieu même de Delphes s'en laissait attribuer quelques-uns : « Rien de trop », disait-il; ou encore : « Mortel, pense en mortel. » La poésie s'accommoda fort bien de cette forme de philosophie pratique. Une partie au moins des *Travaux et Jours* d'Hésiode appartient au genre gnomique ; il en est de même des *Élégies* de Théognis. Quelques-uns s'en firent une spécialité; tel l'auteur des *Leçons de Chiron* attribuées parfois à Hésiode, tel encore le poète Phocylide de Milet, qui, vers le milieu du VIe siècle, se rendit célèbre par ses courtes sentences versifiées, dont quelques-unes seulement nous ont été conservées. Toujours piquantes par leur élégante concision, quelquefois satiriques, elles condensaient en formules faciles à retenir les remarques d'un esprit avisé. Elles touchaient ordinairement à la vie privée, occasionnellement aussi à la vie publique, comme ce judicieux distique :

Ceci encore est de Phocylide : une petite cité sur un écueil, si elle se gouverne bien, est plus puissante que Ninive en folie.

L'apologue. — De ces enseignements pratiques, on peut rapprocher les Apologues dits Ésopiques du nom d'un prétendu esclave phrygien nommé Ésope; récits allégoriques où, sous la figure des animaux qu'on faisait agir et parler, on visait à instruire les hommes. Comme ces apologues se prêtaient à tout, ils circulaient partout. C'était l'assaisonnement des entretiens et l'une des ressources de la poésie. Nous en trouvons de tels chez Archiloque, chez Hésiode, chez Théognis. Disséminés alors, ils ne furent rassemblés que beaucoup plus tard. Mais cette dispersion même en atteste la popularité. Il est intéressant de remarquer que la leçon morale qui se dégageait principalement de ces multiples formes de recommandations était une leçon de modération. Déjà, par conséquent, le sens de la mesure apparaissait comme un des traits caractéristiques de l'esprit grec en réaction contre les passions et les excès. Nous le retrouverons dans tout le développement de la civilisation qu'il a produite.

Émigration de la philosophie ionienne. — D'autre part, la science qui avait fait ses débuts en Ionie, comme on l'a vu plus haut, ne s'y était pas confinée. Quelques-uns de ses représentants, quittant un pays que la domination des rois lydiens, puis celle des Perses avaient privé de son indépendance, ou simplement cédant à l'entraînement qui attirait nombre de Grecs vers la Sicile et l'Italie, l'y avaient transportée et acclimatée. Et voici que la pensée des philosophes ioniens se modifiait là profondément et produisait des doctrines toutes nouvelles.

Pythagore. — Il y a peu de noms plus célèbres que celui de Pythagore; et pourtant, il s'en faut de beaucoup que sa vie, sa personne et même ses idées nous soient complètement connues. On ne peut guère, d'après le peu qu'on en sait, en tracer autre chose qu'une simple esquisse. Originaire de l'île ionienne de Samos, il vint, vers 530, exilé volontaire de son pays, s'établir en Italie méridionale, dans la ville achéenne de Crotone; et là, il fonda un institut, où il attira d'assez nombreux disciples, admirateurs fervents de sa personne et de ses idées. Adoptant son régime de vie austère, soumis à une discipline de silence et d'étude, gagnés à son mysticisme en même temps qu'à sa doctrine, ils se constituèrent en une association fermée, d'un caractère à demi religieux. Sans se mêler directement aux affaires publiques, ils inquiétèrent bientôt une partie de leurs concitoyens par leur apparence de société secrète et par la tendance aristocratique qu'ils manifestaient ou qu'on leur imputait. Le peuple, excité par leurs ennemis, se souleva contre eux. Leur institut fut détruit; les uns périrent, d'autres se dispersèrent. Pythagore paraît s'être retiré avec quelques fidèles non loin de Crotone, à Métaponte, où l'on croit qu'il mourut. Bien qu'il n'eût rien écrit, sa doctrine survécut. Transmise, non sans s'altérer, à travers tout le siècle suivant, par les Pythagoriciens dispersés, elle se perpétua ainsi, surtout dans les villes doriennes et particulièrement à Tarente, et elle ne parut s'éteindre vers la fin du IVe siècle que pour renaître, trois siècles plus tard environ, sous la forme du néo-pythagorisme qui se confondit avec le néoplatonisme.

Doctrine pythagoricienne. — Par son caractère abstrait, la doctrine philosophique de Pythagore met vivement en lumière un des traits du génie grec. Géomètre et mathématicien, il eut en quelque sorte l'obsession de la ligne et du nombre. Frappé du fait que tout est mesurable et que les sons musicaux, en particulier, peuvent être notés par des chiffres correspondant aux diverses longueurs d'une corde vibrante, il en vint à penser que le nombre était l'essence même des choses; et spéculant sur les propriétés des nombres, pairs et impairs, rationnels et irrationnels, il imagina de représenter, par des combinaisons ingénieuses de points et de chiffres, jusqu'aux concepts de justice, de concorde et autres non moins abstraits. Si l'on ne peut refuser à ces spéculations le mérite d'avoir vivement attiré l'attention sur l'aspect quantitatif des choses, et par conséquent sur la valeur philosophique des mathématiques, elles avaient certainement le défaut de détourner l'esprit de l'observation directe de la nature, source essentielle des progrès de la connaissance. Elles firent toutefois mieux comprendre l'ordre de l'univers qui devint même pour les Pythagoriciens l'ordre par excellence (*cosmos*). Un autre élément tout différent de la philosophie pythagoricienne était la métempsycose ou croyance au passage successif des âmes à travers plusieurs vies corporelles. Par cette étrange théorie, d'origine incertaine, Pythagore donnait une forme plus précise à la conception populaire de la survivance de l'âme, demeurée jusque-là dans le vague. Elle doit être signalée ici comme une des manifestations du mysticisme religieux qui fermentait alors dans le monde grec et dont nous aurons à parler plus loin. Il est intéressant de noter l'influence qu'il exerçait jusque sur cette philosophie mathématique.

Xénophane de Colophon. — Bien différent de Pythagore est un autre Ionien, Xénophane de Colophon, son contemporain, mais qui eut le privilège d'atteindre à un âge exceptionnel. Quelques vers de lui attestent qu'il vécut au moins jusqu'à quatre-vingt-douze ans. D'après la tradition, il aurait fait de la colonie phocéenne d'Élée (ou Velia) en Italie, sa patrie d'adoption. En fait, il semble qu'il ait mené une vie passablement vagabonde. Les anciens l'ont considéré comme le fondateur de l'école philosophique dite Éléate. Eut-il réellement une doctrine à lui, nettement définie? On en doute aujourd'hui. Ce qui nous reste de lui, ce sont des fragments d'élégies à la mode ionienne, dans lesquels se manifeste un esprit singulièrement indépendant et hardi. Nous l'entendons tourner en dérision les mythes, reprocher vivement à Homère d'avoir fait des dieux à l'image des hommes, inférieurs même aux hommes par leur inconduite et leur déraison. Il n'hésite pas à dire que si les animaux pouvaient se faire des dieux, ils les imagineraient à leur ressemblance; mordante critique de l'anthropomorphisme. Les athlètes, tant admirés et prônés dans la Grèce d'alors, sont pour lui un objet de mépris. Une seule chose a une réelle valeur à ses yeux, la sagesse, dont il se dit un des adeptes. Cette critique audacieuse des croyances et des préjugés du temps est pour nous pleine d'intérêt. Elle jette une vive lumière sur un état d'esprit qui commençait à prendre force, dans certaines classes sociales au moins et sur certains points du monde grec. Mais quelle était au juste cette sagesse que le poète, dans son extrême vieillesse, déclarait avoir propagée de ville en ville, au hasard de ses voyages, depuis l'âge de vingt-cinq ans? Était-ce vraiment un ensemble d'idées arrêtées et coordonnées formant un système? Les fragments de son œuvre poétique ne permettent pas de l'affirmer. Tout ce qu'on en peut déduire, c'est l'affirmation d'un dieu unique, concentrant en lui-même toutes les puissances de l'être. Les témoignages anciens sont plus explicites, en tant qu'ils font de Xénophane le maître de Parménide. Ils donnent lieu de penser tout au moins qu'il avait prêté quelque attention aux problèmes philosophiques posés par les Ioniens et qu'il tendait à les résoudre plus ou moins explicitement dans le même esprit que Parménide.

Parménide d'Élée. — Celui-ci fut vraiment un chef d'école. C'est lui qui a illustré, dans l'histoire de la philosophie, le nom d'Élée, sa patrie. Sa doctrine paraît s'être formée comme une réaction de son esprit contre les idées des philosophes ioniens et en vue de réfuter leurs enseignements. Thalès, Anaximandre, Anaximène et après eux Héraclite, malgré leurs divergences, s'étaient accordés en somme à considérer le monde comme la résultante des transformations incessantes d'une matière unique soumise aux lois du mouvement; et le dernier d'entre eux, Héraclite, en était venu à proclamer que ce mouvement est la forme même de l'existence, en d'autres termes que tout s'écoule indéfiniment. A ces affirmations, Parménide opposa une contradiction radicale en niant la possibilité même du mouvement. Le mouvement, disait-il, n'est possible que s'il y a du vide où les choses puissent se mouvoir; car une particule quelconque, si petite qu'elle soit, ne peut se déplacer que si elle trouve un espace vide où se loger. Or, le vide étant par définition identique au néant n'est qu'un mot dénué de sens, qui ne correspond à aucune réalité. Dire qu'il existe, c'est dire que rien est quelque chose; le mouvement est donc impossible. Dès lors, il faut se représenter l'être comme immobile et infini, et admettre qu'il a toujours été ce qu'il est maintenant et qu'il le sera toujours. Le monde que nous croyons connaître, tout ce que nous croyons voir changer et se mouvoir autour de nous, n'est qu'illusion. Théorie que Parménide avait développée avec une sorte d'assurance hautaine et dédaigneuse dans un poème didactique, dont nous lisons encore quelques fragments.

Zénon et la dialectique. — Après lui, son disciple Zénon d'Élée s'attacha à la défendre envers et contre tous au moyen d'une dialectique subtile. Bien qu'il appartienne plutôt au siècle suivant, il dépend si étroitement de Parménide qu'il est impossible de les séparer. La doctrine de Zénon, c'est celle de son maître, transformée en une arme de combat et adaptée à la lutte entre dialecticiens. Pour en donner au moins une idée, rappelons seulement un des plus célèbres arguments contre la notion du mouvement. « Achille dispute à une tortue le prix de la course. Devancera-t-il la tortue, qui est censée partir la première? Non, car il doit d'abord atteindre le point où est celle-ci au moment où lui-même s'élance. Lorsqu'il y arrive, la tortue a déjà pris une certaine avance, si petite qu'elle soit. Il doit la regagner. La tortue profitera de ce temps pour avancer de nouveau; et il en sera toujours ainsi. Achille se rapprochera donc infiniment de la tortue, mais il ne l'atteindra jamais (1). » Zénon concluait de là que la notion du mouvement contient en elle-même une absurdité. Il n'est pas de notre sujet de discuter la valeur de ce raisonnement, non plus que celle de la doctrine de Parménide. Raisonnement et doctrine sont pour nous de simples documents qui font assez voir combien l'esprit grec avait progressé depuis le temps d'Homère en curiosité, en hardiesse et en subtilité.

Premier éveil de l'esprit historique. — Il semble aussi qu'il prenait un intérêt nouveau au passé. La poésie héroïque, qui

_____

(1) Traduction libre d'un passage de la *Physique* d'Aristote, d'après Burnet, l'*Aurore de la Philosophie grecque*, traduction Raymond, p. 385.

évoquait les vieilles légendes, les avait recueillies pour ses besoins, sans se préoccuper de les relier chronologiquement les unes aux autres, uniquement soucieuse d'en composer de beaux récits. Elle racontait des expéditions héroïques, des exploits guerriers. Elle ne songeait pas à conserver les annales de tel ou tel peuple, elle ne se proposait pas de faire l'histoire d'une cité. L'esprit nouveau se manifesta de deux manières : d'une part, en cherchant à coordonner des éléments traditionnels jusque-là dispersés; d'autre part, en rassemblant dans des exposés continus les événements relatifs à une même cité. Bien entendu, il ne pouvait être question encore d'un examen critique des témoignages. La notion d'une vérité historique à dégager de la légende était-elle même entrevue en ce temps? On en peut douter. Il n'en reste pas moins qu'il y avait dans cette double tendance un pressentiment de l'histoire.

Poèmes pseudo-historiques. — C'est vers le milieu ou la fin du VIIIe siècle qu'on en peut noter les premiers effets. Un certain Eumélos, membre de la famille des Bacchiades qui régnait alors à Corinthe, comme on l'a vu plus haut, composa, sous le titre de *Corinthiaques*, un poème de forme épique, qui exposait l'histoire légendaire de sa ville, l'ancienne Éphyre. Ce nom, d'après lui, n'était autre que celui de la nymphe Éphyra, fille d'Okéanos et de Téthys, dont il faisait la fondatrice de la cité. Une telle histoire était donc en grande partie composée d'éléments fabuleux. Elle attestait du moins la curiosité des origines, la volonté de relier le présent au passé. Au même genre se rattachaient probablement les *Chants de Naupacte*, poème locrien, dont nous ne connaissons que le titre.

Les Catalogues hésiodiques. — Beaucoup plus importante est l'œuvre intitulée *Catalogue des femmes*, attribuée à Hésiode, et qu'on peut dater approximativement du même temps. Les fragments nombreux qu'on en a recueillis chez les écrivains qui l'ont citée permettent de se faire une idée assez nette du dessein et du plan de l'auteur. Ce qu'il paraît s'être proposé, ce fut de mettre un certain ordre dans la masse des traditions légendaires qui s'étaient peu à peu accumulées et d'en débrouiller l'écheveau terriblement emmêlé. Toute l'histoire du passé se présentait à son esprit comme un ensemble de généalogies, reliées ensemble par un petit nombre de paternités divines originelles. Admettant en principe que les héros étaient issus des dieux, il avait à retrouver dans les vieux récits légendaires ou mythiques les unions de dieux et de mortelles d'où était issue chacune des grandes lignées humaines. Aux héros célébrés par l'épopée devaient se joindre, dans cette évocation des origines, les éponymes, représentants des tribus ou des peuples qui étaient censés avoir reçu d'eux leurs noms. Et si ces éponymes n'existaient pas encore dans la tradition antérieure, il était nécessaire et légitime de les y introduire; ils avaient à remplir un office indispensable. L'art du poète était de les mettre à la place qui leur était assignée dans le tableau d'ensemble des générations, par la vraisemblance et par des rapports plus ou moins historiques. C'est ce travail d'ingénieuse et satisfaisante combinaison qui dut faire le premier mérite des Catalogues hésiodiques. Il s'y ajouta celui d'avoir su insérer dans ces longues énumérations de noms le rappel sommaire de quelques belles aventures ou de pathétiques destinées. Ainsi composé, le poème dut être accueilli par toutes les races royales de la Grèce comme leur livre d'or; c'était, en effet, une sorte de mémorial nobiliaire, où elles figuraient unies à leurs peuples, avec les grands souvenirs qui leur étaient communs.

Généalogies en prose. — Pour passer de ces poèmes pseudo-historiques à l'histoire proprement dite, il y avait évidemment beaucoup à faire. Le progrès décisif ne devait être réalisé qu'à partir du milieu du Ve siècle par Hérodote et Thucydide, comme nous le verrons plus loin. Les prosateurs du VIe siècle qui continuèrent l'œuvre des poètes généalogistes, comme Hécatée de Milet, dont nous avons déjà parlé précédemment, ne firent guère que reproduire les mêmes traditions et les mêmes méthodes, alors même qu'ils affectaient de les critiquer. C'est le cas d'Hécatée, c'est aussi celui d'Acusilaos d'Argos, qui, d'ailleurs, appartient plus au Ve siècle qu'au VIe. A la fin de la période que nous considérons, rien de vraiment original en ce genre n'avait encore paru. Est-ce à dire que les poèmes dont il vient d'être question n'aient exercé aucune influence? On le croirait difficilement en ce qui concerne des œuvres telles que les Catalogues hésiodiques dont le succès fut certainement assez grand. En accréditant l'idée que toutes les lignées princières, tous les éponymes des grandes tribus helléniques descendaient d'Hellen, fils de Deucalion, elles favorisaient incontestablement la tendance vers l'unité nationale. Mais, d'autre part, en commémorant d'anciens partages, en rappelant des rivalités sanglantes, elles pouvaient autoriser d'âpres revendications et servir de prétextes à de nouvelles compétitions. De ces deux tendances, quelle était celle qui devait prévaloir? La première avait évidemment pour elle la raison, l'intérêt commun bien compris; elle avait contre elle les passions, le particularisme des cités, le conflit des intérêts en lutte, qui prêtaient à la seconde une force redoutable. Ce fut celle-ci qui l'emporta.

IX. — LA PENSÉE RELIGIEUSE

Résistance du polythéisme à la philosophie. — L'œuvre des philosophes, comme on vient de le voir, tendait à ruiner les fondements mêmes du polythéisme. Mais elle ne s'adressait qu'à un petit nombre d'adeptes, seuls capables de s'intéresser à ses spéculations et de les comprendre. La religion de l'immense majorité n'était ni ébranlée par elles, ni même atteinte; elle se développait dans son milieu naturel, tout à fait indépendant de la philosophie.

Variété des croyances et des cultes. — N'ayant jamais été fixée par aucune autorité, elle était nécessairement sujette, plus qu'aucune autre, à de grandes variations. D'autant plus que la notion même de la divinité, fondement de toute croyance religieuse, y demeurait mal définie. Appliquée originairement à des phénomènes naturels, elle s'était faite de plus en plus anthropomorphique d'une part, tandis que, de l'autre, elle s'étendait à des conceptions sans substance et sans forme ou même purement abstraites. A côté de dieux qu'on se représentait comme plus ou moins analogues à l'homme par la figure, par la pensée et par les passions, bien que très supérieurs à lui en puissance et doués d'immortalité, on divinisait également l'Érèbe, la Nuit, le Jour, auxquels il était impossible de prêter un corps, et la Dispute, le Serment, la Tromperie, le Meurtre, simples conceptions de l'esprit. Ajoutons qu'un nombre presque infini de divinités restaient à l'état de foule ou tout au moins d'immenses familles, dont les membres, tous semblables entre eux, ne possédaient point d'individualité réelle, n'ayant point de noms particuliers; tels les Satyres, les Silènes, les Océanides, les Oréades, les Nymphes. Et ce n'était pas tout. Les grands dieux eux-mêmes, ceux qui avaient une personnalité reconnue, n'étaient pas pour cela figés dans une forme immuable ni dans une légende invariable. Issus presque tous de cultes originairement différents, qui, par l'effet des circonstances, s'étaient rapprochés et confondus, ils gardaient de cette diversité première une certaine difficulté à se définir nettement. Leurs attributs prêtaient à discussion, leurs relations également. Leurs légendes grossissaient au gré des poètes. Quant aux cultes, presque tous revêtaient un caractère local, qui souvent aboutissait à créer d'importantes divergences. Il en résultait une sorte de confusion que l'esprit grec, naturellement ami de l'ordre et de la clarté, devait, un jour ou l'autre, essayer de dissiper.

La Théogonie hésiodique. — Ainsi s'explique la naissance au VIIIe ou au VIIe siècle des théogonies poétiques, composées précisément pour coordonner et concilier autant que possible ces éléments de croyance discordants. La plus achevée fut celle qui est attribuée à Hésiode, l'auteur du poème des *Travaux*; le texte nous en est parvenu, non sans quelques remaniements probables, dus à l'autorité même que lui valut son succès. Cosmogonie et théogonie à la fois; car l'une était inséparable de l'autre, les dieux et leur histoire étant liés intimement aux conceptions relatives à l'origine de l'univers. Pour composer une telle œuvre, la première tâche du poète dut être de recueillir les traditions; mais la plus difficile était de choisir entre elles; et cela exigeait à la fois une vue systématique de l'ensemble et une certaine liberté d'invention nécessaire pour combler les vides et lier entre eux les matériaux.

L'idée générale du poème, c'est que le monde divin s'est constitué par une longue série de générations, à travers plusieurs révolutions et des luttes répétées, pour se stabiliser enfin sous la domination suprême et désormais incontestée de Zeus. A l'origine des choses, émergent du chaos, conçu comme une sorte d'abîme ténébreux, trois êtres primordiaux : Gaïa (la Terre), Érébos et Nuit. De Gaïa naît Ouranos (le Ciel), premier couple générateur, qui donne naissance aux six Titans et à leurs sœurs en nombre égal. C'est d'eux et d'elles que procède la première série de généalogies, à ne considérer du moins que les plus importantes, qui représentent un premier âge du monde. Puis, l'un des Titans, Cronos, se révolte contre son père, Ouranos. Un second règne divin succède ainsi au premier. C'est à ce point de son récit que le poète insère épisodiquement le plus grand nombre des lignées divines qui ont formé ce qu'on pourrait appeler le peuple des dieux, par opposition aux plus grands, constituant ensemble une sorte d'aristocratie. Là se groupent les collectivités plus ou moins anonymes et aussi les abstractions personnifiées. Les unes et les autres entrent ainsi, par la volonté de l'auteur, dans un cadre généalogique qui leur assure, pour ainsi dire, un état civil. Ce sont pour la plupart des êtres sans légende, sans figure nettement concevable; il convenait qu'ils fussent nés en un temps où le monde n'avait pas encore reçu sa constitution définitive. Survient alors la seconde révolution divine : Cronos est détrôné par son fils, Zeus, comme Ouranos, son père, l'avait été par lui-même. C'est le moment où s'achève l'organisation du monde. Vainqueur des Titans conjurés contre lui, vainqueur aussi du monstre Typhoeus, Zeus n'a plus d'ennemis ni de rivaux. De ses unions successives naissent de nouveaux dieux, ses enfants : il devient vraiment le père des dieux. Un partage à l'amiable a lieu entre lui et ses deux frères, Poséidon et Hadès; mais il reste le maître suprême et siège en souverain dans l'Olympe au milieu des siens. Tel est en gros le plan du poème, et, sans parler de la beauté de quelques épisodes, on a lieu d'admirer l'art ingénieux d'une composition qui a su coordonner ainsi, dans un cadre large et simple, tant d'éléments divers. On ne peut méconnaître d'ailleurs que cet art s'inspire d'une certaine réflexion philosophique et d'une conception latente du progrès; car on doit remarquer qu'il s'attache à rejeter dans le passé les formes monstrueuses et les violences, pour y substituer un ordre de choses nouveau où prévalent la paix, la douceur et la beauté.

Influence restreinte de la Théogonie. — Quant à déterminer quelle fut son influence sur la croyance générale, c'est une tout autre question. Personne, assurément, ne voudrait aujourd'hui, prendre à la lettre l'affirmation d'Hérodote déclarant qu'à Hésiode et à Homère appartient le mérite d'avoir, les premiers, donné aux dieux de la Grèce leurs noms, distingué leurs attributs et défini leurs formes (1). Homère n'a fait que mettre en action dans d'admirables récits les personnages divins que la poésie épique avait depuis longtemps popularisés. Hésiode, lui, les a groupés dans un tableau d'ensemble, qui permettait

(1) Hérodote, II, 53.

d'embrasser tout le monde divin d'un seul coup d'œil et lui prêtait une apparence d'unité plutôt illusoire, mais propre à satisfaire des esprits auxquels manquait encore tout sens critique. Au reste, il ne faut voir dans la Théogonie hésiodique ni l'image exacte de la religion qui régnait sur la vie privée ou même publique des cités grecques, ni une sorte de Bible, qui aurait imposé désormais à tous l'autorité de ses témoignages. Après comme avant, les généalogies divines, surtout celles des dieux secondaires, sont toujours demeurées matière à libres conjectures et à combinaisons personnelles. Et nous voyons que les poètes dramatiques du Ve siècle eux-mêmes, dans des œuvres qui s'adressaient pourtant au grand public, ne se sont jamais fait scrupule d'en imaginer de nouvelles, lorsqu'ils y ont trouvé quelque avantage. N'oublions pas, d'ailleurs, que la religion grecque consistait essentiellement dans le culte, sur lequel les allégations des poètes ne pouvaient avoir aucune action; car il ne relevait que des traditions locales ou des décrets de l'autorité publique. Par suite, le particularisme des cités s'y faisait sentir avec une force qu'un poème tel que la Théogonie ne laisse pas même soupçonner. Sans doute, des dieux tels que Zeus, Athéna, Héra, Apollon et Artémis, Poséidon et Hadès, Héphaïstos et Hermès étaient partout reconnus comme des Immortels et partout invoqués en certaines circonstances. Mais ils l'étaient avec des épithètes différentes et avec des rites qui les localisaient en quelque sorte. Presque tous avaient gardé de l'ancien temps certains patronages privilégiés, qui les attachaient de préférence à telle ou telle cité. Athéna, par exemple, bien qu'elle eût des autels dans toute la Grèce, n'en était pas moins, à un titre particulier, la patronne d'Athènes. Héra demeurait celle d'Argos et de Samos. Apollon, l'un des dieux dont le culte, commun à tous les Grecs, trouvait même crédit chez les barbares, avait cependant ses sanctuaires privilégiés à Delphes et à Délos. Déméter, qui, par ses bienfaits, avait droit, plus que toute autre divinité, à la reconnaissance universelle, restait attachée plus étroitement par sa légende et par son culte à Éleusis et à la Sicile. A plus forte raison en était-il ainsi des dieux inférieurs qui n'avaient pas les mêmes titres à être adorés partout. Némésis par exemple n'était vraiment chez elle qu'à Rhamnonte, les Charites qu'à Orchomène. D'ailleurs, ne craignons pas de le répéter, de ce qu'un même dieu était adoré en beaucoup de lieux, on ne peut pas conclure qu'il fut exactement le même pour tous ses adorateurs. Car à son nom s'associait presque toujours une épithète rituelle qui distinguait un de ses attributs, et cet attribut lui conférait une personnalité propre qui lui valait une classe spéciale de fidèles. Héra, invoquée comme protectrice du mariage, est vraiment une autre figure divine que la jalouse protectrice d'Argos, mise en scène par l'*Iliade*. C'était un des caractères propres de la religion grecque que cette sorte de décomposition intérieure des personnes divines par une pensée habile aux distinctions et toujours disposée à prêter vie aux abstractions.

Progrès de la morale religieuse. — Mais, sous ces diversités, se manifeste un progrès de la morale religieuse, qui correspond à celui de la pensée en général, signalé précédemment. Nous en trouvons une preuve bien sensible dans l'autre poème hésiodique, dont il a été question plus haut, les *Travaux et les Jours*. Certes, dans les poèmes homériques déjà, les dieux sont considérés par les hommes comme des protecteurs. Protecteurs singulièrement capricieux toutefois, chez qui les passions ont bien plus de force que le sentiment de la justice. Zeus lui-même, le moins engagé dans les intérêts des partis en lutte, fait pauvre figure à cet égard, tantôt cédant à des prières qu'il n'ose repousser, tantôt s'en remettant au destin et consultant ses balances pour se faire une décision. Au contraire, dans le poème hésiodique, quelle confiance dans ce maître souverain! C'est sa volonté seule qui envoie aux hommes la prospérité ou le malheur, et le poète ne doute pas que la prospérité ne soit la récompense de la justice, comme le malheur, à ses yeux, est le châtiment de l'injustice. Seulement, ce ne sont pas les individus perdus dans la foule qu'il considère, ce sont les collectivités représentées par leurs chefs; car la justice est entre leurs mains, ils en sont seuls les dispensateurs : s'ils sont attentifs à l'observer dans leurs arrêts, s'ils la font régner autour d'eux, la cité est bénie des dieux et le tableau du bonheur commun qui s'ensuit nous est décrit dans des vers pleins de grâce et de fraîcheur. Si, au contraire, ils violent la justice, alors la colère de Zeus se fait sentir terriblement (1).

Mais à ceux qui s'adonnent aux excès de la violence et font œuvre d'injustice, Zeus, le fils de Cronos, le dieu qui voit au loin, réserve

(1) Hésiode, *Travaux*, 225 et suivants.

le châtiment. Souvent même, une ville entière expie la faute d'un seul homme de violence, qui pratique le mal et trame de méchants desseins. Sur eux, du haut du ciel, Zeus fait descendre une grande souffrance, la disette et la peste tout à la fois. Alors les hommes meurent en foule, les femmes cessent d'enfanter, les maisons se vident; car telle est la volonté de Zeus l'Olympien. D'autres fois, il extermine leur armée nombreuse, ou il abat leurs remparts ou encore sur mer il détruit leurs vaisseaux.

De plus, le poète nous apprend que, pour surveiller les actions des hommes, ce dieu dispose de trente mille gardiens immortels et invisibles, qui, sans cesse, vont à travers toute la terre, observant ce qui se fait de bien ou de mal (1). Pour lui, la Justice (Diké) est la fille même de Zeus; vierge délicate qui, facilement offensée, va porter plainte à son père et obtient de lui qu'il punisse les coupables (2). De telles paroles, jetées dans le monde par cette voix éloquente, ne pouvaient être perdues. C'était une bonne semence, destinée à germer et à fructifier.

Religions nouvelles. — Comment, toutefois, cette conception d'une justice collective, d'après laquelle le bonheur des individus dépendait en fin de compte de la conduite de leurs chefs, aurait-elle satisfait aux exigences de la conscience populaire? Tout homme ne se considère-t-il pas comme ayant droit au bonheur? Comment répondre à cette aspiration universelle? Deux doctrines, en tout temps, ont essayé de le faire : d'une part, celle qui enseigne que la vertu trouve en elle-même sa récompense et que le bonheur de chacun, par conséquent, ne dépend que de lui-même; d'autre part, celle qui promet une prolongation de la vie au-delà de son terme apparent et qui fait espérer, dans cette seconde existence, une compensation aux injustices subies ici-bas. De ces deux doctrines, la première, fondée uniquement sur la raison, ne convenait évidemment qu'à une minorité; personne encore, en ce temps, n'en avait fait hautement profession; si elle avait des adeptes, ils étaient obscurs et peu nombreux, philosophes à leur manière, sans revendiquer ce titre. En tout cas, il fallait autre chose à la foule, autre chose à toutes les âmes inquiètes, qui alors, comme en tout temps, se résignaient mal à vivre dans l'ignorance de leur destinée. Ce qu'elles attendaient leur vint de croyances nouvelles, issues d'ailleurs de cultes anciens.

(1) Hésiode, *Travaux*, 256-260.
(2) Hésiode, *Travaux*, 252-255.

Éleusis et ses mystères. — L'un des plus importants fut celui de Déméter à Éleusis. Là, quelques familles célébraient très anciennement un culte agraire qui leur était propre. Il avait pour but de renouveler chaque année la fécondité du sol par des rites qui étaient censés agir sur les puissances mystérieuses de qui on pensait qu'elle dépend. De ces rites était né un mythe dont la poésie avait fait un drame (1). Elle avait raconté comment le dieu des enfers, Hadès, avait enlevé la jeune Coré ou Proserpine, fille de Déméter, à l'insu de sa mère, et comment celle-ci, éperdue, l'avait longtemps cherchée en vain. Informée du rapt, c'était à Éleusis, disait-on, qu'elle s'était arrêtée, décidée dans sa colère à rendre la terre désormais stérile; c'était là aussi qu'elle s'était laissé apaiser par Zeus, à la condition que sa fille lui serait rendue pendant les deux tiers de chaque année. Touchée de l'accueil qu'elle avait reçu de la famille royale du pays, elle lui avait enseigné, en la quittant, les mystères destinés à perpétuer ses bienfaits. Sous cette forme mystique, c'étaient en réalité les phénomènes de la végétation qui étaient rappelés et célébrés. Mais ces phénomènes se prêtaient à une interprétation symbolique. Ils représentaient une mort apparente, celle du grain enfoui dans le sol, et une résurrection assurée, celle du blé, source de vie. Ce fut cette interprétation qui devint la donnée essentielle des mystères. Religion privée à l'origine, ils s'ouvrirent à des initiés de plus en plus nombreux; et pour eux, sans doute, la révélation primitive s'enrichit peu à peu. Éleusis, il est vrai, ne donna jamais d'enseignement proprement dit. C'était uniquement par une sorte de spectacle commenté que l'hiérophante, assisté du dadouque et du héraut, instruisait les initiés, répartis en plusieurs classes. Ce qu'était au juste ce spectacle, nous l'ignorons. Tout ce que nous savons par de nombreux témoignages, c'est que les initiés, surtout ceux du degré supérieur, les époptes, rapportaient de là des espérances relatives à une vie future. Ils en avaient en quelque sorte la vision immédiate dans les scènes qui avaient passé sous leurs yeux. Le succès croissant de ces mystères prouve à quel point ils répondaient à un besoin profond et répandu. Éleusis, annexée par Athènes au VIIe siècle, devint un des sanctuaires reconnus par l'État athénien, le but

(1) Ce drame est raconté tout au long de l'Hymne homérique à Déméter.

d'une procession annuelle qui comptait parmi les plus grandes solennités publiques. Les Pisistratides, au VIᵉ siècle, favorisèrent particulièrement ce culte et en accrurent l'éclat. Mais ce fut toujours par le rite de l'initiation que s'exerça son influence. Par là seulement, l'espérance d'un bonheur ultra-terrestre trouvait à s'appuyer sur des révélations qui lui prêtaient quelque précision et en faisaient une certitude pour les croyants.

Culte de Dionysos. — Un autre culte eut plus d'importance encore dans le mouvement religieux de ce temps; ce fut celui de Dionysos. Pour Homère, Dionysos, nommé incidemment dans deux passages, n'est encore qu'un génie secondaire, qui n'a pas de place dans l'Olympe. Hésiode, dans sa *Théogonie*, le mentionne simplement comme l'amant d'Ariane, fille de Minos. Mais, d'une part, il apparaît dans les plus anciennes légendes thébaines comme le fils de Zeus et de Sémélé, le petit-fils de Cadmos, fondateur de la cité; d'autre part, en qualité de dieu du vin, il était célébré, en plusieurs endroits, dès le VIIIᵉ siècle au moins, dans les chants appelés dithyrambes. En fait, son culte trahit deux origines distinctes, l'une barbare, l'autre proprement hellénique, d'où sont issus deux courants, qui d'ailleurs ne tardèrent pas à se pénétrer mutuellement. De la Thrace, où Dionysos était un dieu de la végétation, il arriva en Grèce, apportant avec lui des rites violents et même sanguinaires. Sous son influence, une partie de la Grèce se fit barbare par imitation. Parmi ses fidèles se déchaîne une sorte de frénésie. Des bandes de femmes, sous le nom de Thyades ou de Ménades, s'élancent, pour l'honorer, dans les forêts et dans les montagnes. Là, vêtues de peaux de bêtes, armées de thyrses qu'elles agitent, elles s'exaltent au bruit des tambourins par des courses et des danses effrénées. Hors d'elles-mêmes, elles saisissent les animaux domestiques ou sauvages qu'elles rencontrent, elles les égorgent, elles se nourrissent de leurs chairs crues. Le but de cette sorte d'ivresse orgiastique, c'est le transport extatique qui procure à l'être humain l'oubli de lui-même, et l'amène à s'identifier en imagination avec son dieu; c'est en somme une participation mystique à la divinité. Si étrange que nous paraisse ce culte, nous voyons, par d'incontestables témoignages, qu'il fut pratiqué en plusieurs cantons de la Grèce, particulièrement en Phocide sur le Parnasse et en Attique même. Preuve saisissante de l'espèce de fermentation religieuse qui se développait alors dans les âmes.

L'autre origine de la même religion dionysiaque fut la culture de la vigne avec les fêtes rustiques qui l'accompagnaient, vives réjouissances des vignerons, soit dans la saison des vendanges, soit à l'occasion de la fabrication du vin. Dans cette forme du culte de Dionysos, c'est la gaieté qui domine. Mais, comme ces fêtes donnent aussi occasion de rappeler les mythes relatifs au dieu qu'on célèbre, un élément de tristesse s'y mêle. Car ces mythes, en partie allégoriques, racontent ses souffrances, soit qu'ils fassent allusion par là aux phases de la végétation et au raisin foulé dans le pressoir, soit qu'ils commémorent l'histoire légendaire des violences causées par l'abus du vin, à mesure que l'usage s'en répandait, ou encore celle des résistances qu'il avait suscitées. Quelle qu'en fût l'origine, ils étaient la matière des dithyrambes dont il vient d'être question. Ces dithyrambes étaient chantés, en certains lieux, à Sicyone par exemple au vII⁰ siècle, par des danseurs déguisés en satyres. Le poète lesbien, Arion, en leur imposant une forme plus réglée, constitua à Corinthe, vers le début du vI⁰ siècle, les chœurs cycliques. C'est de ces chœurs et des chants dithyrambiques que naquirent au vI⁰ siècle la tragédie athénienne inaugurée par Thespis et le drame satyrique où s'illustra Pratinas.

L'Orphisme. — Éminemment favorable à la poésie qu'il enrichissait ainsi d'émotions et de formes nouvelles, le culte de Dionysos ne le fut pas moins au mysticisme réfléchi, qui en tira des croyances et des pratiques appropriées à l'esprit du temps. De cette tendance procède l'Orphisme, qui prit corps à Athènes dans le cours du vI⁰ siècle. C'était à la fois une doctrine et une règle de vie. La doctrine consistait en une cosmogonie et une théogonie, où les souvenirs de l'œuvre hésiodique se mêlaient à de libres combinaisons mythiques. Dionysos y jouait, sous le nom de Zagreus, le rôle principal. L'essentiel était l'histoire de sa passion. Fils de Zeus et de Perséphone, destiné par son père à hériter de sa puissance, il avait été, disait-on, ravi par les Titans, mis à mort et déchiré par eux; mais Zeus avait sauvé son cœur et l'avait incarné dans un nouveau Dionysos, né de lui et de Sémélé; celui-ci était devenu le maître d'un monde également nouveau, dans lequel les Titans, bien que foudroyés et réduits en cendre, avaient mêlé un élément mauvais; d'où une sorte de tare originelle, attachée à la race humaine, fille de ce monde ainsi contaminé. La vie, dans cette conception, était considérée comme une épreuve que l'âme avait à subir, pour se dégager de l'impureté héréditaire. Enfermée dans la prison du corps, elle n'en était pas délivrée par la mort elle-même; car l'Orphisme, comme le Pythagorisme, faisait de la métempsycose un de ses articles de foi. Pour les Orphiques, l'âme, en quittant le corps, subissait une série de transformations, après lesquelles, si elle ne s'était pas purifiée, elle revenait à son état primitif. Cycle de peines, en somme, auquel toutefois il n'était pas impossible d'échapper. Le moyen d'obtenir cette délivrance consistait dans la pratique d'abstinences, qui avaient pour effet d'affranchir progressivement les âmes de la servitude corporelle. La métempsycose, ainsi modifiée, se changeait alors en une sorte d'ascension pouvant aboutir, par une série d'étapes, à la libération définitive et à l'union avec Dieu. Telle était en gros cette religion entée sur un mélange de mythes et de philosophie. Elle se donnait pour une révélation du poète légendaire Orphée et de son fils, Musée. En réalité, elle était l'œuvre de quelques hommes qui en avaient recueilli sans doute les premiers éléments parmi les Grecs d'Italie, mais qui l'achevèrent à Athènes dans la seconde moitié du VIᵉ siècle. Le plus célèbre d'entre eux fut Onomacrite, auquel on attribue les principaux écrits de la secte. Qu'une assez forte dose de charlatanisme se soit mêlée de bonne heure à ce mouvement religieux, il n'y a guère lieu d'en douter; mais son expansion et sa durée ne se comprendraient pas s'il n'eût donné satisfaction à des sentiments certainement sincères chez le grand nombre de ses adeptes. Et l'on ne peut nier d'ailleurs qu'il n'y eût une pensée philosophique dans cet effort pour expliquer l'origine du mal. Accueilli avec une faveur marquée par les Pisistratides, l'Orphisme devait se perpétuer de siècle en siècle; son influence peut encore être suivie à la trace dans toute l'histoire du paganisme, sans qu'il soit possible toutefois de la mesurer exactement.

X. — L'ART GREC AU VIᵉ SIÈCLE

Progrès des arts. — A cet aperçu sommaire de l'état de la civilisation grecque au VIᵉ siècle, il manquerait quelques traits essentiels, si nous ne disions rien de l'architecture, de la sculpture et de la peinture. C'est, en effet, l'époque où ces arts, si caractéristiques du génie grec, prennent un rapide développement et annoncent déjà l'admirable essor de la période suivante. Il importe d'en donner au moins une esquisse.

L'architecture. — L'architecture fut la première à se signaler par des œuvres vraiment belles. La raison en est sans doute qu'elle exige surtout un sentiment juste de l'effet des lignes et des masses ainsi que des proportions, sentiment inné pour ainsi dire au génie grec; d'ailleurs, elle héritait de connaissances techniques déjà anciennes. C'est presque uniquement par les ruines des temples construits à cette époque que nous pouvons en juger. L'âge achéen, grand constructeur de palais, de remparts et de tombeaux, comme on l'a vu plus haut, n'avait pas élevé de temples à ses dieux. Il les honorait par des sacrifices offerts en plein air, de préférence sur des lieux élevés. Le temple fut donc une nouveauté en Grèce, après la période des invasions. On le conçut à l'imitation du mégaron des palais royaux, c'est-à-dire de la grande salle où le roi recevait les hommages et les tributs de ses sujets. Ce fut sans doute l'effet de la croyance anthropomorphique qui s'imposait de plus en plus aux esprits. On voulut que le dieu, lui aussi, eût un domicile où ses adorateurs viendraient le prier. Ce n'était pas, toutefois, comme nos églises, un lieu de réunion. Les cérémonies étaient célébrées auprès du temple, dans l'enceinte sacrée dite *téménos*, souvent plantée d'arbustes, qui circonscrivait l'espace appartenant au dieu. L'autel même des sacrifices était extérieur. Cette destination détermina le plan du monument. Ce fut en général un édifice rectangulaire, élevé sur un soubassement. Il comprenait essentiellement une nef (*sécos*), précédée d'un vestibule entre deux antes. Mais ce plan par trop simple comportait d'heureux agrandissements. Quelquefois à la nef on ajouta, en arrière, une seconde salle fermée, dite *opisthodome* et destinée à servir de trésor. A l'extérieur, lorsque l'édifice était modeste, on dressa deux colonnes seulement entre les antes. Ceux qu'on voulut plus magnifiques furent dotés de colonnades sur les deux faces, antérieure et postérieure, ou même entourés entièrement de colonnes. La beauté du temple résultait d'abord de la simplicité harmonieuse de ses lignes, du ferme dessin de son contour, fait pour se détacher nettement sur l'azur du ciel. Le jeu des ombres et de la lumière entre les colonnes donnait à cette beauté quelque chose de mobile et de vivant. A cela s'ajoutait le charme d'une ornementation qui semblait dictée presque uniquement par les lois même de la construction. Elle eut pour éléments essentiels, en effet, les colonnes avec leurs entablements, appuis nécessaires de la toiture, et les frontons formés par les rampants de cette même toiture. C'est par le style des colonnes et des entablements que sont caractérisés les trois ordres dits dorique, ionique et corinthien. Nous n'avons à considérer pour le moment que l'ordre dorique, tant il est prédominant au temps dont nous parlons. La colonne dorique, un peu plus large à la base qu'au sommet, repose directement sur le soubassement de l'édifice sans l'intermédiaire d'une base; le fût en est creusé de cannelures peu profondes à arêtes vives; le chapiteau comporte une échine lisse, que trois listels séparent du fût, et un tailloir carré. C'est en somme un appui simple et robuste, qui satisfait surtout le regard par son galbe et la justesse de ses proportions. Sur cette colonne repose l'entablement, qui comprend : une architrave tout unie, une frise décorée de triglyphes rectangulaires entre lesquels se placent des dalles appelées métopes, généralement ornées de sculpture, et, comme troisième élément, une corniche faite d'un larmier saillant entre deux moulures. Aux deux façades du temple, l'entablement était surmonté de frontons triangulaires bordés d'une moulure qui prolongeait celle de la corniche. Chacun de ces frontons offrait un champ propre à recevoir des figures en haut relief. Un tel ensemble, où une certaine variété s'associait à l'unité la plus sensible, produisait naturellement une impression de force et de grandeur. Le progrès de l'art consista principalement à alléger des formes primitivement trop lourdes, à rendre l'édifice plus élégant sans qu'il cessât de paraître robuste et puissamment équilibré. Les débuts en sont représentés par les ruines du plus ancien temple de Corinthe. On peut en suivre le développement progressif dans les temples d'Italie et de Sicile jusqu'à celui de Paestum, qui date vraisemblablement de la fin du VIe siècle. Quant à l'appellation de dorique qui est propre à ce style, elle n'implique aucunement que cette architecture fût spécifiquement dorienne. Elle fut commune à toute la Grèce jusqu'au moment où se manifesta en Ionie, dans le cours du VIe siècle, un style nouveau, dont nous parlerons plus loin. C'est par opposition à ce style ionique que le style ancien fut qualifié de dorique.

Indépendamment de leur plan et de leurs éléments décoratifs, les temples témoignent, par l'appareil de la construction, d'une science de plus en plus sûre. Sans entrer à ce sujet dans des détails techniques qui ne seraient pas ici à leur place, on peut en donner une idée suffisante en peu de mots. « Les blocs de pierre, taillés avec soin, reçoivent désormais une forme quadrangulaire à arêtes vives, et les pierres d'une même assise, de hauteur égale, forment un joint continu horizontal. Les joints verticaux correspondent au milieu de l'assise du dessus et de l'assise du dessous avec la plus grande régularité. Les pierres, posées sans mortier, sont assemblées par des crampons de métal et, dans les constructions les plus soignées, les joints sont ajustés avec une telle exactitude qu'ils sont, aujourd'hui encore, à peine visibles (1) ». Lorsque la technique d'un art est arrivée à ce point de perfection, le génie est affranchi des servitudes de l'inexpérience et peut créer en toute liberté.

La statuaire. — La construction des temples devait avoir pour résultat de provoquer l'art de la sculpture. Il était naturel, lorsque l'on bâtissait les maisons des di ux, d'y introduire l'image de ceux qui devaient en être les habitants. Les deux idées répondaient à une même conception anthropomorphique. Seulement, ici, la pensée religieuse se heurtait à de plus graves difficultés. La reproduction de la forme vivante en pierre ou en métal exige une habileté professionnelle qui ne peut être acquise que par une longue pratique et un apprentissage persévérant. Or, à cet égard, tout était à créer. Après la disparition des ateliers minoens et mycéniens, qui, d'ailleurs, n'exécutaient guère que des statuettes, aucune tradition technique n'existait plus. Au reste, la piété des fidèles se contentait de peu. Les simulacres des divinités n'étaient que des symboles; on ne demandait pas davantage. Une pierre dressée, à peine dégrossie, un simple pilier, une pièce de bois équarrie pouvaient représenter un dieu ou une déesse. L'imagination et la foi suppléaient à l'absence d'une imitation sérieuse de la forme humaine. Les premiers qui s'essayèrent à faire mieux n'osèrent pas s'attaquer à la pierre; ils se contentèrent du bois, plus facile à tailler. Ces premières statues de bois appelées *xoana*, « raides et inertes, les yeux clos, les bras pendants et collés au corps (2) », furent

(1) Laloux, *L'architecture grecque*, Paris, Quantin, 1888.
(2) Diodore de Sicile, IV, 76.

d'abord admirées naïvement comme des chefs-d'œuvre, et, dans certains sanctuaires, elles restèrent longtemps un objet de vénération, après même que le progrès de l'art les eut reléguées au rang des antiquités. On les trouve souvent représentées sur les vases peints de l'époque postérieure.

Si l'on écarte les légendes relatives à Dédale pour s'attacher uniquement à la réalité historique, c'est à la Grèce ionienne, favorisée par ses relations avec l'Orient, que semble appartenir le mérite d'avoir vraiment inauguré la statuaire en bronze vers le milieu du VIIe siècle. Comme ces premiers bronziers ignoraient la fonte en forme, leurs statues étaient faites de pièces de métal rapportées, qu'ils ajustaient soigneusement. L'art de couler le bronze autour d'un noyau d'argile fut, dit-on, inventé par deux artistes de Samos, Rhœcos et Théodore, aux environs de l'an 620. Un homme de Chios, Glaucos, leur contemporain, passe pour avoir, le premier, pratiqué la soudure. Quoi qu'il en soit, c'est à partir de ce temps que la sculpture en bronze prend vraiment son essor. La statuaire en marbre, de son côté, avait déjà débuté, à Chios également, avec les œuvres d'Archermos, selon les témoignages de Pline (1). A partir de ces débuts, les progrès de l'art furent assez rapides. Dans le cours du VIe siècle, nous voyons des ateliers s'ouvrir dans la Grèce continentale, à Sicyone avec les maîtres crétois Dipoinos et Skyllis, à Sparte où travaille le magnésien Batyclès, enfin à Athènes sous les Pisistratides. Mais ces artistes ne nous sont plus connus en général que par des témoignages. Ce sont les monuments conservés, trop rares malheureusement et anonymes, qui, seuls, nous renseignent vraiment sur l'évolution de leur art.

Quelques-uns, comme l'Artémis trouvée à Délos, se rattachent encore au type des statues de bois, malgré l'emploi de la pierre. Seule, la matière est différente, le travail reste à peu de chose près le même. La figure semble encore enfermée dans une gaine qui l'empêcherait de se mouvoir. D'autres, comme les fameuses métopes de Sélinonte qu'on date de 580 environ, représentent en bas-relief, avec la même raideur, deux scènes de la mythologie. L'une d'elles, où l'on voit Persée tuant la Gorgone en présence d'Athéna, témoigne d'une intention dramatique, qu'un art très grossier s'est trouvé impuissant à tra-

_____

(1) Pline, *Hist. nat.*, XXXVI, 11.

duire. Les formes lourdes et massives sont franchement laides ; et la Gorgone, dont la sculpture a cru bien faire d'accuser la difformité, est un véritable monstre. Mais déjà certaines statues archaïques, qui représentent ou des Apollons ou de jeunes athlètes, ne sont pas sans quelque beauté, malgré leur imperfection. Rigides encore et dénuées d'expression, les bras toujours collés au corps, les jambes à peine écartées, elles révèlent cependant un sensible progrès dans l'imitation des formes et le désir de les idéaliser. Et si nous en venons à ces statues de jeunes femmes élégamment drapées, qu'on a trouvées sur l'Acropole d'Athènes et qui datent de la fin du VIᵉ siècle, cet art archaïque se montre capable déjà d'un charme propre, fait de finesse et de grâce. Ce qui lui manque encore, c'est surtout la liberté du mouvement. Rarement il ose s'affranchir de la coutume dite « loi de frontalité », d'après laquelle toute statue devait être symétrique par rapport à une ligne verticale abaissée du milieu du front et divisant le corps en deux parties égales.

La toreutique. — A la sculpture se rattache étroitement l'art du ciseleur ou toreutique. Presque tous les bronziers étaient en même temps des ciseleurs. Leurs œuvres sont mentionnées fréquemment avec éloge dans les textes anciens. On citait particulièrement avec admiration le coffre de Kypsélos consacré à Olympie vers 660 par le tyran corinthien de ce nom. « Construit en bois de cèdre, il était couvert de scènes figurées par des incrustations d'or et d'ivoire, qui devaient former avec le fond sombre de la boiserie le plus gracieux contraste (1). » En Laconie, le trône d'Apollon d'Amyclées, exécuté vers le milieu du VIᵉ siècle par Batyclès de Magnésie, n'était pas moins loué pour la délicatesse et la beauté du travail. Il est bien regrettable que ces chefs-d'œuvre ne nous soient plus connus que par les descriptions de Pausanias. C'est aussi sur de simples témoignages que nous devons juger des riches offrandes dont s'enrichissaient alors les grands sanctuaires de la Grèce, principalement celui de Delphes : beaux vases d'or, d'argent et de bronze, décorés de figures ciselées dans le métal ou rapportées. On ne saurait douter en tout cas que le travail du ciseleur n'eût atteint dès lors un haut degré de perfection.

Peinture et céramique. — Les œuvres de la peinture sont de

(1) Paul Girard, *La Peinture antique*, p. 123.

toutes les productions de l'art les plus fragiles. Il n'est pas surprenant que ses débuts en Grèce ne nous soient connus que par des légendes. Et si les vases peints ne nous fournissaient d'utiles indications sur ses premiers progrès, nous en serions réduits à reproduire des témoignages, d'ailleurs vagues et absolument insuffisants. Mais il ne faut pas oublier que ces vases sont en général de simples produits industriels, qui ne peuvent nous renseigner qu'imparfaitement et d'une manière indirecte sur la peinture proprement dite.

Dans la Grèce continentale, on peut dire que l'art du dessin, si remarquablement cultivé à l'époque mycénienne, avait été à peu près oublié. Lorsqu'on l'y voit renaître, il se montre empreint d'une ignorance et d'une gaucherie enfantines. Les grands vases funéraires du Dipylon, commandés par les riches Athéniens du IXe ou du VIIIe siècle pour leurs sépultures de famille, nous présentent des figures d'hommes et de femmes réduites à un tracé de lignes géométriques et alignées en files uniformes. « Dans ces peintures, la famille du mort et les assistants sont figurés avec une désespérante monotonie; des files entières de personnages font le même geste; les guerriers, montés sur des chars, ont tous le même air et le même maintien (1). » D'ailleurs, tous les corps sont dessinés sur le même modèle, nez et mentons pointus, torse formé d'un triangle renversé dont la base représente la ligne des épaules et dont la pointe figure la ceinture, cuisses énormes, jambes linéaires. Toutes ces silhouettes sont teintes en noir sur le fond rougeâtre de la terre cuite. Était-ce à cela vraiment que se réduisait alors l'art des peintres de profession? Nous avons peine à le croire. En tout cas, s'ils ont débuté ainsi, il semble qu'ils aient réalisé assez vite de sérieux progrès. Pline nous parle d'un peintre nommé Boularchos qui aurait représenté pour le roi de Lydie Candaule, donc vers la fin du VIIIe siècle, un épisode d'une de ses guerres (2). On a peine à croire qu'il n'ait pas réussi dans une certaine mesure à reproduire le tumulte d'un combat, les attitudes des guerriers, la variété des scènes. Du texte même il semble résulter qu'il usait de plusieurs couleurs. Et vraiment, lorsque l'on voit sur des cercueils de terre cuite, tels que ceux de Clazomène qui ne sont guère plus récents, des

(1) Paul Girard, *La Peinture antique*, p. 126.
(2) Pline, *Hist. nat.*, VII, 126.

106

courses de char, dans lesquelles les conducteurs et les chevaux sont dessinés avec un sens juste des formes et des mouvements, on est autorisé à penser que les traditions de l'art mycénien, oubliées et perdues sur le continent, s'étaient au contraire assez bien conservées en Asie. C'est de là qu'elles durent revenir dans la Grèce propre. Au VIᵉ siècle, en tout cas, le dessin et la peinture y étaient en rapide progrès. Le nom d'Eumarès, qui vécut à Athènes et fut le contemporain de Solon, celui de Cimon de Cléonée rappellent des inventions techniques remarquables, notamment celle du raccourci (1). Et, s'il faut citer un monument subsistant qui en témoigne, la stèle de Lyséas, trouvée à Velanidéza en Attique et datée, d'après les caractères de l'inscription, de 530 ou 520 environ, nous fait voir, dans une peinture sur marbre, des draperies imitées avec une certaine souplesse et surtout un cavalier au galop qui révèle la main d'un dessinateur habile.

Au reste, ce même progrès est manifeste dans la série des vases peints qui abondent dans nos musées. Au style géométrique du Dipylon, caractérisé plus haut, on voit succéder, au temps où Corinthe étend au loin son commerce, c'est-à-dire à partir du milieu du VIIIᵉ siècle, le style, si différent et tout empreint d'influences orientales, auquel cette riche cité a donné son nom. Elle exporte alors ses beaux vases, décorés de zones d'animaux et bientôt même de scènes empruntées à la mythologie ou à la légende héroïque. Citons en ce genre le départ d'Hector représenté sur une grande Kélébé du Musée du Louvre. Puis viennent, au début du VIᵉ siècle, les vases attiques à figures noires sur fond rouge, ceux du style d'Ergotimos et ceux du style de Nicosthénès. Parmi les premiers, figure au premier rang le célèbre *vase François* du musée de Florence, « magnifique amphore, décorée de trois zones de sujets sur la panse : deux autres ornent le col et le pied, et les anses elles-mêmes sont couvertes de peintures (2) ». On y voit notamment la course des chars décrite au XXIIIᵉ chant de l'*Iliade*. Les seconds, ceux du style de Nicosthène, reconnaissables aux palmettes élégantes qui en ornent le col, ne charment pas moins le regard par le bon goût de la coloration et l'élégance du dessin. Et déjà, dès la fin du VIᵉ siècle, commençait

(1) Pline, *Hist. nat.*, XXV, 56.
(2) Collignon, *Archéologie grecque*, p. 285.

à Athènes l'usage d'une technique nouvelle, celle des vases à figures rouges sur fond noir, qui allait se développer brillamment dans le siècle suivant.

En somme, à ce moment, l'art sous toutes ses formes était en pleine renaissance. Il avait reconquis définitivement tout ce qui avait été perdu depuis la période des invasions. Il s'était même ouvert de nouvelles voies, il avait inauguré de nouvelles techniques. Le temps était venu où les chefs-d'œuvre en tout genre pouvaient naître.

XI. — Variété des formes de civilisation en Grèce a la fin du VIe siècle

Certes, à quelque point de vue qu'on se place, les Grecs avaient fait beaucoup, dès lors, en matière de civilisation. Quelques-unes de leurs institutions politiques, leurs conceptions religieuses et philosophiques, leurs industries et leur commerce, leurs progrès techniques et intellectuels attestaient en eux des aptitudes aussi heureuses que variées et une activité capable de les mettre excellemment à profit. C'étaient là de précieux éléments qui faisaient bien augurer de l'avenir. Mais, pour qu'une civilisation vraiment nationale puisse se constituer dans un pays, il est nécessaire qu'il s'y forme quelque part un centre où les éléments épars viennent converger et se fondre en un tout. Or, à la fin du VIe siècle, un tel centre n'existait pas encore en Grèce; et même, il y avait en fait plusieurs points d'où rayonnaient des influences divergentes. Lacédémone, qui était alors le plus puissant des États grecs, avait inauguré une civilisation ascétique et militaire, propre assurément à produire de hautes vertus, mais que son étroite et dure formule empêchait absolument de se propager au-dehors, Corinthe et ses colonies, villes aristocratiques, adonnées à l'industrie et aux affaires, éprises de luxe et de plaisir, n'étaient qu'un groupe sans unité et sans vocation déterminée. La Béotie et en général les États du Centre et du Nord, attachés surtout à l'agriculture, à l'exploitation des richesses naturelles, vivaient sur leurs traditions locales, confinés dans leurs coutumes, souvent troublés par leurs querelles intérieures, trop peu ouverts aux influences extérieures, peu capables en somme de larges vues politiques. Aucun de ces pays évidemment ne pouvait attirer à lui les éléments de civilisation alors dispersés, aucun d'eux n'était propre à les concentrer. L'Ionie aurait eu plus de chance de jouer ce rôle si elle avait pu conserver son indépendance; mais elle l'avait perdue au cours du vi[e] siècle; et de plus elle était, par sa situation géographique, trop éloignée des principaux États grecs. On peut en dire autant des colonies d'Italie et de Sicile, où de grandes initiatives s'étaient manifestées, en philosophie notamment, mais qui, dénuées de cohésion, n'étaient d'ailleurs, elles aussi, que des prolongements plus ou moins lointains de la Grèce véritable. Un seul État, Athènes, réunissait dès lors des conditions d'avenir nettement favorables, bien qu'à demi latentes encore. A la fin du vi[e] siècle, toute l'Attique formait un État, dont l'unité ne pouvait plus être mise en péril et qui, par son agriculture, son industrie et son commerce, s'enrichissait rapidement. Ouverte, grâce à sa situation, aux influences de l'Orient, elle avait profité particulièrement de celles de l'Ionie, dont elle était l'héritière le plus autorisée, et déjà elle manifestait par elle-même un sens artistique fin et original. Il lui manquait encore une constitution stable et vraiment appropriée à son caractère, le sentiment de sa force et celui d'une vocation politique, l'idée même du rôle qu'elle était capable de jouer. Comment elle fut amenée par les événements à se connaître elle-même et à devenir le centre de civilisation dont la Grèce avait besoin, c'est ce que fera voir la suite de cet exposé.

DEUXIÈME PARTIE

L'APOGÉE
DE LA CIVILISATION GRECQUE

4   LA VIE POLITIQUE EN GRÈCE
AUX Ve ET IVe SIÈCLES

I. — Prédominance d'Athènes

Athènes, centre de la civilisation grecque. — Nous voici
arrivés au temps où la civilisation grecque a brillé du plus vif
éclat. Qu'Athènes ait eu, dans cette période, un rôle tout à
fait prédominant, c'est un fait dont l'évidence s'impose à
l'historien. Sans doute, d'autres cités produisirent alors des
hommes remarquables; mais aucune n'en réunit un aussi
grand nombre, aucune ne put se glorifier d'autant d'œuvres
admirables en tout genre. Athènes est vraiment alors la ville
privilégiée, où se détachent en pleine lumière les grands traits
de la civilisation grecque, ceux qui ont laissé leur empreinte sur
l'humanité. C'est donc sur elle tout particulièrement que doit
se porter maintenant notre attention. Comparée à son influence
historique, celle des autres cités helléniques est faible; il suffira
de la noter brièvement.

Coup d'œil sur les deux siècles de la grandeur d'Athènes. —
Mais cette grandeur d'Athènes n'a duré que deux siècles à
peine; et, dans cet espace de temps, elle est loin d'avoir été
toujours égale. Il importe, pour la clarté de l'exposé qui va
suivre, d'en marquer d'abord les phases principales et de les
relier à l'histoire générale de la Grèce. C'est l'expulsion des
Pisistratides, en 510 avant Jésus-Christ, qui marque le point
de départ de l'accroissement politique d'Athènes. De 510 à
490, elle s'organise, non sans luttes intérieures, en démocratie.
La part qu'elle prend aux guerres médiques, de 490 à 479,
décide de sa fortune. C'est elle, désormais, qui assume principalement la défense de l'indépendance nationale contre l'ambition de la Perse. Libératrice des villes grecques d'Asie,
appuyée sur une puissante confédération maritime, elle exerce

une sorte de souveraineté sur la mer. Malgré les jalousies qu'elle excite et la rivalité de Sparte, qui se fait sentir de plus en plus, elle développe largement son commerce; et, sous le gouvernement de Périclès, entre 460 et 430 environ, elle déploie magnifiquement son génie. Par ses hommes d'État, par ses poètes, par ses penseurs et ses artistes, elle se fait alors une parure incomparable d'intelligence et de beauté. Mais en 432, éclate le conflit qui, depuis longtemps, se préparait entre elle et Sparte. Dans une guerre de vingt-huit ans (432-404), féconde en péripéties, Athènes fit preuve d'une remarquable énergie, mais ne sut se garder ni d'une ambition excessive ni des révolutions intérieures. Cette âpre rivalité aboutit pour elle à un désastre, qui mit fin à sa prépondérance politique, mais non à sa prééminence intellectuelle. Si, de 404 à 371, l'hégémonie en Grèce appartient à Sparte, Athènes, un instant abattue, se relève pourtant d'année en année. Elle refait une confédération maritime, elle récupère l'indépendance de sa politique; et lorsque Thèbes, à partir de 371, grâce au génie d'Épaminondas, détruit par ses victoires le prestige de Sparte et la met à deux doigts de sa perte, c'est Athènes qui porte secours à son ancienne rivale et préserve l'équilibre entre les peuples grecs (Mantinée, 362). Vers ce temps, surgit une nouvelle puissance, la Macédoine, dont l'ambition jette la perturbation en Grèce. Dans la confusion qui se produit alors, c'est encore Athènes qui, grâce à l'énergie clairvoyante de Démosthène, gêne le plus les entreprises de Philippe et contribue principalement à organiser la résistance suprême. Elle échoue pourtant, et la défaite de Chéronée, en 338, suivie de la mort de Philippe et de l'avènement d'Alexandre, en 336, met fin à cette glorieuse période, la plus brillante de la civilisation grecque. Si le IVe siècle n'a pas été pour Athènes aussi favorable en tout que le Ve, c'est pourtant celui où elle s'est particulièrement illustrée dans la philosophie et l'éloquence; c'est aussi celui où, par des créations nouvelles en matière d'art, elle a montré que le sens de la vie, loin de s'affaiblir en elle, s'était encore affiné, sans que celui du beau eût subi aucune déchéance.

II. — Établissement de la démocratie a Athènes

Principes de la démocratie athénienne. — Ces succès et ces revers procèdent incontestablement, pour une part au moins, des institutions qu'elle s'était données au début du v⁰ siècle et qu'elle a conservées sans modifications profondes, malgré des révolutions passagères, jusqu'à la victoire de la Macédoine. Ces institutions sont donc un des éléments importants de la civilisation qu'elle représente éminemment. On ne peut traiter de celle-ci sans rappeler brièvement ce qu'elles ont eu de plus caractéristique. Rien d'ailleurs n'est plus instructif. Athènes, en effet, nous offre l'exemple singulièrement intéressant d'une démocratie qui a développé pleinement son principe. Nulle part on ne discerne plus clairement que dans son histoire ce qu'il peut y avoir de fécond dans l'activité libre d'un peuple qui entend se gouverner lui-même; nulle part, non plus, on ne voit mieux à quels dangers il s'expose, s'il ne s'attache pas à limiter sa propre puissance. Un double spectacle se présente à nous : d'une part une magnifique expansion des valeurs individuelles, favorisée par un régime de liberté et par l'exaltation du sentiment national; de l'autre, le manque d'une direction ferme et de desseins suivis, trop d'imprudences et d'entraînements irréfléchis, une justice mal assurée et capricieuse, des partis pris engendrant des factions. On voit là le principe de la souveraineté du peuple se développer logiquement, dans toutes ses conséquences, avec une pleine confiance; et, comme rien d'absolu n'est possible dans la réalité, il arrive que cette démocratie inexpérimentée se compromet à mesure qu'elle croit se perfectionner. C'est cela qu'il s'agit de faire voir dans un exposé nécessairement sommaire; car s'il ne saurait être question ici de décrire en détail le jeu des institutions athéniennes, il est nécessaire cependant de faire comprendre ce qui en a fait la valeur, comme aussi ce qui en a causé la faiblesse.

La révolution de Clisthène. — La révolution d'où est issue la démocratie athénienne se fit en deux étapes; ou, pour mieux dire, il y eut, à la fin du vi⁰ siècle, deux révolutions successives : l'une en 510, qui mit fin à la tyrannie des Pisistratides au profit de l'aristocratie, l'autre en 508, qui fut une victoire du parti populaire sur cette même aristocratie; victoire définitive, à laquelle est resté attaché le nom de Clisthène, par qui elle fut réalisée. Née de ces circonstances, l'organisation dont il fut l'auteur dut répondre à deux préoccupations très fortes et très urgentes : rendre impossible le rétablissement de la tyrannie et empêcher l'aristocratie d'exercer désormais dans l'État une influence prédominante. Cette double crainte explique tous les changements qui furent alors introduits et tous ceux qui se produisirent dans la suite. Elle devait avoir pour conséquence l'extension toujours croissante du gouvernement direct du peuple, avec les difficultés et les inconvénients qui en sont inséparables. En revanche, ce gouvernement direct eut un avantage qu'il faut signaler dès à présent. Ce fut d'associer tous les citoyens à la vie commune de la cité et au souci de ses intérêts bien plus étroitement qu'ils ne le sont, et ne peuvent l'être, dans nos démocraties modernes. Dans celles-ci, en effet, presque sans exception, et cela sous le régime même du suffrage universel, un grand nombre de membres du corps social ne prennent en somme qu'une petite part aux affaires publiques. Spectateurs plutôt qu'acteurs, ils assistent à la politique qui se fait au-dessus d'eux sans y intervenir personellement, ou du moins sans avoir conscience que leur intervention y soit vraiment efficace. Il est presque fatal dès lors que beaucoup d'entre eux s'en désintéressent plus ou moins. Il en était tout autrement des Athéniens. Pour eux, la vie publique était si intimement liée à la vie privée qu'elle s'en distinguait à peine. Cela tenait à toute l'organisation de la cité, qu'il faut maintenant décrire à grands traits.

III. — LES DÈMES ET LES TRIBUS

Nouveaux cadres sociaux. — Une des principales visées de Clisthène fut de briser les cadres anciens, dans lesquels de puissantes influences personnelles ou familiales s'étaient établies et se perpétuaient. La vieille division ionienne en quatre tribus, qui groupaient traditionnellement un certain nombre de familles, dut disparaître. Elle fut remplacée par une division en dix tribus, ce qui eut pour effet de disperser ces familles et de rompre par conséquent les liens qui pouvaient s'être formés entre elles. Chacune de ces tribus nouvelles continua d'être divisée, comme l'avaient été les anciennes, en trois *trittyes*, mais celles-ci furent réparties sur le territoire de telle façon qu'à chacune d'elles fut attribuée une portion de la ville, une du littoral et une de l'intérieur. Aucune tribu, dans ces conditions, ne forma plus un groupement local, cantonné sur un même point du pays. Chacune d'elles comprit un certain nombre de communes appelées *dèmes*. Ces dèmes furent substitués aux anciennes naucraries, divisions plus étendues et qui, sans doute, parurent moins aptes à une vie municipale vraiment active. Car Clisthène, pour donner à ses réformes toute l'efficacité qu'il en attendait, eut soin qu'à chacune de ces divisions nouvelles correspondît une part de l'activité politique et des devoirs religieux imposés à chaque citoyen.

Le dème. — C'était à son dème que l'Athénien se devait tout d'abord. Il en joignait le nom au sien dans tous les actes officiels, de telle sorte que cette dénomination locale l'emportait au point de vue administratif sur le nom gentilice. Il se transmettait d'ailleurs, aussi bien que ce dernier, de père en fils. Car on ne changeait pas de dème en changeant de domicile. L'Athénien qui transportait sa demeure sur un autre point du territoire n'en restait pas moins membre du dème dans lequel il avait été inscrit par son père. C'était là qu'il participait à la vie communale et aux cultes locaux; c'était du fait de son inscription sur le registre de cette commune qu'il recevait ses droits civiques. Le dème avait son assemblée, l'agora, son magistrat principal, le démarque, élu annuellement, ses finances, son administration locale. Il proposait pour le Conseil des Cinq-Cents ses candidats. La vie municipale y était active et variée. C'était pour l'Athénien une école, où il s'initiait à la pratique des affaires communes.

La tribu. — Au-dessus du dème et de la trittye, était la tribu qui, elle aussi, formait un groupement à la fois politique et religieux. Elle portait le nom d'un héros auquel elle rendait un culte. Ce nom, originairement choisi par l'oracle de Delphes sur une liste qui lui avait été soumise par Clisthène, était revêtu par là d'une consécration divine. Chacun de ces héros éponymes avait ses prêtres et son sanctuaire; ce sanctuaire servait de trésor et de dépôt d'archives à la tribu; elle y célébrait son culte particulier. Pour administrer ses biens, elle élisait, en assemblée, des commissaires ou épimélètes, qui recevaient ses instructions et devaient naturellement lui rendre leurs comptes. A la gestion de ses intérêts propres, s'ajoutait une participation active à la vie commune de la cité. Elle était représentée dans le Conseil des Cinq-Cents par cinquante de ses membres, tirés au sort sur la liste de propositions dressée par les dèmes. Elle avait de plus à désigner ceux des siens qui auraient la charge des liturgies imposées par l'État aux riches citoyens, telles que les chorégies pour les concours lyriques et dramatiques, l'entretien des gymnases et certains banquets populaires. De telles désignations engageaient l'honneur des tribus qui concouraient entre elles, et cette rivalité était cause que chaque citoyen s'attachait plus vivement à la sienne. L'armée d'ailleurs était aussi organisée par tribus. Chacune d'elles fournissait un régiment d'hoplites et un escadron de cavalerie. De la sorte, la fraternité politique se trouvait renforcée par une fraternité militaire. Les hoplites de la tribu avaient pour chef un taxiarque, les cavaliers un phylarque, l'un et l'autre choisis parmi ses membres.

Ainsi, tout dans l'organisation établie par Clisthène tendait, non seulement à dissoudre les anciens groupements qui avaient fait la force de l'aristocratie, mais à en créer de nouveaux, propres à mélanger tous les citoyens entre eux très étroitement et à les associer par de nouveaux intérêts et de nouveaux sentiments. Nous allons voir que les institutions politiques nouvelles furent conçues dans le même esprit et qu'elles eurent pour effet de mettre tout le pouvoir aux mains du peuple.

IV. — L'ASSEMBLÉE ET LE CONSEIL DES CINQ-CENTS

L'Ecclesia, sa composition. — C'était en effet l'Assemblée (*Ecclesia*), assistée du Conseil des Cinq-Cents (*Boulè*), qui exerçait le gouvernement. Or, l'assemblée était le peuple lui-même, puisqu'elle comprenait tous les citoyens majeurs, sans distinction de classes. La loi n'en excluait que les femmes et les étrangers, qui, dans aucune cité grecque, ne participaient à la vie publique. Inutile de parler ici des esclaves, considérés en masse comme des êtres d'une nature inférieure. Ce qu'on appelait le peuple, était donc, en fait, la minorité des habitants, mais, en principe du moins, la totalité de ceux qui possédaient le droit de cité. Ceux-là n'avaient pas, comme chez nous, de représentants; ils prenaient part personnellement aux délibérations et aux décisions gouvernementales; ou, pour parler plus exactement, ils avaient le droit d'y prendre part; car il s'en fallait de beaucoup qu'ils fissent tous régulièrement usage de ce droit. « En temps de paix », dit très judicieusement M. G. Glotz, dans son remarquable ouvrage sur la cité grecque,

« les campagnards, habitués à vivre dispersés et ne s'intéressant guère qu'à leur champ, reculaient devant un voyage long et coûteux; les bûcherons d'Acharnes restaient dans les bois du Parnès, et les petits commerçants des bourgades lointaines ne délaissaient pas leur échoppe, excepté dans les grandes occasions; les gens de la côte ne renonçaient pas volontiers à une ou deux journées de pêche. Quant aux riches, ils n'aimaient pas à se déranger... Certaines résolutions devaient être prises soi-disant par « le peuple au complet » (1); en réalité, dans ces cas-là, le quorum était de 6 000 voix (2) ». Si l'on tient compte du fait qu'au début de la guerre du Péloponnèse le nombre des citoyens est évalué à environ 42 000, on peut juger déjà d'un des plus graves inconvénients de ce gouvernement direct du peuple par le peuple. Cette assemblée, qui, en droit, n'était que la minorité des habitants, se trouvait être même, en fait, la minorité des citoyens. Ajoutons que la composition en était nécessairement assez variable; tel élément qui prédominait un certain jour pouvait faire défaut ou se trouver beaucoup plus faible dans une autre circonstance. Comment une pareille réunion d'hommes, exposée par sa nature même aux brusques entraînements que subissent parfois les foules, n'aurait-elle pas en outre été particulièrement sujette à se démentir, dès lors que, sous une apparente identité, elle était loin d'être toujours la même? Ainsi s'expliquent bien des revirements d'opinion que les historiens nous ont rapportés. Il faut reconnaître, il est vrai, que l'assemblée s'était imposée à elle-même certaines règles qui ne manquaient pas de sagesse. La plus importante était le rôle attribué à la Boulè.

La Boulè ou Conseil des Cinq-Cents. — Ce conseil, avons-nous dit, comprenait cinq cents membres, soit cinquante pour chacune des dix tribus, tous élus chaque année. Les sièges de la tribu étaient répartis entre les dèmes qui la composaient, d'après leur importance relative. Tout citoyen âgé de plus de trente ans avait le droit de se porter candidat dans son dème; mais beaucoup, comme il est naturel, préféraient s'abstenir, soit pour ne pas assumer une tâche assez lourde, soit pour n'être pas obligés de quitter leurs affaires propres. Les

(1) Formule légale, fréquente dans les textes et les inscriptions.
(2) Glotz, *La Cité grecque*, p. 180.

sièges à pourvoir étaient tirés au sort entre les candidats; en raison du mode de tirage, les élus s'appelaient les *Bouleutes désignés par la fève*. Entrés en charge après avoir prêté serment, ils touchaient une médiocre indemnité quotidienne et devaient siéger tous les jours, à Athènes, ordinairement dans le Bouleutérion, au sud de l'Agora. Dès son installation, le conseil se partageait en dix *Prytanies*, correspondant aux dix tribus dont il était formé; et chacune de ces prytanies devenait, pendant la dixième partie de l'année, un comité directeur, siégeant en permanence dans la Skias ou Tholos. Chaque jour, le sort désignait entre les cinquante prytanes en fonction un président ou *Epistate* qui était, mais pour vingt-quatre heures seulement, président de la Boulè et, s'il y avait lieu, de l'Ecclesia (1); c'était lui qui, pendant ce court laps de temps, détenait le sceau de l'État. Outre ces attributions générales, quelles étaient les fonctions de ces prytanes et celles du Conseil lui-même? Sans entrer ici dans tous les détails, mentionnons du moins les plus essentielles. Comme délégués du conseil, les prytanes étaient chargés de le convoquer et de prendre eux-mêmes toutes les mesures pressantes, sous leur responsabilité. Les fonctions propres du Conseil étaient nombreuses et variées. Il devait veiller à la défense de la cité, s'assurer par conséquent du bon état de l'organisation militaire et de celui de la flotte, avoir l'œil ouvert sur le fonctionnement de l'administration financière, s'occuper des travaux publics, prendre soin des choses du culte. De plus, il avait succédé à l'Aréopage dans certaines juridictions, qui lui donnaient qualité pour prononcer des sentences pénales et pour lancer des mandats d'arrêt. Il est vrai que ses droits à cet égard, très étendus d'abord, furent restreints peu à peu (2) toutefois il put toujours infliger des amendes, sous réserve de l'appel au peuple, si l'amende dépassait une limite fixée. C'était aussi le Conseil qui, en général, recevait les ambassadeurs, écoutait leurs plaintes ou leurs propositions, discutait avec eux, en un mot préparait la négociation avant qu'elle fût soumise à l'Ecclesia.

(1) Il en fut ainsi du moins jusque vers 378. A partir de cette date, la présidence de l'Ecclesia fut attribuée à l'épistate d'une commission de neuf membres, appelés proèdres, tirés au sort dans les neuf tribus du Conseil qui n'exerçaient pas à ce moment la prytanie.
(2) Aristote, *Rép. des Ath.*, 45.

Ici, nous touchons à ce qui fut toujours sa principale fonction. Elle consistait à délibérer sur les projets qui devaient être portés devant l'Assemblée du peuple. Celle-ci ne discutait donc, en principe du moins, aucun texte de décret qui n'eût été préalablement étudié et formulé par le Conseil. Un projet ainsi élaboré s'appelait *probouleuma*; il ne devrait pas y avoir de décret du peuple sans un probouleuma. Institution fort sage, qui, sans doute, atténuait dans une certaine mesure les dangers résultant du pouvoir absolu de l'Assemblée. Est-ce à dire toutefois que cette délibération préalable des Cinq-Cents, si utile qu'elle fût, équivalût au contrôle d'une seconde assemblée? assurément non; car le probouleuma pouvait être librement modifié ou transformé par le peuple, si bon lui semblait; et d'ailleurs ce Conseil, renouvelé tous les ans par un tirage au sort, était loin d'offrir les garanties d'expérience et de réflexion qu'on peut attendre d'une chambre haute ou d'un Sénat bien composé.

Fonctionnement et pouvoirs politiques de l'Ecclesia. — Revenons maintenant à l'Ecclesia. C'est en se rendant compte de son fonctionnement qu'on peut mesurer le pouvoir dont elle disposait. Lorsque la démocratie eut pris son plein développement, elle fut en réalité maîtresse absolue. Selon le témoignage d'Aristote, elle tenait régulièrement trois séances par prytanie, celle-ci étant tantôt de 36, tantôt de 39 jours (1). Dans ces réunions périodiques, elle passait en revue toutes les parties de l'administration, se faisait informer de tout et statuait sur tout. Toute question intéressant la cité pouvait être portée à l'ordre du jour et mise en discussion; au besoin, des réunions extraordinaires étaient tenues, en dehors des séances régulières. La loi interdisait seulement au président de mettre en délibération une proposition quelconque sans que le Conseil des Cinq-Cents l'eût préalablement examinée. L'usage était donc de renvoyer à ce Conseil toute proposition nouvelle, qui n'était pas un simple amendement. Mais ce n'était là, en somme, qu'un délai, sage précaution assurément, insuffisante toutefois pour imposer une limitation à la souveraineté de l'Ecclesia, qui demeurait entière.

Outre les questions d'administration et de politique intérieure, l'Ecclesia avait aussi à traiter celles qui se rapportaient

(1) Aristote, *Rép. des Ath.* 43, 3.

aux relations extérieures. Comme les États en ce temps n'avaient pas de représentants accrédités les uns chez les autres, c'était par des ambassades spéciales qu'ils débattaient leurs intérêts. L'assemblée du peuple faisait donc comparaître devant elle les ambassadeurs étrangers, soit immédiatement, soit après qu'ils avaient été entendus par la Boulè. Elle les écoutait, puis, en leur présence ou hors de leur présence, selon qu'elle le jugeait bon, elle entendait ceux des citoyens qui désiraient donner leur avis et elle prenait ses décisions. C'était à elle qu'il appartenait ou d'accepter un arrangement, ou d'engager de nouvelles négociations, ou enfin de prononcer, si l'entente était impossible, la déclaration de guerre et l'ouverture des hostilités.

Ses pouvoirs judiciaires. — Ce n'était pas tout. La souveraineté du peuple, telle que la concevaient les Athéniens, comportait aussi le pouvoir judiciaire. Ce pouvoir, tantôt le peuple le déléguait à des groupes de citoyens constitués en jurys et formant ce qu'on appelait l'*Héliée*, tantôt il l'exerçait directement en assemblée. Dans un cas comme dans l'autre, la justice était toujours rendue, non par un corps de magistrats spécialisés dans l'application des lois, mais par le peuple lui-même ou par une fraction du peuple. Comme il n'y avait pas à Athènes de ministère public, tout citoyen, à peu près, pouvait intenter une accusation. Si celle-ci visait un tort fait à la cité, elle pouvait être portée directement devant l'Assemblée. C'était à elle de voir s'il lui convenait de s'en saisir ou de la renvoyer à une autre juridiction. L'accusateur, il est vrai, s'exposait à un risque sérieux. Dans le cas où il n'obtenait pas au moins un nombre de voix déterminé, il encourait une peine grave. Était-ce là vraiment pour l'accusé une garantie rassurante? On peut en douter. Notons qu'il s'agissait toujours de questions politiques où les passions des partis étaient en jeu. Un homme mêlé aux affaires publiques pouvait en accusant compter sur l'appui de ses partisans, ce qui lui permettait de mesurer assez bien d'avance le risque auquel il s'exposait; le tout était de bien choisir son moment. L'accusé, lui, ne le choisissait pas. Le danger était grand s'il était ainsi traduit devant le peuple après quelque insuccès, à un moment où les passions populaires étaient excitées, où les esprits superstitieux pouvaient croire que les dieux mêmes se prononçaient contre lui. L'accusateur apparaissait alors comme un citoyen dévoué; il n'en fallait pas plus pour lui faire une popularité. On s'explique ainsi que beaucoup d'hommes publics à Athènes aient commencé leur fortune par d'éclatantes accusations.

Les Orateurs. — Qu'une assemblée ait à juger un procès ou à délibérer sur une affaire administrative ou politique, c'est toujours sur des discours qu'elle se décide. Lorsque le peuple athénien convoqué avait pris place dans le lieu de ses réunions, ordinairement sur la colline appelé la Pnyx, le président faisait lire à haute voix le rapport du Conseil des Cinq-Cents sur les projets portés à l'ordre du jour; après quoi, le héraut prononçait la formule traditionnelle : « Qui demande la parole? » En principe, tout citoyen jouissant de la plénitude de ses droits, pouvait répondre à cet appel. Comme il est naturel, un petit nombre seulement usaient de cette faculté. Ce n'était pas une petite affaire que de se faire écouter d'une assemblée nombreuse, peu indulgente aux fâcheux. Si l'orateur n'était pas un personnage désigné par sa charge, tel qu'un magistrat, un stratège ou un membre de la Boulé, il était indispensable qu'il s'imposât à l'attention par son talent. Ceux qui possédaient les dons de l'orateur associés à la connaissance des affaires, ceux aussi qui savaient comment on agit sur l'esprit des foules, les gens hardis, habiles à raisonner, à bien user de la voix et du geste, prenaient vite empire sur un auditoire très sensible à l'éloquence. Encouragés par le succès, groupant bientôt autour d'eux des admirateurs qui s'attachaient à leur fortune, ils devenaient les conseillers du peuple. L'éloquence était une puissance à Athènes; l'orateur, sans avoir besoin d'aucun titre officiel, exerçait une sorte de fonction dans l'État. Il arrivait qu'il devînt pour quelque temps le véritable chef du peuple, jouant à peu près, en apparence du moins, le rôle que tient dans les démocraties modernes un premier ministre.

Il pouvait le jouer, en effet, lorsqu'il était en même temps un homme d'action. Ce fut le cas des hommes d'État qui dirigèrent la politique athénienne jusqu'à la guerre du Péloponnèse. Ce fut particulièrement celui de Périclès. Mais, après lui, la plupart des « chefs du peuple » ne furent plus que des orateurs, et alors se révéla la faiblesse de ce mode de gouvernement. Désormais, la responsabilité effective se trouva séparée de la direction. Il y eut d'un côté ceux qui agissaient, de l'autre ceux qui conseillaient et qui critiquaient. C'était déjà un très grave inconvénient; ce n'était pas le seul. Un véritable homme d'État doit avoir un programme politique à longue portée. Cela n'est guère possible que si le pouvoir exécutif est confié pour une durée qui ne soit pas trop courte à un parti ayant un chef. A Athènes, tout dépendait d'une assemblée sans organisation intérieure. De cette assemblée, on ne pouvait attendre que des décisions isolées sur des cas particuliers. Comment l'engager d'une manière durable dans une politique déterminée? Un homme supérieur, tel que Périclès, n'a pu lui-même y réussir qu'imparfaitement. Dès qu'il ne fut plus là, on vit la politique athénienne échapper de plus en plus à toute direction suivie. Elle se montra tantôt hésitante et faible, tantôt imprudente et téméraire dans ses entreprises. Le résultat fut qu'Athènes perdit la guerre et qu'elle subit deux révolutions en sept ans.

V. — LES FONCTIONS PUBLIQUES

Caractère général des fonctions publiques. — En se laissant conduire par les orateurs, le peuple croyait n'obéir qu'à sa propre volonté puisqu'il était maître de ses décisions. Il n'en eût pas été de même s'il y avait eu dans la république un corps de fonctionnaires ayant ses traditions propres et une certaine indépendance. Les Athéniens ne le voulurent pas. Tout démontre qu'en organisant les fonctions publiques, la démocratie eut l'intention très nette de retenir toute l'autorité entre ses mains, ou, en tout cas, de n'en laisser à ceux qu'elle employait à son service que le minimum strictement indispensable. C'est ce qui apparaît clairement dans les mesures appliquées à presque toutes les fonctions publiques. La durée en était fixée à une année et elles ne pouvaient être exercées deux ans de suite. Disposition réglementaire qui avait évidemment un double objet : elle était faite pour que le plus grand nombre possible de citoyens eût part aux honneurs, mais elle visait surtout à empêcher qu'aucun magistrat, en se perpétuant dans sa charge, ne se fît une habitude de l'autorité. Délégué temporaire du peuple et son serviteur, on ne voulait pas qu'il s'accoutumât à commander.

Du tirage au sort. — C'était là aussi la principale raison, sinon la seule, pour laquelle la plupart des fonctions étaient assignées par un tirage au sort entre les candidats, présentés, suivant les cas, par les dèmes ou les tribus. Les seules qui fussent électives étaient les commandements militaires (stratèges, taxiarques, hipparques et phylarques), les charges financières des divers trésoriers ou agents responsables des deniers de l'État, et enfin les commissions techniques, confiées à des épimélètes que recommandait une compétence spéciale. Pour toutes les autres, c'était le hasard du sort qui décidait. Ceux qu'il favorisait n'avaient à justifier que de leur qualité de citoyens et de l'accomplissement de quelques devoirs imposés à tous par la loi, nullement de leurs capacités. On admettait que tout Athénien était apte à toutes les fonctions, réserve faite de celles qui viennent d'être exceptées. Il est vrai qu'au début du ve siècle, l'archontat était encore réservé aux classes supérieures; mais à partir du milieu du siècle environ, il devint accessible à tous. C'est qu'en réalité ces hautes charges elles-mêmes, et à plus forte raison les moindres, ne conféraient qu'un pouvoir strictement limité et des fonctions administrative, où l'initiative personnelle était réduite à bien peu de chose. Veiller à l'observation de certaines fêtes, accomplir quelques cérémonies rituelles, assurer le fonctionnement de certaines juridictions, telles étaient à peu près les obligations imposées aux trois premiers archontes. Les six autres, les thesmothètes, avaient à faire préparer dans leurs bureaux les dossiers des procès, c'est-à-dire à recueillir les déclarations des parties et les dépositions des témoins, puis à surveiller le tirage au sort qui servait à former les tribunaux de l'Héliée et à leur distribuer les affaires; toutes choses qui se faisaient sous leurs yeux plutôt que par leurs soins. Ce qu'on attendait en somme du magistrat athénien, c'était de la bonne volonté, de la vigilance, et surtout de la probité.

De la responsabilité. — Au reste, dans l'exercice de sa charge, il restait soumis à une surveillance constante. Tout citoyen pouvait le dénoncer pour manque à son devoir, et le peuple gardait toujours le droit de le révoquer si la plainte lui paraissait justifiée. Au terme de sa magistrature, quelle qu'elle fût, il était tenu de rendre ses comptes. Le principe de la responsabilité était loin d'être fictif dans la démocratie athénienne. Excellent en soi, il avait seulement le défaut d'être parfois abusif, faute de garanties suffisantes assurées à celui qui avait à se justifier. Ce fut surtout aux choses militaires qu'il se montra souvent mal adapté. Évidemment, il était malaisé de soumettre les opérations de guerre à ces formes de surveillance et de contrôle populaires. Où commençait au juste la responsabilité du stratège? Où finissait-elle? Il était bien difficile de le savoir. Il semble qu'au début de chaque campagne, un plan fût proposé par les chefs à l'Ecclesia et accepté par elle. Mais un plan de cette sorte ne peut être arrêté que dans ses plus grandes lignes. Quelle part laissait-on à l'imprévu? En fait, le stratège qui commandait en chef avait nécessairement à juger par lui-même fréquemment de ce qu'il devait faire ou ne pas faire. Demander de nouvelles instructions n'était pas toujours possible; c'eût été souvent manquer une occasion. Un homme d'action, conscient de son devoir, devait alors faire preuve d'initiative. C'est ce que fit Démosthène en 425, lorsqu'il occupa Pylos. En pareil cas surtout, le général savait qu'il aurait à répondre devant le peuple de sa décision. Autant cela était facile en cas de succès, autant la justification devenait chose redoutable en cas d'échec, devant un tribunal aussi incompétent et aussi passionné que l'Ecclesia. Et le sentiment qu'en avaient les généraux était de nature à exercer sur quelques-uns d'entre eux la plus fâcheuse influence. « Toujours exposés aux soupçons, écrit M. Glotz, les gens d'un mérite ordinaire et d'un caractère timoré se sentaient obsédés, accablés par le sentiment de leur responsabilité. On voit par l'exemple de Nicias quels effets déprimants pouvait produire la peur de l'Ecclesia. C'était pourtant un bon général; mais la pensée de la Pnyx le paralysait. Après les premiers échecs de Sicile, il n'osa pas ordonner la retraite qui aurait sauvé l'armée... Plutôt que d'être victime d'une accusation injuste et ignominieuse, il préférait périr les armes à la main (1). » A cet exemple, on pourrait en ajouter bon nombre d'autres. Thucydide ne nous rapporte-t-il pas que le même Démosthène dont il vient d'être question, ce général hardi et plein d'initiative, n'osait plus, après une expédition malheureuse en Étolie, rentrer à Athènes? Il prit le parti de s'arrêter à Naupacte, en attendant l'occasion d'une revanche, qui, fort heureusement, ne lui manqua pas (2). C'était aussi le droit du peuple de retirer à un général son commandement au milieu même des opérations. Il le fit plus d'une fois. Cette intervention d'une assemblée dans les choses de la guerre fut la principale cause du désas-

(1) Glotz, *La Cité grecque*, p. 270.
(2) Thucydide, III, 98.

tre de l'expédition de Sicile et du malheureux dénouement de la guerre du Péloponnèse.

D'autre part, au IVe siècle, lorsque Athènes eut des armées de mercenaires conduites souvent par des étrangers, elle se trouva impuissante à leur imposer une discipline. Ces chefs surent se rendre assez indépendants pour s'assurer l'impunité et se livrer à des pirateries, au lieu d'accomplir les missions dont ils étaient chargés. Nulle part, l'inconvénient du gouvernement direct du peuple et de la toute-puissance d'une assemblée ne fut plus manifeste que dans l'histoire militaire d'Athènes.

VI. — LES TRIBUNAUX

Tribunaux et juridictions spécialisées. — Si le peuple se réservait, comme on vient de le voir, certaines affaires particulièrement graves, ce n'était pourtant pas son habitude de faire par lui-même fonction de juge. On a dit plus haut que le Conseil des Cinq-Cents avait, lui aussi, une certaine part de juridiction. Mais ce n'était là encore qu'un fait exceptionnel. D'une manière générale, le soin de rendre justice était confié à des tribunaux. Voyons donc quelles garanties de compétence et d'impartialité ils offraient aux plaideurs et aux accusés.

Il existait à Athènes quelques anciens tribunaux spécialisés qu'il suffira de mentionner. Le plus célèbre était l'Aréopage qui jugeait les cas de meurtre prémédité, d'incendie et d'empoisonnement. On reconnaissait en lui « la plus juste des juridictions (1) ». Citons encore, sans y insister, les tribunaux siégeant au Palladion, au Delphinion, à Phréattys, antiques institutions, réservées à des causes diverses de caractère très spécial. Intéressants par les vieux usages qu'on y observait, ils n'avaient, en raison de leurs étroites attributions, qu'un rôle très restreint. Signalons enfin qu'à la base de l'organisation judiciaire était une institution excellente, celle des juges de tribus, élus primitivement au nombre de trois, plus tard de quatre par tribu, pour résoudre les différends de mince importance. Si la somme, objet du litige, dépassait cinquante drachmes, on devait recourir aux arbitres (*diétètes*). Ceux-ci,

(1) Lysias, *Contre Andocide*, 14.

désignés par le sort entre les citoyens âgés de soixante ans au moins, avaient pour tâche de concilier les parties, et, au cas où l'arrangement proposé n'était pas accepté, de trancher le débat par une sentence. Le plaideur mécontent était libre d'ailleurs d'en appeler aux tribunaux de la cité. C'était en somme une juridiction de première instance, assez analogue à celle de nos juges de paix et destinée à arrêter autant que possible les procès à leur naissance même.

L'Héliée. — Mais l'institution vraiment caractéristique de la démocratie athénienne dans l'ordre judiciaire était celle de l'*Héliée*, comprenant l'ensemble des tribunaux populaires (*dicasteria*). Il y en avait dix, autant que de tribus. Tous les citoyens, à partir de l'âge de trente ans, s'ils jouissaient de la plénitude de leurs droits, pouvaient exercer les fonctions d'héliastes. Chacun de ces tribunaux comprenait en principe de 500 à 600 membres, mais tous ces membres n'étaient pas appelés à siéger pour toutes les affaires et nul n'était obligé de se faire inscrire. Toutefois, les gens de bonne volonté, à ce qu'il semble, ne manquaient pas, malgré la modicité du salaire, fixé d'abord à deux oboles, puis à trois depuis 425. C'étaient surtout des citoyens de moyenne ou de petite condition et, parmi ceux-ci, sans doute, bon nombre d'hommes âgés, libres du travail quotidien. Peu de campagnards assurément; leur travail les retenait loin de la ville.

Aristote, dans sa *République des Athéniens* nous a fait connaître le système de tirage au sort passablement compliqué au moyen duquel les archontes répartissaient cette foule de juges entre les tribunaux (1). On voit là quelles précautions étaient prises pour que le juge n'apprît qu'au moment de siéger quelles affaires il aurait à juger. On voulait, en procédant ainsi, le soustraire aux influences qui auraient pu d'avance s'exercer sur lui; il ne devait connaître chaque cause que par l'exposé qui en serait fait devant le tribunal. On admettait donc qu'il serait capable de la comprendre sans autre pré-préparation. C'était peut-être compter beaucoup sur des esprits dénués de toute culture juridique et réduits à s'éclairer en écoutant des arguments contradictoires. La seule garantie exigée de l'héliaste était le serment par lequel il s'engageait à juger selon les lois, à respecter la constitution de la cité, à ne pas laisser léser la propriété, à ne pas recevoir de présents

(1) Aristote, *Rép. des Ath.*, 63.

des parties, enfin à les écouter également et à voter selon sa conscience. On voulait s'assurer de son honnêteté, on s'inquiétait de son aptitude intellectuelle.

Les causes et la procédure. — Les causes soumises à l'Héliée se répartissaient en deux catégories : affaires d'intérêts privés (*dikai*), affaires d'intérêt public (*graphai*). On a déjà vu qu'il n'y avait pas à Athènes de ministère public. L'instance était donc presque toujours engagée par une initiative privée. Si l'intérêt en jeu était celui d'un individu ou d'une famille, c'était à cet individu lui-même ou au représentant de cette famille qu'il appartenait de porter plainte. Si l'intérêt public était en cause, tout citoyen pouvait se faire accusateur. Dans un cas comme dans l'autre, la plainte ou l'accusation était déposée par écrit entre les mains du magistrat de qui elle relevait. Elle devait être formulée en termes précis, qui circonscrivaient par avance le débat, et appuyée d'un serment par lequel le plaignant ou l'accusateur affirmait la réalité de son grief. A cette plainte, le défendeur ou l'accusé répondait par une formule contradictoire, appuyée, elle aussi, d'un serment. Les deux parties faisaient en même temps connaître les témoignages dont elles comptaient se servir. Ceux-ci étaient reçus sous serment par le magistrat et enregistrés pour être joints au dossier qui se trouvait ainsi constitué. Toute l'enquête en somme était faite par les parties; le magistrat semble n'avoir eu pour fonction que d'authentiquer les déclarations apportées devant lui et d'en dresser procès-verbal. C'était sur ce procès-verbal que les débats s'ouvraient devant les juges.

Les Logographes. — En principe, les parties devaient plaider elles-mêmes leur cause, sans l'intervention d'un avocat ni d'un homme d'affaires quelconque. Exigence fondée un peu naïvement sur l'idée qu'une explication directe et loyale devait suffire à éclairer d'honnêtes gens, mais exigence impossible à appliquer rigoureusement et qui fut bien vite éludée. Non seulement l'accusé ou le défendeur, s'il s'agissait d'un mineur ou d'une femme, était assisté obligatoirement d'un tuteur qui le représentait, mais il était bien rare qu'un plaideur quelconque, même un adulte, composât lui-même son plaidoyer. L'usage était de le commander à un spécialiste, puis de l'apprendre par cœur et de le réciter devant le tribunal. Pratique que l'on n'avouait pas ouvertement, mais qui ne trompait personne. Pour répondre à ce besoin, il s'était formée à Athènes une

129

5

classe d'hommes, les logographes, qui faisaient métier de fournir aux plaideurs des discours appropriés. C'étaient naturellement d'habiles gens, versés dans la connaissance des lois, diserts et pleins de ressources, assez habiles pour prendre le ton qui convenait à leur client et jouer en quelque sorte son personnage. Quelques-uns d'entre eux ont fait en ce genre des chefs-d'œuvre, dont nous parlerons plus loin. Devant le tribunal, leur art servait aussi souvent à tromper les juges qu'à les éclairer. Quel ne devait pas être l'embarras de ces gens sans instruction spéciale, pris au hasard dans le peuple, lorsqu'ils avaient à se prononcer sur quelque affaire tant soit peu délicate? De part et d'autre, on leur apportait des témoignages dont l'adversaire contestait la valeur, on leur citait des lois que chacun interprétait à sa façon ou déclarait inopérantes dans le cas présent; on leur tenait des raisonnements spécieux, que d'autres raisonnements, non moins spécieux, venaient ébranler. Les déclarations contradictoires, s'entrecroisaient; les mêmes faits étaient affirmés d'un côté, démentis de l'autre. Et chaque partie, sachant bien qu'elle n'avait pas affaire à des juristes, s'écartait volontiers des points faibles de sa cause, pour amuser les juges, pour les toucher, pour les séduire. Fréquemment, un accusé en danger, un défendeur peu sûr de son droit faisait comparaître ses petits enfants en larmes, ses vieux parents éplorés; il rappelait ses services, ceux de sa famille, il émouvait le tribunal; au besoin, il pleurait lui-même. Il ne se trompait sans doute pas, en pensant que le sentiment aurait plus de force que la raison sur de braves gens aussi peu versés dans la science des lois et aussi peu habitués à la dialectique.

Critiques. — Il n'est pas surprenant que cette organisation judiciaire ait provoqué, dès l'antiquité, de vives critiques. On connaît la comédie des *Guêpes* d'Aristophane, imitée par Racine dans ses *Plaideurs*. Son Philocléon est un Athénien atteint de la manie de juger; il souffre d'une fringale de procès, il rêve la nuit de débats et de sentences, et il se lève avant le jour pour courir à l'audience. Mais ceci, après tout, n'est qu'un travers, à propos duquel, en admettant même que l'image soit exacte, il n'y aurait pas lieu de s'indigner. Ce qui est plus grave, c'est que ce juge se laisse cajoler par ceux qu'il doit juger, c'est surtout qu'il prête complaisamment l'oreille aux flagorneries des démagogues. Il n'est guère douteux, en effet, que les passions politiques n'aient eu bien souvent un retentissement fâcheux dans ces tribunaux populaires. L'insistance avec laquelle certains plaideurs, dans des discours que nous pouvons encore lire, se recommandent des services rendus à la démocratie, en est une assez forte preuve. Notons, en outre, que l'indemnité attribuée aux héliastes étant prélevée sur les amendes qu'ils infligeaient, ils avaient intérêt à entretenir ce fonds. Certains plaideurs ne craignaient pas d'en tirer argument pour obtenir des condamnations (1). Voilà d'assez graves critiques. Elles s'appliquent toutefois à des abus dont il nous est difficile aujourd'hui de mesurer l'importance réelle et qu'il ne convient pas d'exagérer. Tout ce qu'on peut dire, c'est qu'il y a moins de chances de rencontrer une moralité délicate et scrupuleuse dans un grand nombre d'hommes réunis par le hasard du sort, que dans un corps de magistrats professionnels, appartenant par leur culture à l'élite d'une nation. Mais, en somme, le grand défaut des tribunaux athéniens, c'était surtout l'incompétence des juges, la facilité que des plaideurs habiles avaient à les tromper, et aussi l'incohérence inévitable des jugements rendus dans de telles conditions. C'est sans doute la cause pour laquelle le droit grec n'offre pas la belle continuité de développement du droit romain. Mais, à cet égard, aucune cité grecque, autant que nous pouvons en juger, n'eut l'avantage sur Athènes.

L'Ostracisme. — A la justice du peuple se rattache indirectement l'ostracisme, qui était une sentence de bannissement prononcée par l'Assemblée contre un citoyen. Remarquons toutefois que cette sentence, si grave qu'elle fût en elle-même, n'avait pas, à proprement parler, le caractère d'une pénalité. C'était une mesure de précaution qu'on jugeait nécessaire à l'intérêt public. Elle eut son origine dans les craintes que la tyrannie, renversée en 510, avait laissées après elle. Tant que la famille des Pisistratides expulsés conserva dans Athènes des représentants ou des amis, ces craintes étaient justifiées. Elles subsistèrent toutefois, en changeant d'objet, lorsque cette faction eut disparu. Aristophane, dans ses *Guêpes*, en 422, mettait encore en scène, pour s'en moquer, l'esprit soupçonneux des gens du peuple dont toute apparence d'ambition excitait la défiance (2). En fait, le bannissement pour cause de

(1) Lysias, *contre Épicratès*, I.
(2) Aristophane, *Guêpes*, 486 et suiv.

simple suspicion avait pris forme d'institution et fut appliqué de temps en temps au ve siècle jusqu'en 417. Chaque année, à l'Assemblée principale de la sixième prytanie, les prytanes devaient demander au peuple s'il estimait qu'il y eût lieu à une sentence d'ostracisme. Un simple vote par oui ou non, sans discussion, en décidait. Naturellement, pour que ce vote fût affirmatif, il fallait qu'il eût été préparé d'avance par les chefs des partis et par une entente concertée. Si l'ostracisme était décidé en principe, on fixait le jour de l'opération. Ce jour-là, le peuple se réunissait et chaque citoyen inscrivait sur un tesson le nom de l'homme qu'il tenait pour dangereux. Celui sur le nom de qui 6 000 suffrages avaient été réunis était banni pour dix ans (1). Que cet exil sans jugement ait été parfois utile à la cité en privant une faction de son chef, on peut l'admettre. Il n'en reste pas moins qu'il constituait une atteinte grave à un droit que la loi doit assurer à tout citoyen, celui de présenter sa défense avant d'être condamné. Les Athéniens en eurent sans doute conscience, puisqu'ils cessèrent d'en faire usage, sans que rien les y contraignît.

VII. — DE LA LIBERTÉ ET DE L'ÉGALITÉ

Liberté de fait des citoyens. — Que nous apprend, en fin de compte, cette revue sommaire des institutions politiques et judiciaires d'Athènes au sujet des garanties données aux citoyens par l'État? Dans quelle mesure assuraient-elles les avantages fondamentaux d'une démocratie bien ordonnée, la liberté et l'égalité?

Il est incontestable que, d'une manière générale, le citoyen athénien se sentait libre; et lorsqu'il comparait sa vie à celle du Spartiate, assujetti à une discipline rigoureuse et à tant d'obligations incommodes, elle lui semblait assurément beaucoup plus agréable et plus normale. C'est ce que Thucydide a fortement exprimé dans l'éloge d'Athènes qu'il a prêté à Périclès (2). Dans sa maison, l'Athénien était libre de vivre à sa guise. Son domicile était, en principe, inviolable. Point

---

(1) C'est du moins l'opinion la plus vraisemblable, bien que les historiens modernes se soient partagés sur ce sujet. Voir Glotz, *La Cité grecque*, p. 202.
(2) Thucydide, II, 37.

d'inquisition, point de contrôle soupçonneux; une habitude de tolérance mutuelle, des mœurs douces et indulgentes. Au-dehors, liberté d'aller et de venir, de commercer au loin, de voyager sans permission pour ses intérêts ou pour son plaisir, de nouer avec des étrangers des relations d'amitié et d'hospitalité, de les recevoir chez lui et de correspondre avec eux. En somme, rien qui l'empêchât d'arranger son existence selon son goût, de gouverner sa maison comme il l'entendait, d'exercer un métier de son choix ou de n'en exercer aucun, ou encore de se donner du plaisir. C'était beaucoup assurément et la plupart n'en demandaient pas davantage. En outre, par sa participation à la vie politique dans son dème, dans sa tribu, dans l'Ecclesia, par son accession toujours possible au Conseil des Cinq-Cents et à la plupart des magistratures, l'Athénien était en quelque sorte le garant de sa liberté individuelle. Législateur même à ses heures, il était pour une part l'auteur des lois qui la lui assuraient.

Toutefois, quelques remarques sont ici nécessaires. Une des libertés auxquelles les sociétés modernes attachent le plus de prix est celle de la pensée. Elles entendent par là le droit pour chacun, expressément garanti par la loi, de publier ses idées et ses jugements verbalement ou par écrit. A Athènes, la parole était libre à l'Ecclesia et à la Boulè, mais uniquement sur des sujets déterminés par un ordre du jour et dans la mesure où l'auditoire s'y prêtait. Encore est-il que toute proposition pouvait donner lieu à une accusation de la part d'un adversaire ou d'un sycophante. Qu'en était-il des écrits? Mettons à part la comédie, qui, en raison de son caractère bouffon, jouissait de privilèges particuliers et poussait parfois la licence jusqu'à l'insulte personnelle la plus grossière. Là non plus, d'ailleurs, il n'était pas toujours sans danger de toucher à la politique. Aristophane, accusé par Cléon, faillit l'apprendre à ses dépens. Pour oser beaucoup, il fallait gagner la faveur du peuple en le faisant rire. On sait en outre qu'à plusieurs reprises, on réprima l'audace des poètes comiques par des lois spéciales. En dehors du théâtre, nous avons connaissance de pamphlets en prose et en vers qui ont circulé dans Athènes au ve et au ive siècle; mais, à vrai dire, nous ignorons quelle publicité ils ont eue. Quelques-uns ont dû être anonymes car ils nous sont parvenus sous de faux noms; tel l'écrit sur la République athénienne attribué faussement à Xénophon.

D'autres étaient l'œuvre de personnages connus; rappelons-nous ce Stésimbrote de Thasos, qui osa diffamer Périclès de la manière la plus impudente (1). Mais ces libelles furent-ils répandus ouvertement dans le public, à Athènes même, ou mis en circulation sous le manteau? A vrai dire, nous l'ignorons. Il se peut aussi fort bien que ceux qui auraient eu droit de se plaindre aient dédaigné de le faire. Personne n'ayant charge de requérir contre ces calomnies au nom de la moralité publique, c'était alors le dédain des offenses qui en assurait l'impunité. En réalité, il ne semble pas que, sur cette matière, on ait défini nettement à Athènes ce qui était permis et ce qui était défendu.

Au contraire, sur le fait de la religion, il est certain que la liberté était loin d'être assurée. Là aussi, il est vrai, l'absence d'un ministère public permettait à des opinions très hardies de se produire parfois impunément. Pour qu'un procès eût lieu, il fallait une dénonciation, soutenue par un citoyen qui se portait accusateur. Il pouvait arriver qu'un traité de philosophie ne fît pas assez de bruit dans le public pour être ainsi mis en cause. Mais les condamnations d'Anaxagore, de Protagoras, de Socrate, de Théodore de Cyrène et enfin d'Aristote suffisent à prouver combien les doctrines philosophiques étaient surveillées par l'opinion publique. A plus forte raison en était-il de même des cultes nouveaux qui cherchaient à s'introduire dans la ville ou dans ses dépendances. J'en parlerai plus loin à propos de la vie religieuse.

De l'égalité entre les citoyens. — Quant à l'égalité, elle régnait en principe entre les citoyens, du moins l'égalité devant la loi, puisqu'il n'y avait pour personne de juridiction privilégiée. L'inégalité même de classes, qui, au commencement du ve siècle, excluait de certaines charges les plus pauvres, avait disparu en fait, dès le milieu du siècle. Tout citoyen pouvait être élu ou désigné par le sort pour occuper les plus hautes charges. Bien entendu, d'ailleurs, cette égalité ne s'étendait ni aux femmes, toujours tenues en tutelle, ni aux étrangers, fussent-ils domiciliés à titre de métèques, ni aux esclaves, sur la condition desquels nous aurons à revenir. Mais ce qu'on peut se demander, c'est si, à certains égards, la réalité n'était pas en désaccord avec le principe, et cela au désavantage des plus favorisés de la fortune. C'était sur eux, en effet, que pesaient

(1) Plutarque, *Périclès*, 13, II.

134

exclusivement certaines contributions. Ne parlons pas de l'*eisphora*, impôt direct sur le capital qui était voté par l'assemblée dans des circonstances graves. Il était naturel que ceux-là en fussent exempts qui n'avaient point de capital et qu'il fût imposé aux autres en proportion de leur fortune. Ce qui est plus discutable, c'est le genre de contributions qu'on appelait les liturgies, impôts d'une nature spéciale, dont le montant n'était pas fixé. Il appartenait à chaque tribu de désigner ceux de ses membres qui auraient à les supporter. Les principaux étaient les chorégies et la triérarchie. Les chorèges avaient à faire les frais de la formation d'un chœur, de son équipement et de son instruction, soit pour les représentations dramatiques, soit pour certaines autres cérémonies religieuses. Les triérarques devaient mettre en état de service une trière dont la coque seulement leur était fournie par l'État. Assez souvent, sans doute, de riches Athéniens acceptaient sans déplaisir ces lourdes charges, qui leur procuraient une occasion de se rendre populaires et de témoigner leur libéralité. Ils étaient fiers de concourir ainsi à la grandeur de leur pays et à sa renommée. Mais il en était d'autres que la dépense exigée mettait dans la gêne et qui se voyaient contraints néanmoins de la subir. Leur seule ressource était de demander le transfert du fardeau sur les épaules d'un plus riche, et, si celui-ci se dérobait, de requérir en justice l'échange des biens. Procédure désagréable en elle-même et dans laquelle on s'exposait toujours à rencontrer des juges peu bienveillants.

L'état d'esprit des tribunaux athéniens, composés en majorité de pauvres gens, n'était pas, en effet, sans danger pour ceux à qui l'opinion publique attribuait, à tort ou à raison, une grosse fortune. Il y avait à Athènes, surtout au IVe siècle, une classe d'hommes qui vivaient de dénonciations; c'étaient ceux qu'on appelait les sycophantes. Et les dénonciations étaient faciles, ne fût-ce qu'en raison du manque d'une jurisprudence certaine sur bien des points. Le sycophante usait de cette facilité comme moyen de chantage; il vendait son silence. Bon nombre de riches citoyens, menacés d'une poursuite sans fondement sérieux, mais inquiets de ses suites possibles, aimaient mieux acheter le retrait de l'accusation que d'affronter le tribunal. C'était ainsi que le sycophante faisait ses affaires. Et voilà comment Xénophon, dans son *Banquet*, a pu mettre en scène un ancien riche, qui, devenu pauvre, vante son bonheur et se félicite d'être désormais débarrassé des dénonciateurs (1). Il ne manque pas de témoignages dans les plaidoyers du IVᵉ siècle qui nous prouvent que ce trait de satire n'était pas une simple plaisanterie (2). N'en tirons pas, toutefois, de conclusions trop générales. Il y avait à Athènes une classe riche et l'on pouvait y mener large vie, comme nous le voyons par de nombreux exemples. Seulement la richesse y était tenue plus qu'ailleurs à consentir certains sacrifices, qui, par des inégalités acceptées, ou imposées, tendaient à rétablir, aux yeux de la démocratie, l'égalité qu'elle exigeait.

VIII. — L'EMPIRE D'ATHÈNES

Maintenant comment cette démocratie, dont nous avons décrit sommairement la vie politique intérieure, se comportait-elle au-dehors? Quelle fut, dans ses relations extérieures, la valeur de ses institutions? C'est ce qu'il faut essayer d'indiquer brièvement.

Lorsque Athènes, après la seconde guerre médique forma une confédération maritime pour la défense de l'indépendance hellénique, il n'est pas douteux que son caractère de démocratie n'ait contribué à inspirer confiance à ses confédérés. La liberté qu'elle faisait régner entre ses citoyens semblait être le gage de celle qu'elle assurerait à ses alliés. Elle leur promettait, en outre, l'égalité; comment aurait-on douté de sa promesse, puisque l'égalité était le principe même de sa constitution?

Au début, tout alla bien : Athènes faisait figure de libératrice. C'étaient ses flottes qui avaient affranchi les îles du joug de la Perse et qui appelaient à la liberté les villes grecques d'Asie. La confédération qui s'organisa sur son initiative eut pour siège l'île sainte de Délos, où fut déposé le trésor fédéral, formé des contributions que chaque cité avait consenties au profit de la cause commune. Mais toute confédération implique pour chacun de ses membres l'abandon d'une part de sa souveraineté; il est nécessaire que les relations des confédérés entre eux et avec les puissances étrangères soient réglées par

(1) Xénophon, *Banquet*, IV, 30.
(2) Lysias, *contre Épicratès*, 2; *c. Nicomachos*, 22.

un conseil, où tous les délégués des États participants aient un droit égal de suffrage; il est nécessaire aussi que ce conseil dispose des fonds communs. Athènes pouvait-elle accepter ces conditions? Il aurait fallu, pour cela, que l'Ecclesia renonçât volontairement à une large part de son autorité, que la cité victorieuse subordonnât sa politique à la volonté de ceux qu'elle avait tirés de la servitude. Comment un peuple qui venait d'acquérir le droit de se gouverner lui-même et qui était fier de sa puissance aurait-il pu se résigner à cette diminution? On sait ce qui arriva. Un peu par la faute des insulaires, mais beaucoup par la volonté du peuple athénien, le conseil fédéral fut réduit à rien. Athènes seule eut le gouvernement de la confédération. Quelques cités résistèrent; elles furent vaincues et durent se soumettre. Il y eut désormais un véritable empire maritime, avec une cité maîtresse, exerçant une autorité presque tyrannique sur des cités sujettes. Athènes, en abusant de son pouvoir, se rendit odieuse à ceux qu'elle appelait ses alliés; elle les irrita par les tributs qu'elle les obligeait à payer, par des confiscations de terres qui lui permettaient d'établir chez eux, sous le nom de clérouquies, des colonies composées de ses propres citoyens, enfin par ses interventions au profit des partis démocratiques. Elle en vint même à les forcer de soumettre à ses tribunaux bon nombre de leurs procès, pour peu qu'un athénien y fût intéressé. Elle provoqua ainsi de véritables haines. La guerre du Péloponnèse, qui abattit sa puissance, détruisit aussi cet empire.

Le siècle suivant vit la fortune d'Athènes se relever, non sans peine, après diverses péripéties. Mais il vit en même temps se former chez elle une démocratie assez différente de celle du siècle précédent. Tandis que l'importance de l'agriculture, comme source de revenus, allait en diminuant, celle de l'industrie et du commerce s'accroissait rapidement. Vers le milieu du siècle, Athènes était devenue le plus grand marché du monde grec. Ses exportations et ses importations y entretenaient un mouvement considérable de capitaux. Elle était le siège des principales maisons de commerce et des banques les plus renommées. Dans ces conditions, il était inévitable que le point de vue mercantile devînt prédominant dans la direction des affaires et que l'esprit civique s'affaiblît d'autant. Un des effets de ce changement des sentiments fut que les citoyens s'affranchirent le plus possible du service militaire et que, de plus en plus, on recourut aux armées mercenaires, recrutées par des chefs qui mettaient à prix leurs services. Il est aisé de comprendre combien l'action politique de la cité en fut affaiblie. C'était cependant le temps où elle aurait eu besoin d'être conduite avec le plus de fermeté.

Jamais, en effet, la situation de la Grèce n'avait été plus confuse. Au siècle précédent, tout, pour ainsi dire, se résumait dans la rivalité de Sparte et d'Athènes. Maintenant, presque tous les peuples grecs avaient leurs vues propres et leurs ambitions. Dès le début du siècle, une coalition se forme contre l'hégémonie de Sparte. Elle fournit à la Perse l'occasion d'intervenir dans les affaires de la Grèce et cette intervention aboutit, en 386, à la Paix du Roi, qui établit en principe l'autonomie de toutes les cités. Cet émiettement des forces favorise les tentatives ambitieuses et sème la guerre dans toute la nation. Thèbes joue alors un rôle de grande puissance; elle met en mouvement la Grèce centrale et le Péloponnèse; elle porte un coup fatal à Sparte, mais elle ne crée rien de stable. Le Péloponnèse reste divisé. La Thessalie, après être sortie un instant de son isolement, y retombe, incapable d'une véritable et solide union. Athènes, au milieu de ces complications, flotte d'une alliance à l'autre, préoccupée de paix et d'équilibre avant tout. Elle réussit en apparence à reconstituer une confédération maritime, mais cette confédération n'est plus cimentée par un grand intérêt national, et, de nouveau, Athènes, faute d'user des ménagements nécessaires envers ses alliés, les voit se détacher d'elle et finalement est obligée de reconnaître leur pleine indépendance (354). Dès lors, il n'y eut plus en Grèce de puissance capable de faire l'union nationale pour la défense commune. C'était le temps où le roi de Macédoine, Philippe, commençait à manifester ses vues ambitieuses. En moins de vingt ans, il allait réussir à imposer sa domination à tous ces États divisés.

En somme, si la forme démocratique du gouvernement d'Athènes lui avait été profitable au temps qui suivit les Guerres médiques, il faut reconnaître qu'elle se montra mal appropriée à ses intérêts à partir du moment où elle étendit sa puissance. Ce fut cette extension même qui en mit en vive lumière les défauts essentiels. Le peuple athénien avait voulu être souverain chez lui; c'était en soi une prétention légitime, à condition que cette souveraineté ne dégénérât pas en pouvoir absolu, car tout pouvoir absolu est tyrannie. Il eut le tort de ne pas se prémunir par ses institutions mêmes contre l'abus de son autorité. En remettant le gouvernement et l'administration à une assemblée populaire affranchie de tout contrôle, en attribuant à cette assemblée des pouvoirs judiciaires, en confiant à des jurys, qui étaient eux aussi de vraies assemblées, le soin d'interpréter les lois et d'en faire l'application aux affaires civiles, en imposant leur juridiction à ses alliés, il s'était exposé, par une confiance excessive en lui-même, à des imprudences, à des abus de pouvoir, à des actes d'irréflexion et à des incohérences de conduite presque inévitables. Condamnée par les conditions générales de la politique du temps à des guerres fréquentes, Athènes n'eut même pas la prudence de consentir du moins, comme le faisait le peuple romain, à se donner en certaines circonstances l'avantage d'une direction plus ferme.

Mais, toutes réserves une fois faites sur des défauts évidents, il reste qu'Athènes, pendant une assez longue période de temps, a offert un spectacle d'un haut intérêt : celui d'un État formé de citoyens libres, soumis à des lois qu'ils se donnaient à eux-mêmes et, en somme, réalisant entre eux un accord suffisant sur leurs intérêts communs. Désireux de s'éclairer par de libres discussions, ils se sont montrés fréquemment capables de cette sagesse moyenne qui n'est que bien rarement surpassée dans les sociétés humaines. Ajoutons qu'ils eurent le mérite d'unir au sens pratique dont ils ont souvent fait preuve un idéal élevé. Si, dans leur conduite, ils s'en sont écartés plus d'une fois sous l'influence des passions, il faut leur faire honneur cependant d'avoir aimé à s'entendre louer moins pour des succès dus à la force que pour des bienfaits profitables à tous les hommes et pour de beaux exemples de générosité. Et surtout, ce qu'on ne peut ni méconnaître ni oublier, c'est que, dans cette démocratie, grâce en partie à l'excitation qu'elle entretenait dans les esprits, se sont épanouies magnifiquement la poésie, l'éloquence, la philosophie et toutes les formes de l'art dans leur perfection, floraison délicate et puissante d'une des plus belles civilisations dont s'honore l'humanité.

En dehors d'Athènes, le spectacle de la vie politique dans les autres cités grecques, au Vᵉ et au IVᵉ siècle, n'a rien vraiment que la civilisation grecque puisse revendiquer à son honneur. Il n'y a pas lieu, par suite, de nous y arrêter longuement.

Sparte. — Sparte fait exception jusqu'à un certain point par la persistance de ses institutions. Si l'on ne considère que le succès des armes et la puissance politique, le Vᵉ siècle fut pour elle un grand siècle, puisqu'il aboutit à établir son hégémonie en Grèce. Mais, en s'efforçant de rester toujours la même, c'est-à-dire en se refusant de s'accommoder au temps et à tout progrès, elle se condamnait à la décadence. Celle-ci commença pour elle au IVᵉ siècle. Elle ne connut pas, alors, il est vrai, de révolutions proprement dites. Mais ce fut à la condition de se raidir dans ses mœurs et ses coutumes traditionnelles, qui créaient pour elle un danger intérieur toujours menaçant et qui rendaient ses succès au-dehors peu durables. Incarnant en quelque sorte le principe oligarchique, elle se fit l'appui des oligarchies et partagea leur impopularité. En voulant imposer ce principe par la force et quelquefois par la perfidie, elle suscita contre elle une opposition de plus en plus forte qui fit la fortune passagère de Thèbes; vaincue par celle-ci, elle se vit dépouillée de son prestige et réduite à un isolement dont elle ne devait plus sortir.

Oligarchies et Démocraties. — Dans les autres cités grecques, pendant ces deux siècles, mais surtout à partir des débuts de la guerre du Péloponnèse, les révolutions se succèdent avec une déplorable fréquence. Presque partout, deux partis, l'un oligarchique, l'autre démocratique, sont en conflit. Entre eux, il ne s'agit pas de discussions publiques, de simples changements de direction dans la conduite des affaires. C'est une lutte à mort entre des factions qui visent à s'exterminer mutuellement. Thucydide nous a décrit les fureurs qui se déchaînèrent dans Corcyre au commencement de la guerre entre Sparte et Athènes et il a noté en même temps la perversion morale qui se produisit alors dans toute la Grèce (1). Au

(1) Thucydide, III, 82.

IVe siècle, les massacres qui ensanglantèrent Argos en 370 montrent assez que les passions étaient partout les mêmes. En fait, nous voyons, dans presque tous les États dont l'histoire ne nous est pas inconnue, les révolutions succéder aux révolutions, toutes accompagnées de tueries, de proscriptions, de ventes de femmes et d'enfants réduits en esclavage. Et, à la suite de ces révolutions, les témoignages du temps nous font voir, en outre, des bandes de bannis errant en Grèce ou à l'étranger, prêts à fournir des armées de mercenaires pour de nouvelles guerres entre les cités.

La tyrannie. — Assez souvent, il est vrai, ces luttes civiles, au lieu de se terminer par la victoire d'un parti, aboutissaient à l'usurpation du pouvoir par un tyran. C'est ce qu'on voit se produire en ce temps dans les villes grecques d'Italie et de Sicile, comme dans un certain nombre de celles d'Asie et même de la Grèce propre. Le règne des deux Denys en Sicile en est un des exemples les plus connus; en Thessalie, celui de Jason et d'Alexandre de Phères; on en pourrait citer d'autres à Sicyone, à Corinthe, en Messénie, en Achaïe, et ailleurs. Ce serait sortir du cadre de cet ouvrage que d'en faire l'énumération. Toutes ces tyrannies, à peu d'exceptions près, ont d'ailleurs un caractère commun : issues d'un coup de force, elles s'appuient sur la force et ne se maintiennent que par la défiance; victoires éphémères de quelques ambitieux, dont elles servent uniquement les convoitises égoïstes, elles n'ont aucune place à revendiquer dans une histoire de la civilisation.

LA VIE RELIGIEUSE EN GRÈCE AUX Vᵉ ET IVᵉ SIÈCLES

I. — LES CROYANCES

Vue générale du sujet. — La religion n'a pas moins d'importance dans la civilisation d'un peuple que ses institutions. Les premiers développements de celle de la Grèce ont été esquissés plus haut. Au Vᵉ siècle, elle nous apparaît dans son plein épanouissement. Associée au progrès général des institutions et des mœurs, elle est, plus que jamais, partout présente et agissante; rien, pour ainsi dire, ne se fait sans elle; elle siège au foyer domestique, elle se mêle à tous les actes du citoyen, elle est une des inspiratrices principales de la poésie et de l'art, et enfin elle se manifeste avec éclat dans des cérémonies pompeuses. Sans doute, son action intérieure sur les âmes est moins facile à saisir, mais on ne peut sérieusement douter qu'elle n'ait été constante et profonde. Mille témoignages nous la mettent en quelque sorte sous les yeux. Les récits des historiens et des biographes, la poésie lyrique et dramatique, les inscriptions recueillies dans les temples, les oracles qui nous sont connus nous montrent les Grecs de ce temps en rapports constants avec leurs dieux; ils attestent à quel point ils ne pouvaient se passer de les prier et de les consulter. Le point délicat est de déterminer ce qu'ils croyaient exactement et quelle influence leurs croyances exerçaient sur leur conduite et sur leurs mœurs. Il est clair qu'à cet égard les différences individuelles devaient être grandes alors, comme elles le sont en tout temps et partout. Un jugement d'ensemble ne peut évidemment prétendre qu'à une vérité moyenne, nécessairement approximative.

Survivance de la mythologie. — Enveloppée dès son origine

dans la mythologie, la religion grecque n'aurait pu s'en dégager sans se détruire elle-même. La mythologie était en effet liée au culte de la manière la plus étroite; elle en était l'explication et la justification. Non pas qu'elle en fît comprendre toujours la vraie nature; car, bien souvent, le sens primitif des rites traditionnels avait été perdu, et les récits relatifs à leur origine n'étaient qu'inventions ingénieuses destinées à satisfaire la curiosité des croyants. Quoi qu'il en soit, il était impossible de s'en passer. Sans ces inventions, les dieux n'auraient été que de froides abstractions. Déméter, considérée comme la nature féconde qui produit le blé, ne pouvait exciter les mêmes sentiments que la mère éplorée qui cherchait sa fille brutalement enlevée à sa tendresse par un ravisseur inconnu. Les Grecs, en général, n'étaient pas encore parvenus à ce stade de l'évolution intellectuelle où la croyance peut se satisfaire de conceptions philosophiques. Sans doute, quelques penseurs déjà, tels que Xénophane mentionné plus haut, avaient osé attaquer l'anthropomorphisme et décrier les légendes vulgarisées par la poésie; et d'autres, sans faire de professions de foi aussi retentissantes, n'en avaient pas moins sapé la mythologie par la base, en substituant aux dieux les forces de la nature. Mais quelle prise ces enseignements pouvaient-ils avoir sur le grand nombre? Ils ne l'atteignaient même pas; bien peu de gens goûtaient et comprenaient les spéculations des penseurs; presque tous, au contraire, trouvaient satisfaction dans les vieux usages religieux et dans les traditions dont ils étaient imbus dès l'enfance. Certaines de celles-ci avaient de tout temps charmé leur imagination; certaines autres étaient pour eux des sources de vives émotions. Toute une floraison de sentiments qui s'étaient développés de siècle en siècle n'avait pas d'autres racines.

Ces traditions, d'ailleurs, bien loin de s'imposer aux esprits comme un dogme, laissaient à l'imagination individuelle une très grande liberté qui la mettait fort à l'aise. Un dogme suppose une Écriture considérée comme une révélation et une corporation enseignante qui, seule, en est reconnue comme l'interprète. Rien de tel en Grèce, pas plus au Ve siècle qu'antérieurement. Les prêtres n'y formaient pas un corps organisé, soumis à une autorité spirituelle. Sans lien entre eux, ils n'étaient que les ministres isolés de cultes divers, les gardiens de traditions et d'usages locaux; fonctions que les uns exerçaient comme héritiers d'un privilège de famille, tandis qu'elles étaient attribuées à d'autres soit par le suffrage de leurs concitoyens, soit par une désignation du sort, et cela sans consécration spéciale ni préparation professionnelle. Ne recevant eux-mêmes aucun enseignement théologique, ils n'en donnaient aucun. La religion grecque, en tant que croyance, se composait donc uniquement d'une collection de mythes et de légendes qui n'étaient pas plus fixés au siècle de Périclès qu'ils ne l'avaient été au temps d'Homère. Nul d'ailleurs n'était assujetti à une profession de foi embrassant une part quelconque de ces récits; qui donc, à vrai dire, aurait pu en déterminer le nombre ou en énoncer aucun en termes définitifs? Par la force des choses, le nécessaire en fait de croyance se réduisait à quelques notions fondamentales, sans lesquelles aucun culte n'aurait eu de raison d'être. Seulement, à ce minimum se superposaient en fait quantité de dévotions, individuelles ou générales, qui l'enrichissaient singulièrement.

Des dieux et de leur puissance. — Ces notions fondamentales se rapportaient aux dieux et aux héros, et à leurs relations avec les hommes. Le Grec se représentait les dieux comme des êtres très puissants, invisibles et immortels, doués d'ailleurs de sentiments qui ne différaient pas en nature de ceux des simples mortels. Il les croyait capables de bienveillance et de pitié, par conséquent secourables, mais fort jaloux de leur supériorité, sujets même à des rivalités mutuelles, très exigeants en fait d'hommages, donc faciles à offenser. Nul, sauf quelques philosophes, n'avait l'idée de les considérer comme des modèles à imiter. On estimait en général que les règles de la morale humaine ne s'appliquaient pas à eux et que les simples mortels, par conséquent, n'avaient ni à les juger ni à s'autoriser de leurs exemples. Le devoir des hommes, par contre, était de les honorer en rendant à chacun d'eux le culte qui était censé lui plaire. Avant tout, il fallait se garder soigneusement de les irriter, soit par des paroles imprudentes, soit par des négligences, même involontaires. De là l'importance accordée à l'accomplissement strict des rites traditionnels. Et en cela, la bonne volonté ne suffisait pas. Souvent, on avait à se demander quelles étaient les intentions des dieux, de peur de les offenser par ignorance. Alors intervenait la divination, et par là s'explique l'importance qu'elle avait dans la vie des individus comme dans celle des États, ainsi que la variété de ses formes :

consultation des oracles, observation du vol des oiseaux, inspection des entrailles des victimes, pour n'en mentionner que quelques-unes. Sur ce point, les témoignages abondent; ils nous font voir un peuple vivant dans une sorte d'inquiétude religieuse perpétuelle, et ils nous découvrent ainsi quel rôle jouait la crainte dans ses croyances et combien elle le rendait accessible à la superstition.

Cette tendance était favorisée encore par l'idée que la souillure résultant d'un acte impie n'était pas contractée uniquement par le coupable. On admettait universellement qu'elle pouvait s'étendre, comme un mal contagieux, à toute une famille ou même à un peuple entier. De là un danger permanent, auquel il était nécessaire d'opposer des moyens de défense appropriés. Ces moyens étaient les rites de purification et d'expiation. On comprend combien l'emploi devait en être fréquent et pourquoi ils s'imposaient à tous jusque dans les usages quotidiens. Et, comme la souillure dont on avait à se purifier ou l'offense qu'il était nécessaire d'expier pouvaient être ignorées, c'était encore à la divination qu'on recourait pour en avoir connaissance.

La bienveillance des dieux. — Gardons-nous toutefois de réduire la religion grecque à une si médiocre conception. Si la crainte en était un élément important, elle était loin d'exclure d'autres sentiments. Ces dieux que l'on redoutait étaient cependant aussi des protecteurs et des bienfaiteurs. C'était à eux que l'on attribuait tous les biens de la vie, la prospérité matérielle, la santé, les succès de tout genre. Vers eux s'élevaient autant de témoignages de reconnaissance que de prières, autant de sacrifices d'actions de grâces que d'offrandes expiatoires. La variété même de leurs attributs, déjà signalée, leur permettait de se multiplier en quelque sorte pour mieux satisfaire à tous les besoins de la vie humaine; elle multipliait aussi les occasions de reconnaître leurs faveurs. Zeus n'était pas toujours considéré sous son aspect majestueux de roi de l'Olympe. Il était, pour le maître d'un petit domaine rural, le dieu de la pluie (Zeus Ombrios), pour le chef de famille le protecteur du foyer ou de la maison (Zeus Oikeios ou Hestios), le gardien de la propriété (Zeus Ktésios); Héra était invoquée par les femmes comme déesse du mariage (Héra Téléia), comme celle qui venait en aide aux accouchées (Héra Ilithyia), rôle qu'elle partageait avec Artémis, avec Léto et plusieurs autres, sans en dépouiller d'ailleurs Ilithya, dont c'était la fonction propre. De même certains dieux, tels qu'Apollon, joignaient à leurs attributs généraux le don de guérir, qui était cependant le privilège d'Asklépios; et nous lisons, aujourd'hui encore, nombre d'inscriptions attestant la reconnaissance de malades ou d'infirmes, qui ont cru avoir obtenu de l'un ou de l'autre des guérisons miraculeuses. Combien de dévotions se révèlent ainsi, qui ont dû avoir le caractère d'une véritable piété! Et si l'on considère la religion grecque, non plus seulement dans l'individu, mais dans la famille et dans la cité, comme nous allons avoir à le faire, on sent aisément qu'elle s'est, pour ainsi dire, attendrie ou échauffée tour à tour, au contact des sentiments les plus vifs dont l'âme humaine est capable. Tout indique d'ailleurs que, subissant l'influence du progrès général de la pensée et des mœurs, elle gagnait aussi en valeur morale. De plus en plus, on admettait que tout ce qui était juste et bon était agréable aux dieux, d'où l'on devait conclure qu'ils condamnaient l'injustice et réprouvaient la méchanceté.

Des héros. — Au-dessous d'eux, la croyance commune faisait une place importante aux héros, objets de dévotions non moins sincères et presque aussi variées. En principe, un héros était un homme issu d'un dieu et d'une mortelle, participant donc dans une certaine mesure à la nature divine. Des légendes, généralement consacrées par la poésie, faisaient des héros les ancêtres de certaines familles ou même de tribus et de populations dont ils demeuraient les protecteurs. Quelques-unes de ces légendes se rapportaient peut-être à des personnages réels, d'autres étaient de simples fictions. Mais, quelle que fût leur origine, tous les héros avaient droit à un culte, dont les rites ne différaient que par quelques détails de celui qu'on rendait aux dieux. Chacun d'eux, toutefois, n'avait en général à exercer son patronage que sur un groupe de fidèles déterminé. Ainsi confinée dans un cercle restreint, la dévotion dont ils étaient l'objet n'en était que plus familière et plus confiante. Nous verrons un peu plus loin comment ce culte des héros devint un des éléments constitutifs de la cité.

Le destin et la survivance des âmes. — Cet aperçu donne déjà une idée d'ensemble des croyances qui formaient le fond de la religion grecque au temps de son plein développement. Deux points cependant appellent encore l'attention. Je veux parler des idées relatives à la destinée en général et à la survivance de l'âme.

La notion d'une destinée imposée à l'homme par une puissance mystérieuse, supérieure même aux dieux, apparaît déjà dans la poésie homérique comme une donnée ancienne. Elle se perpétue, après le temps d'Homère, chez les poètes, puis chez les historiens, et se transmet aux philosophes. Tantôt elle se présente sous une forme abstraite et impersonnelle; elle est simplement « ce qui a été arrêté »; tantôt elle se personnifie sous des noms divers; c'est Aisa, ou Adrastée ou encore la Moire. Faut-il conclure de là que les Grecs aient été jusqu'à un certain point fatalistes? Ce serait leur prêter une logique rigoureuse, à laquelle leur raison pratique a toujours résisté. En fait, cette notion a pu leur servir à s'expliquer certaines destinées légendaires comme celle d'Œdipe, ou même certains événements historiques qui dépassaient les prévisions humaines; elle ne paraît pas avoir jamais exercé une influence quelconque sur leur conduite. Dans l'action, le Grec se préoccupait d'abord de s'assurer la bienveillance de ses dieux, après quoi il se décidait selon sa raison et ses sentiments. Une fois l'événement accompli, il a toujours cru à la responsabilité personnelle des individus et en a toujours fait le principe fondamental de ses jugements.

Sur la question de la survivance de l'âme, la croyance commune semble être restée aussi hésitante et vague à la plus belle époque de la civilisation grecque qu'antérieurement. Seuls, les mystères, dont nous avons parlé dans un chapitre précédent, ceux d'Éleusis surtout, puis l'Orphisme et à partir du début du IVe siècle, quelques écoles philosophiques, en particulier celle de Platon, suggéraient à cet égard de réelles espérances ou formulaient même des doctrines. Aussi leur succès allait-il en grandissant. Mais que pensait la foule? Il est bien difficile de le dire. Les représentations qui figurent sur tant de stèles funéraires se prêtent à des interprétations diverses ; les témoignages écrits nous laissent dans le doute. L'Apologie que Platon a mise dans la bouche de Socrate semble nous autoriser à penser que ce dernier lui-même ne répugnait pas à considérer la mort comme l'anéantissement de l'être, ou, tout au moins, qu'il jugeait inopportun de professer fermement devant un tribunal une opinion contraire. Ici encore, c'était la mythologie qui suppléait à la doctrine absente. Les récits des poètes relatifs au royaume des morts, au peuple des ombres, à Charon et à sa barque fatale, ainsi qu'aux châtiments des grands criminels, circulaient toujours, sans qu'on sût au juste ce qu'on devait en penser. Beaucoup n'y voyaient que des contes, propres à effrayer les enfants. Et cependant, nous ne pouvons négliger entièrement un témoignage que nous a laissé Platon. Au début de sa *République*, un vieillard, s'entretenant avec Socrate, est censé lui tenir ce langage :

« Sache bien, Socrate, que, quand un homme sent approcher sa fin, il lui vient à l'esprit des inquiétudes et des préoccupations qu'il n'avait pas jusque-là. Ces récits qu'on nous fait à propos de l'Hadès, où, dit-on, celui qui a commis des injustices sur la terre doit en porter la peine, récits dont on se moquait auparavant, tourmentent maintenant son âme ; il a peur qu'ils ne soient vrais. Et alors, soit que la vieillesse affaiblisse sa raison, soit qu'étant, pour ainsi dire, plus près des choses de là-bas, il les distingue mieux, le voilà plein de soupçons et de crainte ; il repasse en esprit ses actes et se demande s'il n'a pas fait tort à quelqu'un. Trouve-t-il dans son passé beaucoup de mauvaises actions, il se réveille fréquemment la nuit, comme les enfants, et tremble de peur et vit dans une attente anxieuse. Au contraire, celui qui n'a rien à se reprocher, a pour compagne une douce espérance, « aimable consolatrice du vieillard », comme dit Pindare (1) ».

Que penser de ces paroles? Ce joli passage ne nous donne-t-il pas la mesure exacte de la croyance en question? il nous en découvre bien les intermittences et nous en fait sentir à la fois la faiblesse ordinaire et la force occasionnelle. Ce qu'on en peut conclure, c'est assurément qu'elle n'exerçait qu'une médiocre influence sur les actes quotidiens.

Du sentiment religieux. — Si maintenant nous nous demandons ce qu'était au fond le sentiment religieux, il ne paraît pas douteux que la crainte et le souci de l'intérêt n'y eussent grande part. Considérant ses dieux comme très jaloux de leurs honneurs et faciles à offenser, le Grec les croyait d'autre part accessibles aux hommages et aux présents. Il s'agissait donc pour lui, d'abord, de ne manquer à aucun des rites exigés par la coutume, puis de chercher, selon les cas, soit à les apaiser, soit à gagner leur faveur. En somme, lorsque rien de grave et d'imprévu ne troublait leurs rapports mutuels, il vivait en confiance avec eux. Cette confiance allait-elle jusqu'à l'amour? Si l'on

(1) Platon, *République*, I p. 330 d.

entend par là une sorte de transport de l'âme, s'attachant avec joie à un idéal mystique de perfection auquel elle voudrait s'unir, il paraît évident que rien de tel n'était possible pour un Grec, du moins en dehors de certaines doctrines philosophiques. Pour lui, l'idée de la divinité n'était pas celle de la perfection. Toutefois, à considérer tel ou tel dieu comme protecteur, comme une sorte d'ami très puissant, sur la bienveillance duquel on prenait l'habitude de compter, il est bien probable que souvent on finissait par l'aimer. Nous ne pouvons guère douter que ce ne fût le cas particulièrement de certaines âmes naturellement tendres et délicates. Songeons à l'Alceste d'Euripide, faisant une dernière et pieuse visite à tous ses autels familiers, au moment où elle se sent près de mourir (1). Et, en dehors même de la famille, comment ne pas croire qu'aux jours de fêtes, où Athènes tout entière prenait vivement conscience de sa force et de ce qu'elle devait à sa déesse protectrice, nombreux étaient ceux qui éprouvaient pour celle-ci un amour respectueux? La religion chez les Grecs était si étroitement liée au patriotisme qu'aimer son pays, c'était nécessairement pour eux aimer ses dieux.

II. — LA RELIGION DANS L'ORGANISATION SOCIALE

Rôle social de la religion. — Mais le titre principal de cette religion, au point de vue de la civilisation, consiste moins dans les ressources spirituelles qu'elle pouvait offrir aux individus que dans son rôle social. C'est par elle, en effet, que les éléments de la société grecque se sentaient le plus intimement reliés les uns aux autres, c'est elle surtout qui en assurait la cohésion.

La famille et la phratrie. — Considérons d'abord la famille et la phratrie, celle-ci n'étant pour ainsi dire qu'un élargissement de la famille. Toute maison, en Grèce, était un lieu sacré, puisqu'elle avait un autel, un culte et un prêtre. Cet autel était le foyer, où l'on honorait par des libations et des offrandes la déesse Hestia ; il était placé spécialement sous la protection de Zeus Ephestios. C'était proprement le sanctuaire de la famille. Le père en était le prêtre et, seuls, les membres de la famille

(1) Euripide, *Alceste*, v. 170 et suiv.

participaient à ce culte. Ensemble, ils offraient leurs hommages à Zeus Ctésios, patron divin de la propriété domestique, aux ancêtres, quelquefois à Héphaistos, dieu du feu, et, chez tous les Ioniens, à Apollon Patroos. C'était donc la religion qui consacrait leurs relations mutuelles, c'est-à-dire leurs droits et leurs devoirs en tant que membres d'une même famille. C'était elle aussi qui présidait aux funérailles tant par certains rites de purification obligatoires que par les cérémonies pieuses (libations et sacrifices) qui devaient être accomplies à jours fixes pendant la période du deuil domestique, et par le caractère sacré qu'elle conférait au tombeau.

La phratrie, union de familles apparentées ou censées telles, avait été primitivement un élément de l'organisation civile, en même temps qu'un groupement religieux. Elle n'avait guère gardé au Ve siècle, à Athènes du moins, que son caractère religieux. On pourrait la comparer, sous certains rapports, à nos paroisses. Comme la famille, elle pratiquait un culte commun, qui réunissait à certains jours tous les membres. Elle avait, elle aussi, son autel et son chef qui en était le prêtre. Un fait met bien en lumière les rapports de la phratrie et de la famille : c'est l'usage qui obligeait le père de famille à présenter à la phratrie ses enfants nouveau-nés. Cette présentation, il est vrai, ne le dispensait pas de les faire reconnaître plus tard par le dème, et même c'était la reconnaissance par le dème et l'inscription sur ses registres qui, seules, leur conféraient le droit de cité. Mais l'admission dans la phratrie, toujours accompagnée d'un sacrifice, attestait que l'enfant était, par droit de naissance, membre d'un groupe religieux plus large que sa propre famille.

Le dème. — Le dème, lui, depuis que Clisthène en avait fait une division administrative, était avant tout en Attique un élément de l'organisation civile. Mais comme aucune partie de cette organisation n'y était indépendante de l'organisation religieuse, le dème, équivalant en somme à notre commune, était naturellement englobé dans celle-ci. Chaque dème, en effet, rendait un culte à un héros, éponyme ou non, considéré comme son patron; culte qui lui était propre et auquel les membres d'autres dèmes ne pouvaient se mêler que par faveur spéciale. Cette exclusion des étrangers rendait plus étroit encore le lien entre les membres du groupe ainsi fermé. D'ailleurs, un grand nombre de dèmes conservaient en outre d'anciens cultes locaux, dont quelques-uns même ne se distinguaient plus des fêtes publiques dont il sera question plus loin : tel celui d'Artémis à Brauron, par exemple, ou celui de Prométhée à Colone. Mais ce qu'il importe de bien marquer pour le moment, c'est que tout dème avait, comme tel, sa vie religieuse qui se confondait avec la vie municipale (1) ; car ses fêtes étaient réglées par l'assemblée de ses membres et célébrées aux frais de la commune, par les soins et sous la surveillance du démarque, son chef élu. Bref, là aussi, la religion associait les hommes dans des œuvres communes.

La tribu. — Il en était de même encore de la tribu. Constituée par Clisthène dans une intention politique, comme on l'a vu dans un précédent chapitre, la tribu n'en avait pas moins une place importante dans le cadre religieux de la cité. Chacune des dix tribus, en effet, placée sous le patronage d'un héros dont elle portait le nom, lui rendait un culte. Elle avait, comme le dème, un lieu consacré où se trouvait son autel et son prêtre. A sa tête, était un chef, qui devait prendre soin que les cérémonies de ce culte fussent célébrées aux jours déterminés et dans les formes traditionnelles. En outre, dans les honneurs publics que la cité rendait aux citoyens tombés sur le champ de bataille, chaque tribu tenait à ce que les siens ne fussent pas confondus avec les autres. Un char spécial était affecté au transport de leurs restes et souvent une inscription composée par ses soins commémorait leurs noms (2).

Autres groupements religieux. — Ainsi, dans Athènes, chacun, par le seul fait de sa qualité de citoyen, se trouvait associé à une série de pratiques religieuses superposées, qui, toutes, créaient des liens entre lui et des groupes déterminés d'autres Athéniens. Et, à ces liens, contractés dès la naissance, s'en ajoutaient d'autres qui se formaient par consentement volontaire. De multiples associations existaient sous le nom de thiases, d'orgéons, d'hétairies, de synodes, qui ne se proposaient pas toutes, il est vrai, des buts de religion, tant s'en faut, mais qui, presque toutes, se constituaient pourtant, comme nos anciennes confréries, en groupements de forme religieuse. Et ce qui est dit ici d'Athènes s'applique d'une manière géné-

---

(1) Pausanias remarque que, pour beaucoup de légendes, il existait dans les dèmes des traditions locales, différentes de celles qui avaient cours à Athènes (*Attique*, 14, 7).

(2) Thucydide, II, 34.

152

rale à toutes les cités grecques. Leur vie intérieure est loin de nous être connue de la même manière, car les historiens nous ont moins parlé d'elles. Mais ce que nous en savons, par les inscriptions principalement, nous montre suffisamment qu'il n'y avait pas à cet égard de différences notables entre elles. Sous des noms analogues ou différents, mais en somme équivalents, nous retrouvons presque partout mêmes usages résultant des mêmes sentiments. Telle cité a pu être à cet égard plus complètement organisée que telle autre ; il n'y en avait probablement aucune en Grèce où la religion ne fût étroitement mêlée à la vie sociale et à l'organisation politique.

III. — LA RELIGION DANS LA VIE PUBLIQUE. FÊTES DE LA CITÉ

Les actes publics. — Au reste, on peut dire que tout acte important de la vie publique était en Grèce un acte religieux. Il serait fastidieux de justifier cette affirmation par une énumération de rites officiels plus ou moins identiques. Quelques faits caractéristiques en diront assez sur ce point. C'est une chose bien remarquable, par exemple, que toute délibération de l'Assemblée du peuple débutait obligatoirement par une cérémonie de purification. Un sacrificateur, le *péristiarque*, faisait le tour du lieu de réunion, aspergeant la place avec le sang de jeunes porcelets immolés à cette occasion. On brûlait ensuite de l'encens, après quoi le secrétaire de l'assemblée lisait le texte d'une prière qu'un héraut répétait à haute voix ; venait enfin une formule de malédiction contre les ennemis de la République. C'était seulement après l'accomplissement de ce rite que le président ouvrait la délibération (1). Des usages analogues étaient observés dans le Conseil des Cinq-Cents et, en général, dans toutes les réunions officielles, dans celles des dèmes et des tribus. S'il en était ainsi pour des actes aussi ordinaires, à plus forte raison la religion devait-elle intervenir lorsqu'il s'agissait d'une entreprise où de graves intérêts étaient mis en jeu. Rappelons, à titre d'exemple, la description émouvante que Thucydide nous a donnée du départ de la flotte athénienne, en 415, pour l'expédition de Sicile :

(1) Schœmann-Lipsius, *Griech. Alterthümer*, II, p. 408.

« Lorsque tous les hommes furent à bord et qu'on eut chargé sur les vaisseaux tout ce qu'ils devaient emporter, la trompette commanda le silence ; et alors les prières qui sont de coutume au moment d'un départ se faisaient entendre ; non plus sur chaque navire isolément, mais par tous les assistants simultanément, répétant les paroles que prononçait le héraut. Et d'un bout à l'autre de la flotte, puisant le vin dans les cratères remplis, les équipages et les chefs, avec des coupes d'or et d'argent, procédaient aux libations ; du rivage, leur répondait la prière commune de la foule des citoyens et de tous ceux qui étaient venus là s'associer de cœur à eux. Un péan s'éleva, on acheva les libations et la flotte se mit en marche (1). »

Certes, il s'agissait là d'une circonstance exceptionnelle; mais l'historien nous signale que les prières dont il parle étaient celles « *qui étaient de coutume au moment des départs* ». L'émotion publique leur donnait seulement ce jour-là plus de solennité. Admettons, pour ne rien exagérer, que, dans l'usage courant, quelques-unes de ces prières officielles étaient traitées par un assez grand nombre de gens comme de simples formalités. Beaucoup les écoutaient d'une oreille distraite ou les répétaient machinalement. Il n'en est pas moins vrai qu'il suffisait d'un cas grave pour leur rendre immédiatement leur pleine signification. Dès qu'une grande espérance exaltait les âmes, dès qu'une inquiétude sérieuse les troublait, ces prières redevenaient aussitôt l'expression de sentiments profonds, dans lesquels tous se sentaient unis. Et, par là, elles étaient une des forces morales de la cité.

Les fêtes des cités. — Mais c'était surtout par les grandes fêtes, où celle-ci déployait toutes ses pompes, que la religion exerçait sur elle sa plus efficace influence. Elle la devait à la poésie de ses légendes, à leur richesse morale, à leur valeur éducative, qu'elle avait alors l'occasion de mettre en œuvre.

Il était naturel que le brillant essor de la prospérité matérielle, au Ve siècle, ainsi que celui de la puissance des principales cités grecques, ait été accompagné d'un non moins brillant développement du culte. Ce fut, en effet, le sentiment du rôle qu'elles avaient à jouer, l'exaltation de leur fierté, l'abondance des ressources nouvelles dont elles disposaient qui incitèrent quelques-unes d'entre elles à donner à leurs fêtes un éclat nouveau, en mettant d'ailleurs à profit le perfectionnement simultané des arts.

(1) Thucydide, VI, 32.

Prééminence des fêtes athéniennes. — Celles d'Athènes méritent particulièrement l'attention. Non seulement, elles étaient reconnues partout comme les plus agréables à voir, les mieux ordonnées, les plus dignes des dieux, mais c'étaient aussi, grâce à l'hospitalité traditionnelle de la grande cité et au rayonnement de son influence, celles qui attiraient le plus grand nombre d'étrangers; et l'admiration qu'elles provoquaient fit qu'on les imita en beaucoup d'endroits. C'est à Athènes, notamment, que les représentations théâtrales prirent la forme qui, peu à peu, s'imposa partout. Dès le milieu du VIe siècle, on avait vu l'État en prendre la direction. L'exemple donné à cet égard par Pisistrate et ses fils fut suivi par la démocratie du Ve et du IVe siècle. L'assemblée considérait comme un de ses devoirs les plus sérieux d'assurer la bonne organisation des cérémonies religieuses officielles. Elle la réglementait par ses décrets et exigeait qu'on lui rendît un compte exact de la façon dont ils étaient exécutés. Mais l'État athénien ne faisait pas tout par lui-même : il appartenait aux tribus, comme on l'a vu, de désigner ceux de leurs membres les plus riches qui devaient prendre à leur charge une partie des frais et s'occuper de la préparation nécessaire. Les citoyens ainsi désignés devenaient moralement responsables du succès devant leur tribu et devant le peuple. Ils encouraient la mésestime publique s'ils donnaient prise à une imputation de lésinerie ou de négligence. Toutes les fêtes, ou peu s'en faut, ayant forme de concours, le désir instinctif de l'emporter sur les autres, si vif chez les Grecs de ce temps, entrait en jeu chez tous. On se surpassait soi-même pour surpasser ses rivaux. Et ainsi toute célébration devenait vraiment l'affaire de tous.

Quelques grandes fêtes. — Ces fêtes athéniennes étaient nombreuses. Il n'y avait guère de mois dans l'année qui n'eût les siennes. Les principales, les plus représentatives de la brillante civilisation du Ve siècle et du suivant, étaient les Panathénées, les Anthestéries, les Dionysies, les Lénéennes et les fêtes d'Éleusis.

Les Panathénées étaient proprement la fête de la cité, celle où elle célébrait ses origines et rendait un hommage solennel à sa déesse éponyme. Dès le VIe siècle, cette célébration avait pris un grand éclat par l'organisation des concours de rhapsodes qui débitaient publiquement l'*Iliade* et l'*Odyssée*. Depuis lors, ces récitations en étaient restées un des éléments principaux; grâce à elles, la vieille épopée homérique, rajeunie par l'art des rhapsodes qui s'était lui-même perfectionné sous l'influence du théâtre, demeurait toujours vivante, toujours riche d'influence et d'enseignement. Mais ce qui faisait sans doute le principal intérêt de la fête, c'était la procession qui avait lieu tous les quatre ans et dont le souvenir a été immortalisé par la célèbre frise du Parthénon, magnifique conception de Phidias, réalisée certainement d'après ses dessins et due en partie à son ciseau. Nous y voyons encore, dans ce qui en subsiste, la représentation idéalisée de la cité défilant en bel ordre, pour apporter à la divinité ses hommages et l'offrande du voile, brodé en son honneur par les jeunes Athéniennes; nous y voyons les nobles vieillards, les vigoureux et hardis cavaliers maîtrisant leurs chevaux ardents, les vierges et les femmes dans la grâce naturelle de leurs attitudes et de leurs mouvements. Rien ne fait plus vivement sentir ce que la religion de ce peuple contenait alors d'ordre, d'harmonie et de sereine beauté.

La procession qui, au mois de Boédromion, se rendait d'Athènes à Éleusis, au sanctuaire de Déméter et de Coré, avait un tout autre caractère et manifestait un autre aspect de cette même religion. Elle renouvelait en effet les rites d'un ancien culte agraire, dont le sens primitif s'était profondément transformé. Le sentiment qui inspirait les initiés et ceux qui aspiraient à l'initiation, nous l'avons défini déjà : tous allaient chercher dans ce lieu sacré des espérances pour une autre vie. Dans les actes qu'ils accomplissaient subsistaient des traits où survivait quelque chose de l'antique rusticité. Mais une pensée nouvelle avait passé sur tout cela pour le spiritualiser et, partout, avait mis de la beauté. Il y en avait dans le défilé des éphèbes en armes, qui accompagnaient la procession; il y en avait aussi dans les monuments nouveaux qu'Éleusis vit s'élever au Ve siècle, particulièrement dans le sanctuaire des initiations (ou *Télesterion*), un des chefs-d'œuvre de l'architecture du temps.

Les Anthestéries, les Dionysies, celles de la ville et celles des champs, ainsi que les Lénéennes, avaient toutes pour objet le même dieu, Dionysos, devenu, dans le monde divin du Ve siècle, un personnage de premier plan. Plusieurs sources de croyances, comme on l'a vu, s'étaient confondues en une seule pour lui donner cette importance. La variété de ces origines explique comment le même culte pouvait présenter des aspects très divers. La joie s'y mêlait au deuil, l'ivresse, la sensualité, la grossièreté même à l'enthousiasme, à une exaltation vive de l'imagination, à des sentiments de crainte religieuse et de pitié. Ce fut ce mélange d'éléments qui le rendit remarquablement fécond en inspirations créatrices. Si les Anthestéries intéressent surtout l'histoire des religions par la survivance de rites curieux et naïfs, en revanche aux Dionysies et aux Lénéennes se rattachent quelques-unes des créations capitales du génie hellénique, quelques-unes des plus remarquables productions de sa civilisation; d'une part, le développement du lyrisme musical, d'autre part, celui des diverses formes du drame, qui avaient pris naissance au vi^e siècle. Nous aurons à les considérer plus loin comme éléments de la vie intellectuelle du temps; pour le moment, c'est en qualité de manifestations de la vie religieuse qu'elles appellent notre attention.

Le lyrisme musical au service de la religion. — Une des formes du lyrisme musical qui obtint un succès particulièrement brillant au ve siècle fut le dithyrambe. Les témoignages nous apprennent qu'il était chanté aux grandes Dionysies par des chœurs appelés cycliques qui concouraient entre eux; chœurs d'hommes faits et chœurs d'enfants. Ces chœurs étaient fournis par les diverses tribus, et c'était aux chorèges désignés par elles que revenait la charge de les faire instruire et de les équiper. L'émulation était grande entre ces troupes de chanteurs, désireuses de se surpasser les unes les autres en honorant le dieu. Pour leur fournir des morceaux de chants toujours nouveaux et pour en composer la mélodie, on faisait appel aux poètes alors renommés. Après Simonide, son neveu Bacchylide et l'illustre poète de Thèbes, Pindare, composèrent à l'usage de ces chœurs des poèmes dont quelques parties sont parvenues jusqu'à nous. Et, plus tard, les novateurs dans l'art musical, les Philoxène, les Timothée, vers la fin du même siècle, adaptèrent à ce même genre leurs conceptions originales. Cultivé par de tels maîtres, le dithyrambe, qui d'ailleurs subissait l'influence de la tragédie, exerçait à son tour la sienne sur l'antique nome apollinien. Ces représentations lyriques, qui édifiaient le peuple d'Athènes, le charmaient en même temps. Elles prêtaient à la vieille mythologie une grandeur et une noblesse mêlées d'une certaine philosophie; elles l'embellissaient en l'idéalisant. Pour elles fut construit l'Odéon, le premier théâtre qui ait été consacré en Grèce aux auditions musicales.

Les représentations dramatiques. — Mais, entre les éléments des fêtes dionysiaques, aucun ne fut égal en valeur aux représentations dramatiques. C'est par les créations de son théâtre qu'Athènes, au ve siècle, révéla le plus complètement l'originalité de son génie. Dans les deux branches essentielles de l'art dramatique, la tragédie et la comédie, elle produisit des œuvres qui devinrent immédiatement des modèles et qui n'ont pas cessé depuis lors de s'imposer à l'admiration. Nées l'une et l'autre au siècle précédent, la tragédie et la comédie n'avaient pas tardé à gagner la faveur du public et à obtenir par suite le patronage de l'État. Dès 536, celui-ci instituait des concours entre les poètes tragiques, parmi lesquels brillait alors Thespis. Au début du ve siècle, les auteurs de comédie, à leur tour, étaient invités à se disputer des prix réservés à leur art. Et, dès lors, ces deux concours semblent avoir eu lieu sans interruption d'année en année, la tragédie, à l'origine, étant jouée aux Grandes Dionysies, la comédie aux Lénéennes; répartition qui fut d'ailleurs modifiée au cours de ce siècle. Une réglementation qui varia, et dans le détail de laquelle nous n'avons pas à entrer ici, atteste l'importance que le peuple athénien attachait à ces représentations. Elles étaient pour lui des cérémonies religieuses en même temps que des spectacles pleins d'attraits. Une des fonctions imposées à l'archonte-roi, chargé des soins du culte officiel, consistait à choisir, entre les œuvres nouvelles offertes par les concurrents, celles qui lui paraissaient les meilleures, puis à attribuer à chacun des poètes admis, dont le nombre au ve siècle était fixé à trois, un chœur fourni par une des tribus. La tribu à son tour, comme on l'a vu plus haut, désignait un chorège à qui incombaient les frais occasionnés par ce chœur. L'État, lui, avait à rémunérer les acteurs et à pourvoir aux dépenses de la scène. Des juges, désignés par le sort au moyen d'un système de tirage assez compliqué, étaient appelés à se prononcer sur le mérite relatif des concurrents, entre lesquels un seul était proclamé vainqueur. Si, au ive siècle, la forme des concours subit quelques variations, l'esprit même de l'institution n'en fut pas modifié. Ainsi organisées, ces représentations dramatiques des grandes Dionysies, semblent avoir joui d'une popularité qu'aucune autre fête n'égalait. Une foule immense y assistait, dans laquelle de nombreux étrangers se mêlaient aux citoyens. Toutes les classes y étaient confondues et toutes, ces jours-là, participaient aux mêmes sentiments. Nous aurons à parler un peu plus loin des grands poètes dramatiques de ce temps, de leurs œuvres et de leur influence. Disons simplement ici que ce théâtre d'Athènes, où les plus nobles esprits ont mis en scène, en les idéalisant, les passions, les souffrances et les grandes actions des héros de la légende, a manifesté merveilleusement ce qu'il y avait de religieux et de profondément humain en même temps dans la civilisation grecque.

Fêtes religieuses en dehors d'Athènes. — Sans pouvoir rivaliser avec Athènes, toutes les cités grecques avaient leurs fêtes propres, dont un assez grand nombre sont mentionnées dans des textes d'auteurs ou des inscriptions; mais il en est peu qui nous soient connues avec quelque précision et qui présentent un intérêt particulier. Il n'y a donc pas lieu d'y insister ici longuement. Rappelons cependant les trois grandes fêtes lacédémoniennes, les Hyacinthies, les Carnéennes et les Gymnopédies, qui toutes se rapportaient au culte d'Apollon; elles étaient célébrées par des processions, par des exercices gymnastiques et des jeux, mais surtout par des chants accompagnés de danse auxquels prenaient part simultanément des chœurs de jeunes gens et des chœurs de jeunes filles. Autant que nous pouvons en juger, Apollon y était adoré, tantôt comme le dieu solaire, à la fois bienfaisant et redoutable, qui ranime la vie de la nature au printemps, mais qui peut aussi la dessécher et la flétrir, tantôt comme le protecteur des troupeaux. Quoi qu'il en soit il n'est pas douteux que ces fêtes ne fussent surtout pour la grande cité dorienne l'occasion d'entretenir le sentiment de sa force et de son perpétuel rajeunissement, et c'est de cela qu'elle témoignait sa reconnaissance à son dieu. Mentionnons encore la curieuse célébration appelée le steptérion, qui avait lieu à Delphes tous les neuf ans et qui était une représentation figurée de la lutte légendaire d'Apollon contre le serpent Python. Comme le dieu était censé s'être rendu de Delphes et de la Phocide à Tempé en Thessalie, soit pour se faire purifier du meurtre qu'il avait commis, soit pour atteindre son ennemi qui fuyait devant lui, une procession refaisait le même parcours. Curieux exemple d'antiques usages dont la signification même s'était obscurcie, mais dont la survivance s'imposait à une cité et devenait pour elle une sorte de privilège distinctif. Très nombreuses étaient les fêtes de ce genre qu'on pourrait citer en Attique, en Béotie, à Corinthe, à Sicyone, en Arcadie, en Élide, en Argolide, et dans les îles. Si l'abondance de ces cultes montre l'intensité de la vie religieuse en Grèce et son rôle dans celle des cités, elle n'atteste pas moins leur particularisme.

IV. — La religion comme lien entre les cités

Valeur de la religion comme lien fédéral. — Et, toutefois, la religion a lutté aussi dans une certaine mesure contre ce particularisme. Elle a contribué par plusieurs de ses institutions à rapprocher les cités, à entretenir le souvenir des origines communes, à favoriser le sentiment de la fraternité qui aurait dû en résulter. Si l'unité hellénique n'avait été impossible c'était par la religion qu'elle aurait eu le plus de chances de se réaliser. C'est à elle en effet qu'ont été dus anciennement les groupements amphictyoniques, c'est elle qui a toujours sanctionné les traités, et c'est elle enfin qui a institué les grandes fêtes panhelléniques.

Amphictyonies. — De bonne heure s'étaient constitués, autour de certains sanctuaires, des groupements religieux qu'on peut appeler du nom commun d'amphictyonies, bien que cette dénomination ne soit attestée que pour quelques-uns d'entre eux. J'ai parlé plus haut des assemblées religieuses tenues par les Doriens d'Asie au sanctuaire d'Apollon, près de Cnide, et de celles des douze villes ioniennes à Mycale, où elles célébraient le culte de Poséidon. Elles étaient le fait de fédérations qui ont eu un certain rôle politique, mais restreint naturellement à la Grèce d'Asie et au temps de son indépendance. Les fêtes ioniennes de Délos en l'honneur d'Apollon, dont l'hymne homérique dédié à ce dieu nous a donné en quelques vers une description charmante, semblent avoir cessé après l'assujettissement de l'Ionie. Restaurées par Athènes en 426, elles ne durent guère attirer que ses alliés. Strabon mentionne une amphictyonie béotienne qui tenait ses réunions à Onchestos près d'Haliarte, dans le sanctuaire de Poséidon, et une autre dans l'île de Calaurie, vers la pointe extrême de l'Argolide, qui fut anciennement une ligue, formée sous le patronage du même dieu par un certain nombre de villes maritimes du voisinage, parmi lesquelles figurait Athènes (1). Ni l'une ni l'autre n'a fait figure dans l'histoire de la Grèce.

La seule amphictyonie vraiment importante fut celle de Delphes. L'origine en est obscure. Elle se rattachait à deux sanctuaires, celui de Déméter à Anthéla près des Thermopyles et celui d'Apollon Pythien à Delphes. Dans l'âge historique, douze peuples en faisaient partie. Elle avait pour objet principal, la garde des intérêts et des droits du temple, mêlé alors à tant d'affaires de tout genre, et l'organisation des jeux pythiques. Son rôle, bien qu'essentiellement religieux, ne pouvait rester étranger à la politique. Si le Conseil des *hiéromnémons*, qui représentaient les peuples ainsi ligués, avait su se couvrir de l'autorité du dieu pour exercer une sorte d'arbitrage entre les divers États de la Grèce, il aurait été à même de contribuer à l'apaisement de leurs querelles et il aurait pu servir à promouvoir l'union nationale. Mais ce conseil comprenait, à côté de quelques petits peuples, trop faibles pour exercer une influence, les représentants des puissants États qui divisaient la Grèce. Ce furent ces États qui, selon les circonstances, se servirent de l'Amphictyonie au profit de leurs desseins ambitieux. C'est dans son sein que naquirent les guerres dites sacrées, dont la dernière procura au roi de Macédoine l'occasion de pénétrer dans la Grèce centrale et d'y établir sa domination.

Le temple de Delphes. — Cette amphictyonie, au reste, n'avait sur le temple qu'une autorité restreinte. En fait, le culte relevait d'un collège de prêtres locaux, appartenant à d'anciennes familles de Delphes de qui dépendait l'oracle. C'étaient ces prêtres qui choisissaient la Pythie, chargée de recevoir l'inspiration du dieu, et c'étaient eux qui mettaient en forme et transmettaient aux intéressés les réponses qu'elle donnait en paroles confuses. On a vu plus haut quel fut pendant plusieurs siècles le crédit de cet oracle. De tous les points de la Grèce et même parfois des royaumes barbares voisins, on venait le consulter en lui apportant de riches présents. L'influence qu'il eut ainsi l'occasion d'exercer fut grande et souvent bienfaisante. Presque toutes les colonies, grâce auxquelles la civilisation grecque put se propager au loin, furent

(1) Strabon, IX, p. 412 et VIII, p. 374.

fondées d'après ses instructions. C'est à cet oracle aussi que les législateurs les plus renommés demandèrent de sanctionner leurs lois. Sparte admettait que Lycurgue avait été, en organisant sa constitution, l'interprète des volontés du dieu; Solon avait fait consacrer par lui sa mission; il en était de même de Zaleucos. D'autre part, les grands jeux, qui réunissaient périodiquement tous les Grecs, furent successivement institués par ses ordres ou avec son approbation. Enfin les principaux États de la Grèce avaient coutume de le consulter sur toutes les questions importantes, et, pour ces consultations, quelques cités, notamment Sparte et Athènes, s'étaient donné des intermédiaires spéciaux élus par le peuple ou désignés par le dieu. Il semble qu'une telle autorité, revêtue d'un caractère divin, avait tous les moyens de s'employer efficacement pour le bien commun. N'était-elle pas, par sa nature même, élevée bien au-dessus des disputes humaines? En fait, il n'en fut pas ainsi. Obligée de se préoccuper de sa sécurité souvent menacée, désireuse de se faire des alliés, soucieuse d'intérêts politiques, Delphes ne prit jamais en Grèce le rôle de conciliatrice qui lui revenait naturellement. En général, elle se confina plutôt dans une neutralité prudente jusqu'à l'indifférence. Les monuments de reconnaissance qui s'élevèrent dans l'enceinte sacrée de son dieu ont été, trop souvent, ceux des victoires remportées par les Grecs sur d'autres Grecs.

Les quatre grandes fêtes nationales. — Les grandes fêtes nationales étaient aussi un des moyens dont la religion disposait pour opérer un rapprochement entre les divers peuples de la Grèce. Les plus renommées étaient celles qui se renouvelaient tous les quatre ans à Olympie en Élide auprès du temple de Zeus et en son honneur. Non seulement on y célébrait par des sacrifices solennels le roi des dieux, mais à son culte on associait d'autres souvenirs religieux, celui de Pélops, ancêtre légendaire des anciens héros du Péloponnèse, et celui d'Héraclès, de qui prétendaient descendre les deux lignées royales de Sparte. Toute la Grèce était convoquée par des messagers spéciaux, qui allaient prier les villes de se faire représenter aux fêtes; et les villes répondaient à ces invitations en y envoyant des députations dites théories. Une trêve sacrée était proclamée qui assurait la sécurité de ces députations et l'inviolabilité du territoire d'Olympie pendant la durée des jeux. Il semblait alors que toutes les divisions fussent oubliées et que la fraternité hellénique, manifestée dans un culte commun, dût être ravivée là périodiquement. Tous les Grecs, sans distinction de cités, les colonies lointaines comme les métropoles, les rois et les citoyens des oligarchies comme ceux des démocraties, étaient admis à concourir. Les courses de chars, les exercices gymniques offraient aux concurrents l'occasion de faire admirer soit leur richesse, soit leur adresse, soit leur force et leur endurance, toutes les qualités en un mot qui assuraient alors la célébrité. Dans ces immenses rassemblements, on participait aux mêmes émotions, on apprenait à se mieux connaître les uns les autres, on échangeait des idées, on y contractait parfois des liens d'hospitalité ou même des amitiés. Et ce qui est dit ici des jeux olympiques s'applique aussi aux autres fêtes nationales, aux Pythiques, aux Néméennes, aux Isthmiques, bien qu'inférieures aux Olympiques en éclat et en renommée. Les Pythiques, célébrées à Delphes tous les quatre ans en l'honneur d'Apollon, tenaient le second rang dans l'opinion publique. Nées d'un simple concours de citharèdes, elles s'étaient développées depuis 582 par l'adjonction de courses de char et de concours gymniques, bien que le chant de la cantate appelée nome et consacrée au souvenir de la lutte d'Apollon contre le serpent Python en fût toujours le principal élément. A Némée, dans le Péloponnèse, c'était Zeus, comme à Olympie, qui était à l'honneur; tous les deux ans avaient lieu auprès de son temple, après les cérémonies religieuses, des courses de char et des exercices analogues à ceux qui ont été énumérés plus hauts. Quant aux Isthmiques, c'était par les soins de Corinthe et sous sa présidence qu'elles étaient célébrées, tous les deux ans aussi, en l'honneur de Poséidon; et là également, on venait admirer la rapidité des chevaux, l'adresse et l'audace des conducteurs de char, la force et l'agilité des athlètes. Ajoutons que dans ces réunions, à Olympie particulièrement, les hommes de talent, poètes, historiens, orateurs trouvaient un public disposé à les écouter, auquel quelques-uns des plus célèbres d'entre eux se plurent à faire applaudir certaines parties de leurs œuvres.

Il paraît impossible que ces belles cérémonies, ces spectacles passionnants et l'exaltation des sentiments qui s'y produisait n'aient pas eu une influence heureuse sur ceux qui venaient en foule y assister. On est en droit de penser qu'ils s'y sentaient fiers des qualités nationales qui s'étaient déployées sous leurs yeux et qu'ils en remportaient l'impression très vive d'appartenir à une race privilégiée naturellement supérieure à tous les peuples barbares. Malheureusement, une telle impression ne pouvait rien contre d'anciennes passions, contre des intérêts rivaux toujours présents, contre des diversités politiques qui engendraient d'incurables animosités. Les démocraties ne se sentaient pas moins ennemies des oligarchies et chaque cité n'en était pas moins désireuse de son indépendance. Il arriva même que la présidence de ces fêtes pacifiques fut disputées par les armes. Instituées pour rapprocher les Grecs les uns des autres, elles devinrent parfois pour eux une occasion nouvelle de discordes et de luttes.

On ne peut donc pas dire, en somme, que la religion grecque, quelque influence qu'elle ait eue sur les individus et dans la vie de chaque cité, ait été un élément d'union vraiment efficace entre les Grecs. Elle les a souvent rapprochés les uns des autres, elle n'a jamais réussi à leur faire oublier leurs divisions. Toutefois, comme elle était au fond, la même pour tous, il est incontestable qu'elle contribuait à entretenir la conscience de l'origine commune. Les sentiments qu'elle inspirait étaient à peu près les mêmes partout. Ils naissaient des mêmes croyances essentielles, s'alimentaient aux mêmes souvenirs et aux mêmes légendes, s'exprimaient dans les mêmes formes. Ainsi se perpétuait une sorte de fonds commun, qui était une des parties essentielles de la civilisation grecque. Nous allons avoir à le constater encore en traitant de la vie intellectuelle et artistique de la Grèce.

6 LA VIE INTELLECTUELLE ET ARTISTIQUE AU Vᵉ SIÈCLE

Division du sujet. — Ni la vie religieuse de la Grèce ni sa vie politique n'étaient dans la réalité séparées de sa vie intellectuelle. Celle-ci s'est donc déjà laissé entrevoir à nous dans les chapitres précédents. Il n'en est pas moins nécessaire de revenir maintenant sur ce sujet et de lui donner toute l'importance qu'il mérite. Il s'agit, en effet, de l'aspect le plus brillant de la civilisation grecque, de celui qui a valu à la Grèce antique l'admiration de tous les peuples modernes. C'est par les œuvres de la pensée et par celles de l'art qu'elle a jeté alors un éclat merveilleux, un éclat que le temps n'a pas affaibli. Ces œuvres sont les titres précieux qu'elle peut faire valoir à la reconnaissance de l'humanité. C'est, il est vrai, à l'histoire littéraire et à celle de l'art qu'il appartient exclusivement d'en rappeler le détail et de les étudier au point de vue critique. Mais un tableau de la civilisation grecque où elles n'auraient pas une place d'honneur serait ridiculement incomplet. Je dois donc essayer d'en extraire ce qu'elles contiennent d'essentiel, j'entends par là ce qui est nécessaire pour caractériser le mouvement d'idées dont elles procèdent et pour en faire sentir toute la valeur.

Bien que le IVᵉ siècle soit à cet égard le continuateur du Vᵉ, il y a cependant de l'un à l'autre des différences sensibles qu'il importe de faire ressortir. Pour cette raison, j'en ferai l'objet de deux chapitres distincts.

I. — LA PHILOSOPHIE

Son influence générale. — C'est de la philosophie qu'il convient de parler tout d'abord. Non pas qu'elle tienne le premier rang par ses œuvres dans la littérature du ve siècle, mais parce qu'elle a fait sentir son influence dans presque toutes les productions de la pensée contemporaine. Parmi les poètes, les historiens, les orateurs du temps, il en est bien peu qui n'aient été touchés par elle. Chez presque tous, on découvre quelque reflet de ses spéculations; et là même où elles n'ont pas laissé de traces certaines, on note tout au moins des habitudes d'esprit, des modes de raisonner, des curiosités nouvelles qui trahissent son action.

État des doctrines au début du Ve siècle. — On se rappelle l'effort continu que les penseurs du vi^e siècle, en Ionie et en Italie, avaient fait pour rendre compte de la nature des choses. Cet effort n'avait abouti qu'à des divergences irréductibles. Les Ioniens voulaient expliquer le monde en le considérant comme le résultat des transformations d'une substance unique. Les Éléates niaient la possibilité de ces transformations; à leurs yeux, le mouvement et la variété apparente des choses n'étaient qu'illusion; la définition même de l'être excluant toute idée de pluralité et de changement. Ces divergences ne découragèrent pas leurs successeurs. L'esprit grec était dès lors trop épris de recherches et trop riche en combinaisons pour s'arrêter à mi-chemin. Ils essayèrent de concilier ce qui paraissait inconciliable. Quelques-uns d'entre eux créèrent ainsi des systèmes dans lesquels certaines vues profitables à la science se mêlaient à des constructions imaginaires.

Empédocle d'Agrigente. — Tel fut le sicilien Empédocle d'Agrigente, né vers 490, chef du parti démocratique dans sa ville natale, qu'il contribua à libérer de la tyrannie, plus tard mort en exil, vers 400. Médecin et observateur de la nature, il lui était impossible de se prêter à la conception abstraite de l'unité sans mouvement, enseignée par les Éléates. Mais il n'acceptait pas non plus la matière unique des Ioniens. Dans un poème dont quelques curieux fragments sont venus jusqu'à nous, il enseignait l'existence de quatre éléments irréductibles, qu'il appelait les racines des choses : c'étaient le Feu, l'Air, la Terre et l'Eau. Il exposait, en un langage plus mythologique que philosophique, comment ces quatre éléments, se combinant entre eux sous l'action de l'Amour, arrivaient à former l'Univers, tel que nous le voyons, avec tout ce qu'il contient; et comment ensuite, par un mouvement inverse, la Haine le dissolvait et ramenait les quatre éléments à leur état primitif; succession indéfinie de périodes, où se reproduisaient toujours les mêmes phénomènes, résultant des mêmes causes. Il est curieux de voir par cet exemple à quel point l'influence de l'anthropomorphisme s'exerçait encore sur les conceptions de la pensée. Esprit étrange d'ailleurs, Empédocle, dans un autre poème intitulé les *Purifications*, se révélait comme une sorte de prophète inspiré et de magicien. Il fut cependant aussi un des initiateurs de la science médicale qui lui dut quelques observations physiologiques utiles.

Anaxagore de Clazomènes. — Préoccupé des mêmes problèmes, l'ionien Anaxagore de Clazomènes, plus jeune qu'Empédocle d'une dizaine d'années environ, chercha des solutions moins poétiques, mais plus simples et plus précises. Il eut le sentiment très net que les éléments premiers de la matière ne pouvaient pas être ceux qui frappent nos sens et qu'Empédocle avait jugés irréductibles. « Comment le cheveu, disait-il, peut-il provenir de ce qui n'est pas cheveu et la chair de ce qui n'est pas chair (1)? » Une telle question montre que la merveilleuse composition des êtres organisés ne lui avait pas échappé. Devinant que la matière est constituée de parcelles infiniment petites, il crut résoudre la difficulté dont il avait si vivement conscience, en imaginant que chacune de ces parcelles était un tout complet, comprenant en soi toutes les semences des choses. L'antiquité a appelé sa doctrine l'*homéomérie*, c'est-à-dire la doctrine des particules semblables. Mais il y a doute pour savoir si Anaxagore a voulu dire que chacune de ces parcelles d'être contenait toutes les formes déjà distinctes les unes des autres, ou simplement les conditions d'existence de ces formes, le chaud et le froid, le sec et l'humide, le lumineux et le sombre, etc. Quoi qu'il en soit, la grande affaire était d'expliquer comment ces parcelles, d'abord agglomérées confusément, s'étaient séparées et groupées pour former des corps. Cette organisation, Anaxagore l'attribua à un élément distinct de tous les autres, qu'il appela l'intelligence (*nous*). Qu'était-ce au juste pour lui que cette intelligence? Il ne semble pas, à vrai dire, qu'il se soit expliqué clairement sur ce point ni même peut-être qu'il en ait eu lui-même une notion parfaitement nette. L'intelligence qu'il décrit n'est pas matière, elle n'est pas non plus esprit à proprement parler.

(1) Diels, *Fragmente der Vorsokratiker*, Anaxag. frag. 10.

C'est une force attachée à la matière, elle la met en mouvement, lui imprime une rotation qui permet à chacune des parcelles d'obéir à sa loi, de suivre sa tendance naturelle et, par suite, de se grouper avec ses semblables. Il en résulte que cette force produit en somme de l'ordre, elle agit comme l'intelligence, elle est en quelque sorte une intelligence qui ne se connaît pas. Partant de là, Anaxagore expliquait à sa façon tout le système du monde.

Venu à Athènes vers 460, il y entretint des relations avec les hommes les plus distingués, notamment avec Périclès, et il publia là son traité *de la nature*, aujourd'hui perdu, mais dont un témoignage de Platon nous apprend le succès (1). Son influence fut grande sur beaucoup de ses lecteurs, parmi lesquels il faut mentionner Euripide. Mais la hardiesse de ses vues inquiéta la piété des Athéniens. Il avait émis l'idée que le soleil était une masse incandescente; c'était nier sa divinité. Le philosophe fut condamné; et, bien qu'il y ait sur ce point plusieurs traditions discordantes, on peut admettre qu'il dut s'exiler d'Athènes et qu'il alla terminer ses jours à Lampsaque. Il avait contribué plus que personne à introduire la philosophie dans un milieu où, jusque-là, l'esprit pratique l'emportait singulièrement sur la pensée spéculative.

Leucippe et Démocrite. — A ces deux philosophies de la nature s'en ajoutait dans le même temps une troisième, dont la supériorité scientifique n'a guère été reconnue que de nos jours. Ce fut la doctrine dite atomique, œuvre commune de deux Ioniens d'Abdère, Leucippe et Démocrite. De Leucippe, nous ne savons à peu près rien, sinon qu'il fut le maître de Démocrite. La biographie de celui-ci, qui vécut dans la seconde moitié du Ve siècle, nous est parvenue toute chargée de légendes. Ses écrits, très nombreux, ne nous sont connus que par des témoignages et par des fragments qu'on a recueillis dans les auteurs anciens. Ils attestent l'étendue et la variété de ses connaissances, sa passion de la recherche, ainsi qu'un talent d'écrivain qui a été loué par Cicéron et Denys d'Halicarnasse. Pour expliquer le monde, Démocrite recourait comme Anaxagore à la conception de particules matérielles infiniment petites et en nombre infini, qu'il appelait les atomes, mot grec qui signifie les indivisibles. Il échappait ainsi à l'objec-

(1) Platon, *Apologie*, 26.

tion tirée par les Éléates de la conception d'une divisibilité sans limite. Mais ces atomes n'étaient pas comme les particules d'Anaxagore des composés contenant les semences de tout. C'étaient au contraire des corps essentiellement simples, véritables éléments primitifs, qui ne différaient les uns des autres que par la forme et les dimensions. Ainsi reparaissait sous une forme nouvelle l'idée ionienne de l'unité fondamentale de la matière et d'une variété résultant uniquement d'actions mécaniques postérieures. Ces atomes, en effet, Démocrite se les représentait comme animés d'un mouvement incessant qui les amenait à se rencontrer et à s'agréger les uns aux autres de manière à donner naissance à l'infinie multiplicité des formes. Intuition géniale, et en même temps, ébauche d'explication singulièrement insuffisante, mais qui ne pouvait guère être dépassée en un temps où l'esprit humain ne soupçonnait rien des affinités chimiques ni de l'électromagnétisme. Refoulée dès son apparition par la philosophie platonicienne dont nous parlerons plus loin, cette doctrine n'eut aucun succès dans Athènes. Elle dut attendre un siècle avant d'être reprise par Épicure, qui la fit sienne sans y rien ajouter de vraiment nouveau. Il en assura du moins la popularité, comme l'atteste l'œuvre si remarquable et si passionnée du grand poète latin Lucrèce, son plus éloquent interprète.

Les sophistes. — A côté, ou plutôt au-dessous de ces maîtres de la pensée, il suffira de mentionner ici en passant quelques hommes qui n'ont guère fait que reprendre à leur compte et rajeunir d'anciennes doctrines, tels qu'un Diogène d'Apollonie ou un Archélaos. Par contre, il convient d'attacher plus d'importance à ceux qu'on a l'habitude d'appeler particulièrement les sophistes, qualification qui s'appliquait alors à tous les hommes renommés pour leur savoir. C'est par ces sophistes, en effet, que la philosophie, telle qu'on la comprenait alors, c'est-à-dire l'ensemble des sciences qui tendaient à se constituer, cessa d'être l'affaire exclusive de quelques penseurs et commença de se répandre parmi tous les esprits cultivés. Songeons qu'il n'y avait alors en Grèce rien d'analogue à nos établissements de haut enseignement. Quiconque voulait s'instruire devait aller chercher la science dans des livres spéciaux, dont la lecture était souvent laborieuse et peu attrayante. L'idée vint à quelques-uns de s'en faire les propagateurs. Ce fut la vocation des sophistes. Professeurs ou plutôt conférenciers, ils s'offrirent à donner leurs leçons, moyennant salaire, partout où on se montrait disposé à les entendre. Leurs enseignements variaient naturellement selon leurs aptitudes personnelles. Les uns étaient plutôt philosophes au sens propre du mot, d'autres maîtres d'éloquence, d'autres encore grammairiens, mathématiciens ou médecins. Il se trouvait dans ce groupe des hommes de valeur, un Protagoras d'Abdère, un Gorgias de Léontium, un Prodicos de Céos, que Platon plus tard fera figurer dans ses dialogues ; il s'y rencontrait aussi des personnages légers et présomptueux, dont la vanité prêtait à rire aux vrais philosophes. Ces sophistes étaient obligés par leur profession même a une existence nomade. Athènes, foyer du mouvement intellectuel, les attirait toutefois et les retenait plus que toute autre ville; aucun d'eux, il est vrai, ne semble s'y être fixé ; mais tous ou presque tous y firent des séjours répétés. Généralement, ils condensaient en un certain nombre de leçons ce qu'ils se proposaient d'enseigner ; le prix variait suivant l'étendue et la nature de ces leçons ; et ils annonçaient ou laissaient croire que ces cours réduits devaient assurer à leurs auditeurs un savoir solide et complet. C'était là ce qui faisait tort à leur profession. La science semblait devenir chez eux une sorte de marchandise, qu'on débitait par tranches, à prix fixe. D'ailleurs, un tel enseignement, distribué et recueilli à la volée, ne pouvait être ni très sérieux, ni très profond. Reconnaissons toutefois que ces conférences brillantes, pleines de vues nouvelles et de suggestions, propageaient des idées et des connaissances qui, sans elles, seraient restées le privilège de quelques-uns. Une certaine somme de philosophie, de politique théorique, de morale, de sciences diverses se répandait ainsi, dans les hautes classes d'abord et, de là, dans le grand public.

Socrate : son rôle. — Cet afflux de nouveautés, comme on peut le penser, n'était pas sans produire une certaine confusion dans les esprits. Beaucoup d'hommes intelligents, dans la seconde moitié du Ve siècle, ne savaient plus trop où ils en étaient, en matière de religion ou même de morale. La pensée grecque avait besoin de s'examiner elle-même, d'éliminer bien des choses vieillies, d'écarter même, au moins pour quelque temps, certaines recherches prématurées, de dégager, en revanche, quelques vérités solides et de se faire une méthode pour les affirmer et les développer. Tâche aussi difficile que nécessaire, puisqu'elle exigeait une intelligence assez souple et assez fine pour pénétrer toutes les questions, assez ferme pour ne pas s'y perdre. Ces rares qualités se trouvèrent unies chez Socrate.

L'homme, sa vocation. — Ce n'était pourtant qu'un homme de très modeste condition ; mais son génie naturel, son désir de savoir, son amour ardent du vrai et du bien suppléèrent à tout ce qui pouvait lui manquer. Délaissant de bonne heure toute occupation lucrative, satisfait de sa pauvreté, il crut recevoir d'une voix intérieure la confirmation de la vocation qui le portait à chercher le sens et le but de la vie, pour orienter sa conduite et celle des autres. Cette vocation lui apparut comme l'ordre d'une volonté divine. Mais loin de tirer de là aucun orgueil, il se proposa moins d'enseigner que de s'instruire, et il ne voulut éclairer autrui qu'en s'éclairant lui-même. Il n'est pas douteux qu'il n'ait beaucoup lu, beaucoup écouté, beaucoup médité aussi ; on le voyait parfois comme perdu dans ses réflexions ; mais c'était surtout en faisant parler ceux qui savaient, ou qui passaient pour savoir, qu'il exerçait sa pensée. Doué de l'esprit le plus critique, nul n'était moins que lui dupe des apparences. Bien vite, il s'aperçut de ce qu'il y avait d'illusion dans les désirs de la plupart des hommes, dans les calculs qui les faisaient agir ; et, d'autre part, prêtant l'oreille à ceux qui se donnaient pour des maîtres et des directeurs, il se rendit compte de l'imprécision de leurs idées. Il en conclut que l'ignorance de soi-même était le mal le plus commun, et que la condition nécessaire de la bonne conduite, source unique du bonheur, était de se bien connaître.

Sa méthode. — Possédé de cette idée, il se fit une méthode à lui, qui devint une des plus précieuses acquisitions de l'esprit humain. Elle consistait au fond dans la recherche patiente des vérités, qui échappent trop souvent à l'esprit inattentif, trompé par de vaines paroles. Cette recherche, il la conduisait au moyen de l'analyse, des comparaisons et de l'induction. La forme qu'il lui donnait était si simple qu'elle en dissimulait d'abord la profondeur. Point d'exposés oratoires à la mode des sophistes ; il pensait qu'un homme qui parle seul a toujours chance de s'égarer ou de n'être qu'imparfaitement compris. Au discours continu, il substituait donc une série logique de questions précises ; marche lente, mais sûre, par laquelle on n'avançait jamais d'un seul pas sans s'être mis d'accord sur une notion antérieure, parfaitement élucidée. En réalité, le questionneur, qui était Socrate lui-même, ne pouvait guère manquer d'avoir d'avance, le plus souvent, une opinion, au moins provisoire, sur le sujet traité ; mais, loin de l'affirmer tout d'abord et de la soutenir ensuite à tout prix, il la soumettait loyalement à un contrôle qu'il s'appliquait à rendre aussi rigoureux que possible. En somme, il ne s'estimait satisfait que si ses questions amenaient son interlocuteur à énoncer comme sa conviction personnelle l'idée qui était en jeu. Il semblait alors que celui-ci l'eût retrouvée de lui-même tout au fond de son esprit, où elle était restée latente jusque-là. C'est pourquoi Socrate, faisant allusion à la profession de sa mère, nommait plaisamment sa méthode la *maïeutique*, c'est-à-dire l'art d'accoucher les esprits.

Platon et Xénophon nous montrent dans leurs dialogues socratiques comment il la pratiquait tous les jours et partout. Dès le matin, on le voyait se promener sur la place publique. Toute occasion lui était bonne pour arrêter les gens, pour entrer en conversation avec eux. Peu lui importaient leur condition sociale et leur âge. Artisans ou marchands, hommes politiques, sophistes, jeunes gens et hommes faits, tous devaient s'attendre à être ainsi interrogés par cet enquêteur infatigable ; et il n'était pas facile de lui échapper. Son humeur enjouée, sa grâce insinuante et insidieuse, l'ironie charmante avec laquelle il avouait son ignorance et demandait à être instruit, rendaient la fuite presque impossible. Tout le monde à Athènes le connaissait ; et, de jour en jour, son influence grandissait. Sans tenir école, sans faire profession de quoi que ce soit, il groupait peu à peu autour de lui des habitués, surtout quelques jeunes gens passionnés pour la dialectique, et ceux-ci devenaient ses disciples, sans en prendre le titre.

Ses idées essentielles. — Cette méthode menait assez souvent ceux qui la pratiquaient, et Socrate tout le premier, soit au doute, soit à un aveu d'ignorance. Il s'en fallait cependant de beaucoup qu'elle aboutît au scepticisme. Tout au contraire, de ses entretiens se dégageait une doctrine, qu'on peut définir aujourd'hui encore par ses traits essentiels.

Elle s'appuyait sur une conception nouvelle de la philosophie. Cicéron l'a caractérisée ingénieusement en disant que Socrate « ramena la philosophie du ciel sur la terre ». Rejetant les spéculations sur l'origine des choses, sur le mouvement, sur la nature de l'être, qui peut-être inquiétaient son instinct religieux, et qui, en tout cas, lui paraissaient trop ambitieuses pour l'intelligence humaine, il posa en principe que la tâche propre de la philosophie était l'étude de l'homme et de ses intérêts immédiats. Assertion qui aurait eu l'inconvénient grave, si elle avait prévalu définitivement, d'arrêter l'essor des sciences physiques et naturelles, mais dont l'effet immédiat fut heureux : elle eut pour résultat de concentrer l'effort de quelques puissants esprits sur des questions de première importance, que l'activité mal réglée des sophistes avait à peine effleurées.

Cette étude de l'homme, comment Socrate la comprenait-il? Pour lui, le but de tout être humain était le bonheur ; la science du bonheur lui paraissait donc l'objet essentiel de la vie. Or il croyait fermement qu'il n'y avait pas de bonheur possible en dehors de la vertu, et, que d'autre part, la vertu suffisait presque, à elle seule, à procurer le bonheur. Ce qui empêchait, selon lui, la plupart des hommes de se rendre heureux par la vertu, c'étaient leurs illusions et leurs préjugés. Il était convaincu que, s'ils voyaient une fois à quel point le bien moral est profitable, ils le pratiqueraient tout naturellement. Tout son effort tendait donc à éclaircir ces notions fondamentales, en montrant ce qu'était au juste chacune des vertus, sagesse, tempérance, courage, justice, franchise, loyauté, désintéressement, amitié dévouée, abnégation, et en découvrant, dans chacune d'elles, ce même caractère d'utilité sociale et privée. Par contre, il faisait voir ce qu'il y a d'illusion et d'ignorance dans les vices ou les défauts opposés, particulièrement dans l'ambition et le désir des richesses. Il allait jusqu'à nier, contrairement à la morale traditionnelle du temps, qu'il fût jamais permis de rendre le mal pour le mal. En fait, c'étaient déjà, grâce à la noblesse de son âme, quelques-unes des plus belles parties de l'idéal chrétien et moderne qui émergeaient du fond de la civilisation grecque.

Et c'était aussi peut-être — sans qu'il en eût très clairement conscience — une religion nouvelle. La philosophie antérieure, en montrant dans la vie de l'univers le jeu de grandes forces naturelles, détruisait en fait l'édifice de la mythologie. Mais elle était, par sa nature, presque inaccessible à la plupart des intelligences. C'était proprement une philosophie de savants. D'autre part, elle n'offrait rien aux esprits religieux pour remplacer ce qu'elle ruinait. Socrate, au contraire, tout en rejetant les éléments grossiers de la mythologie, demeurait attaché au culte traditionnel et à certaines parties fondamentales de la croyance commune. S'il n'admettait ni les conflits de dieux, ni leurs passions, ni rien de ce qui les dégradait, il ne souffrait pas qu'on mît en doute leur intervention dans les choses humaines. Il croyait à leur justice, à leur bonté, à leur perfection, aussi fermement qu'à leur puissance. Sans rompre avec le polythéisme, il tendait manifestement à une sorte de monothéisme. Sa philosophie contenait donc les éléments essentiels d'une religion intimement unie à la morale et propre par conséquent à satisfaire les consciences qui ne pouvaient se passer de surnaturel. Inévitablement destinée à se préciser, à se développer chez ses successeurs, elle annonçait la fin d'une des époques de la pensée humaine.

Elle fut aussi, comme on le sait, la cause de sa mort. Ce fut pour avoir voulu, disait-on, introduire dans Athènes des dieux nouveaux qu'il fut condamné en 399 à boire la ciguë.

Hippocrate et la littérature médicale. — Au progrès de la pensée philosophique se rattache, malgré la tendance contraire de Socrate, celui des sciences naturelles, qui se manifeste alors avec éclat dans la médecine. Car nous rencontrons ici un grand nom, qui ne peut être omis dans un tableau de la civilisation grecque, celui d'Hippocrate. Toute l'antiquité l'a reconnu comme le père de cette science. Non pas toutefois qu'elle ait été créée par lui de toutes pièces ; l'épopée homérique atteste déjà une remarquable connaissance des organes du corps humain et de leur vulnérabilité ; elle nous montre d'ailleurs des médecins exerçant leur art, en usant de recettes traditionnelles. Ces premières connaissances, nous les voyons se préciser et se développer dans les siècles suivants, grâce aux recherches des Grecs d'Ionie, d'Italie, de Sicile. Alcméon de Crotone, antérieur de peu à Empédocle, nous apparaît déjà comme un observateur de mérite ; c'est lui qui reconnut et enseigna, le premier, que le cerveau est le centre des sensations et l'organe de la pensée ; et, avec Empédocle, il contribua à ébaucher la théorie des causes d'où dépendent les maladies. Mais c'est à Hippocrate qu'appartient l'honneur d'avoir transformé cette ébauche en un corps de doctrine, et, surtout, d'avoir créé une méthode d'étude, qui procédait à la fois de l'observation constante de la nature et d'un raisonnement ferme, affranchi de toute superstition, libre de toute influence mythologique. Issu de la lignée des Asclépiades de Cos, et par conséquent héritier des connaissances accumulées là au temple d'Asclépios, il y projeta la lumière de son génie. Avide de s'instruire sans cesse par l'expérience, il semble avoir visité, pendant la seconde moitié du Ve siècle, plusieurs parties de la Grèce ; et partout où il séjournait, il notait ce qu'il voyait, et il en tirait d'utiles leçons, qu'il se plaisait à répandre par ses écrits. S'il est difficile aujourd'hui de déterminer avec certitude ce qui lui est propre dans la collection de traités, fort nombreux, qui lui sont attribués, ces attributions mêmes révèlent l'importance de son rôle et l'autorité exceptionnelle de son nom. Il resta dans toute l'antiquité le maître par excellence, considéré, non sans quelque raison, comme l'auteur de tout ce qui s'inspirait de sa méthode et de ses enseignements.

II. — La poésie

Ses caractères généraux. — Ce siècle de philosophie et de science fut bien plus encore un siècle de création poétique. Dans tous les genres de poésie se fait sentir alors un essor puissant de l'imagination, associé à une réflexion sérieuse et forte. Celle-ci se montre attentive à la réalité humaine, qui est le fond solide sur lequel elle travaille, mais, constamment et comme d'instinct, elle tend à l'idéaliser. Ce qui l'intéresse surtout, ce qu'elle se plaît à représenter de préférence, ce sont moins les détails individuels que les caractères généraux. Elle peint à larges traits, et par là même elle prête à tout ce qu'elle peint un air de grandeur. Mais, dominée par le sens de la mesure, cette grandeur n'a rien d'excessif ni de tendu. Si l'art des poètes de ce temps se tient généralement au-dessus des petites choses, il sait cependant fort bien baisser le ton lorsqu'il le juge à propos, et alors il charme par sa grâce et son naturel.

La poésie lyrique. — Interprète naturelle de tous les sentiments qui avaient le plus de prise sur les hommes de ce temps, la poésie lyrique produit alors ses chefs-d'œuvre les plus brillants. Les belles légendes du passé étaient pour elle comme une source vive, où elle puisait à pleines mains. Elle y trouvait des thèmes qui se prêtaient tour à tour à la louange des grandes actions et à la célébration des fêtes, aux sages réflexions et aux pieux regrets. Et par les leçons qu'elle en tirait, elle se faisait, dans une certaine mesure, bonne conseillère et utile éducatrice.

Simonide et Bacchylide. — C'est ce que nous montrent les fragments trop rares de Simonide de Céos, dans lesquels le poète tantôt s'associait aux grandes émotions des guerres médiques et en commémorait les glorieux souvenirs, tantôt célébrait les vainqueurs qui s'étaient illustrés dans les jeux nationaux, tantôt enfin composait pour les fêtes des diverses cités des chants religieux. On y admire la grâce de son imagination, la délicatesse ingénieuse de son esprit, le charme de sa vive sensibilité. Il eut pour héritier son neveu, Bacchylide, dont quelques œuvres importantes ont été, par une heureuse fortune, retrouvées de nos jours. Inférieur à Simonide par les dons naturels, on ne peut lui refuser d'avoir perpétué avec talent la tradition qu'il tenait de lui.

Pindare. — Mais le maître incontesté de ce genre fut le grand poète thébain Pindare. De son œuvre aussi variée qu'étendue nous ne possédons plus qu'une partie, comprenant les odes triomphales composées par lui pour un certain nombre de vainqueurs aux jeux d'Olympie, de Delphes, de l'Isthme et de Némée. A cela s'ajoutent seulement quelques fragments (dithyrambes et autres morceaux appartenant à divers genres). Étranger aux spéculations proprement philosophiques, dont il vient d'être question, Pindare n'en est pas moins philosophe à sa manière en même temps que grand poète. Le fond de ses idées, il est vrai, appartient encore au VIᵉ siècle. Sa religion et sa morale sont, à peu de chose près, celles de Solon, de Théognis et des sages. Et toutefois, il se distingue d'eux, non seulement par l'éclat que son imagination prête à ses pensées, mais aussi par une élévation et une profondeur qui dénotent une réflexion plus étendue et plus pénétrante. Soit qu'il corrige d'anciennes traditions pour les adapter à une morale plus saine, soit qu'il représente la puissance divine par des images magnifiques, soit encore qu'il rappelle aux princes et aux autres grands personnages dont il célèbre les victoires les lois de la destinée humaine, nous sentons qu'il voit les choses de plus haut et qu'il pense plus fortement. Héritier intellectuel d'un âge antérieur, il a pourtant participé largement, lui aussi, aux inspirations qui pénétraient alors le monde grec tout entier.

Poésie dramatique. — Quelle qu'ait été l'influence de ces compositions lyriques, elles ne pouvaient toutefois prendre autant d'ascendant sur l'esprit public que la poésie dramatique. Celle-ci, en effet, étant à la fois pensée et spectacle, s'adressant aux yeux en même temps qu'à l'intelligence, et en outre disposant de moyens bien plus puissants pour émouvoir un public, suscitait naturellement des impressions plus fortes et plus durables. Il est vraiment difficile de mesurer ce que la civilisation grecque au vᵉ siècle a dû au théâtre athénien. Car aucune cité ne put rivaliser avec Athènes par l'éclat de ses représentations dramatiques, aucune ne produisit des poètes comparables à Eschyle, à Sophocle, à Euripide pour la tragédie, à Cratinos, à Eupolis, à Aristophane pour la comédie.

Eschyle. — De l'œuvre d'Eschyle, qui comprenait une centaine de pièces, sept seulement sont venues en entier jusqu'à nous. Elles suffisent à nous faire admirer la grandeur de son génie. Un souffle puissant anime les *Sept contre Thèbes* et le magnifique drame des *Perses*, où respire la fierté patriotique d'un des combattants de Salamine. Et jamais, d'autre part, la terreur et la pitié n'ont été excitées sur la scène avec plus de force que dans l'*Agamemnon*, les *Choéphores* et les *Euménides*, qui forment ensemble l'*Orestie*. Pour réaliser ses puissantes conceptions, Eschyle dut perfectionner grandement les moyens matériels dont les poètes disposaient avant lui. Mais s'il est considéré à bon droit comme le créateur de la tragédie grecque, c'est surtout pour la valeur morale et dramatique qu'il sut prêter à l'action. Dans chacune des situations pathétiques que lui fournissait la légende, son esprit méditatif apercevait une question proposée à la conscience humaine. Par suite, les conflits entre les dieux et le jeu des passions qui agitaient l'âme de ses personnages humains n'étaient plus pour lui de simples motifs poétiques propres à provoquer les émotions des spectateurs. Chacune de ses tragédies posait devant eux un problème d'ordre moral ; chacune les invitait à penser. D'ailleurs, acceptant les vieilles croyances relatives à la jalousie des dieux, à la puissance mystérieuse et inéluctable de la destinée, à la transmission héréditaire des antiques malédictions, à la responsabilité collective des générations, il se plaisait à faire voir la volonté humaine se frayant en quelque sorte une route douloureuse au milieu des épreuves imposées par ces forces surnaturelles, qui la dominaient sans l'étouffer.

177

Et c'était vraiment une philosophie qu'il développait ainsi, philosophie sans doctrine nettement définie, soulevant plus de questions qu'elle n'en pouvait résoudre, et pourtant orientée d'une manière générale vers l'idée que le crime appelle fatalement le châtiment, vers la condamnation de l'orgueil et de la violence.

Sophocle. — Sophocle qui, après lui, obtint sur la scène, de 468 à 406, une longue série de succès, n'exerça pas une action moins profonde sur l'âme athénienne. Il était d'ailleurs lui-même, par son caractère comme par son génie, le plus pur représentant de l'esprit attique. Non moins fécond qu'Eschyle, il donna au théâtre plus de cent pièces, mais de lui aussi sept tragédies seulement sont encore entre nos mains : *Ajax, Antigone, Electre, Œdipe-roi, Philoctète, Œdipe à Colone*, autant de chefs-d'œuvre, auxquels s'ajoute une pièce remarquable encore à bien des égards, les *Trachiniennes*. Au fond, il s'inspirait des mêmes croyances religieuses qu'Eschyle. Mais, moins enclin que lui aux considérations théologiques, il devait donner moins d'importance dramatique aux puissances surnaturelles. Toujours présentes cependant dans son théâtre, elles n'y sont plus au premier plan; et surtout leurs volontés ne sont plus présentées avec la même insistance comme un objet de méditation. En revanche, les sentiments des personnages et leurs caractères se déploient d'autant plus librement. D'une part, comme s'ils avaient subi en quelque mesure l'influence de la dialectique du temps, ils raisonnent davantage, soit pour justifier leurs résolutions, soit pour réfuter les arguments qui leur sont opposés; raisonnements toujours conformes à leurs caractères et à leurs passions, mais vigoureux et bien conduits, passionnés et habiles à la fois. D'autre part, une variété psychologique toute nouvelle se manifeste dans ces pièces. A côté ou en face d'un personnage de premier plan, doué presque toujours d'une force supérieure de volonté, qui fait de son rôle le centre de l'action, le poète se plaît à en grouper d'autres, de moindre importance, mais qui ont chacun leur vie propre. Un art délicat et puissant oppose ainsi les caractères les uns aux autres, trouvant dans ces contrastes le moyen de les éclairer plus vivement et de les faire mieux valoir. Chez les plus héroïques d'entre eux se laisse voir par moments quelque chose de la faiblesse humaine, des regrets, des hésitations, le réveil des chers souvenirs dans les

178

heures de détresse. Il y a plus encore. Dans son *Œdipe-roi*, Sophocle nous montre le même homme d'abord au faîte de la puissance, vénéré comme un dieu par un peuple entier, plein lui-même de confiance en sa fortune et en son génie, puis, après les plus émouvantes péripéties, écrasé sous l'horreur qu'il inspire à tous et sous le sentiment qu'il a lui-même de son affreuse déchéance. C'est que la riche et souple imagination du poète se prêtait merveilleusement à comprendre et à représenter tout ce qui est humain. Rien n'échappait à sa faculté de création dramatique, ni les passions les plus violentes, ni les sentiments les plus doux, la bonté, la grâce, la tendresse filiale, le dévouement, la délicatesse. C'est la nature humaine presque tout entière qu'il a représentée dans son théâtre, sous ses aspects les plus intéressants; soucieux d'être vrai, il a su l'être sans se départir de sa noblesse naturelle, sans tomber jamais dans la vulgarité ni dans la minutie qui rapetisse tout ce qu'elle décrit.

Euripide. — Un seul poète, parmi ses contemporains, put être considéré comme son rival; ce fut Euripide, plus jeune que lui d'environ quinze ans. Son œuvre a été mieux préservée; nous lisons encore dix-neuf de ses pièces. Elles ne sont pas toutes d'égale valeur, mais il en est un bon nombre qui méritent la plus haute admiration; citons *Alceste*, *Hippolyte*, *Médée*, *Ion*, *Hécube*, *Iphigénie en Tauride*, *les Bacchantes*, *Iphigénie à Aulis*. Comparé à celui de Sophocle, son théâtre fait sentir vivement l'évolution qui s'opérait alors dans les esprits. Tandis que l'influence de la philosophie, chez Sophocle, n'était guère que secondaire, elle avait pénétré chez Euripide jusqu'au fond de l'âme et y avait créé une dualité intime. Il y avait en lui un penseur et un poète, qui avaient parfois quelque peine à s'accorder. Nul doute que cet état d'esprit ne fût aussi celui d'un certain nombre de ses contemporains. Mais ce qui demeurait caché en eux apparaît vivement chez lui. Comme poète, Euripide accepte, ainsi qu'Eschyle et Sophocle, les vieilles légendes et tout ce qu'elles contenaient de surnaturel; non seulement il les accepte, mais il en tire parti avec tous les dons de son génie; mieux que personne, il dégage les éléments de pitié ou de terreur dont elles étaient pleines, il en fait les tragédies les plus émouvantes qui aient jamais été mises sur la scène, et il les rend d'autant plus touchantes qu'il réduit volontiers les héros et les héroïnes à la taille des simples mortels. C'était vraiment l'humanité de son temps dont il donnait le spectacle au public athénien; et lorsque celui-ci, après quelque résistance, se fut accoutumé à cette manière nouvelle, on comprend qu'il l'ait aimée passionnément, qu'il l'ait même préférée à toute autre, trouvant dans ces pièces une image plus fidèle de la vie, telle qu'il la connaissait par expérience. Mais, sans cesse, derrière ces créations d'une imagination et d'une sensibilité merveilleuses, se découvre le penseur. Il est là qui observe ce qui se passe sur la scène. Il l'observe en moraliste, mêlant au dialogue ses réflexions personnelles, tantôt fines et moqueuses, tantôt graves et légèrement attristées, presque toujours assez étrangement placées dans la bouche de tel ou tel personnage qui semble oublier passagèrement son rôle. Et il l'observe aussi en incrédule, soulignant à plaisir l'invraisemblance de certaines traditions, protestant contre l'immoralité de quelques autres et laissant entendre qu'il se refuse à les prendre à son compte. De là résulte une œuvre composite, égale aux plus belles par ses qualités, déconcertante pourtant par endroits; en somme, une de celles qui ont dû exciter le plus la pensée contemporaine et qui laissent le mieux apercevoir aujourd'hui quelles tendances diverses la sollicitaient.

Idée de la comédie attique au Ve siècle. — Comme on le voit, la tragédie du Ve siècle est, dans son ensemble, un témoin précieux qui nous fait bien connaître ce qu'il y avait d'élevé dans la fine civilisation athénienne de ce temps et qui nous révèle aussi ce qu'elle comportait de noble et généreuse sensibilité. Mais sans un autre témoignage complémentaire et quelque peu discordant, je veux dire celui de la comédie, nous risquerions de nous en faire une idée non seulement incomplète, mais encore très inexacte. Issue au VIe siècle des fêtes dionysiaques, la comédie en gardait au Ve siècle tout le joyeux débordement; elle le poussait même jusqu'à l'extrême licence. En nous montrant le peuple athénien en gaieté, elle nous découvre sans réserve ce qui subsistait encore chez lui d'antique grossièreté. Mais il s'en faut de beaucoup, heureusement, qu'elle soit simplement l'expression de ses instincts inférieurs. Dans ses libres propos éclate une satire mordante, souvent excessive et même cruellement injuste, mais parfois aussi tout animée d'un vigoureux bon sens. Libre et audacieuse, elle s'attaque aux hommes, aux institutions, aux goûts et aux modes du jour, aux idées nouvelles, au peuple lui-même. S'il faut bien se garder de prendre pour vérité tout ce qu'elle débite à tort et à travers, on ne peut nier qu'il n'y ait tout de même beaucoup à retenir dans ses critiques. Elle dit tout ce qu'elle voit et elle voit clair dans bien des choses. D'ailleurs, elle a eu l'heureuse chance d'avoir pour interprètes des hommes de génie qui, de la bouffonnerie, ont su faire une œuvre d'art. Par eux, elle s'est embellie d'une fantaisie alerte, hardie, pleine de grâce, à laquelle aucun autre genre littéraire n'aurait pu offrir les mêmes facilités. Libérée de toute contrainte, l'imagination attique a pu s'y jouer à l'aise et elle a ainsi enfanté les plus charmantes créations.

Les maîtres du genre. Aristophane. — Les principaux maîtres de ce genre furent Cratinos dans la première moitié du siècle, Aristophane et Eupolis dans la seconde. Seule, l'œuvre d'Aristophane a été en grande partie conservée et c'est grâce à elle que nous pouvons nous faire une idée juste de ce qu'était alors la comédie. Ses pièces les plus célèbres, les *Acharniens*, les *Cavaliers*, les *Nuées*, les *Guêpes*, la *Paix*, les *Oiseaux*, les *Grenouilles*, *Ploutos*, dénotent par leurs titres seuls à quel point le poète se plaisait à transporter en imagination son public en dehors du monde réel. Et pourtant cette réalité, qu'il semble délaisser ou même fuir à dessein, est partout présente dans ses pièces. Car, en lui, à côté du poète charmant et du bouffon, il y a un penseur, capricieux assurément et fantaisiste, mais clairvoyant et malin, chez qui les vues pénétrantes et justes se mêlent aux partis pris; en somme, un esprit plein de contrastes et de contradictions; un défenseur de la religion qui se moque des dieux, un ennemi des nouveautés qui est cependant, lui aussi, un novateur, amoureux du langage subtil d'Euripide, qu'il imite tout en le critiquant, fort capable, n'en doutons pas, d'avoir apprécié la dialectique de Socrate, dont il faisait la caricature. Nulle part ne se révèle mieux que dans son œuvre la mobilité de l'esprit athénien, accessible à des influences diverses, ne se donnant jamais sans réserve, usant de sa souplesse naturelle pour goûter les contraires, et s'arrangeant assez bien en définitive d'une variété d'idées qui l'amusait sans le troubler profondément.

La comédie dorienne. — Ce genre de comédie ne fut pas d'ailleurs le seul que la Grèce connut et pratiqua au Vᵉ siècle. Dans certaines parties du Péloponnèse, mais surtout chez les Grecs occidentaux, en Italie et en Sicile, des représentations comiques assez différentes étaient alors en grande faveur. A Syracuse, dans la première moitié du siècle, un homme d'un remarquable talent, Épicharme, inaugurait un genre plus voisin que les créations aristophanesques de ce que nous appelons la comédie de mœurs. De son œuvre, nous ne connaissons que des titres et quelques courts fragments. Sa réputation fut grande dans l'antiquité. Observateur avisé, il excellait à peindre le milieu populaire au milieu duquel il vivait; il mêlait à une amusante fantaisie de fines réflexions et se montrait habile déjà dans l'art de construire une pièce. Un peu plus tard, un autre sicilien, Sophron, se fit une renommée, lui aussi, par ses *Mimes*, simples scènes de la vie du peuple qu'il sut mieux que personne saisir sur le vif et reproduire au naturel. Ajoutons enfin que l'Italie grecque raffolait alors de farces sans prétentions littéraires qui semblent avoir été l'origine grecque de l'atellane latine. C'est tout cet ensemble de productions assez disparates que l'on désigne souvent par le terme commun de Comédie dorienne. Cette forme de la verve comique ajoute au tableau de la civilisation de ce temps quelques traits qui ne sont pas absolument à négliger.

III. — L'histoire

Naissance de l'histoire proprement dite. — En même temps que l'expérience intellectuelle et morale si remarquablement développée au Ve siècle se manifestait avec cet éclat dans la poésie, elle donnait à l'histoire ce qui lui avait manqué jusque là pour produire des œuvres de haute valeur. Celle-ci a besoin en effet d'esprits à la fois curieux du spectacle des événements et suffisamment exercés à comprendre les motifs qui font agir les hommes. Jusqu'au début du Ve siècle, elle n'était pas sortie de l'enfance. Elle s'essayait, comme en tâtonnant, dans des généalogies à demi fabuleuses et dans de pauvres chroniques locales, où la mythologie et les légendes tenaient encore la plus grande place. Ni Hécatée de Milet ni Acusilaos d'Argos ne s'étaient élevés sensiblement au-dessus de cet humble niveau. La géographie, de son côté, auxiliaire indispensable de l'histoire, demeurait enfermée dans le cercle restreint que le premier de ces deux auteurs lui avait assigné. Or, une curiosité nouvelle s'était éveillée tant par l'effet des échanges commerciaux que par celui des guerres médiques. La Grèce avait eu alors la vision saisissante, bien que confuse, de tout ce que contenait dans ses profondeurs cet immense Orient, trop peu connu jusque-là. Elle ne pouvait qu'accueillir avec faveur celui qui saurait le lui révéler.

Hérodote. — Un Grec d'Asie, Hérodote d'Halicarnasse, entreprit cette tâche et sut la mener à bien. Voyageur infatigable, que le désir de voir et de savoir conduisit successivement en Égypte, en Asie, dans presque toutes les parties de la Grèce, en Sicile, en Italie, où il finit par s'établir et termina probablement sa vie, il réussit à réaliser l'enquête la plus féconde, interrogeant les hommes, visitant les monuments, s'informant de tout, des mœurs, des lois, des formes de gouvernement, des religions, sans partis pris, sans préjugés avec un singulier mélange de finesse et de crédulité, de curiosité insatiable et de discrétion religieuse. Et de tout ce qu'il avait lu, vu et entendu, il tira, grâce à la force de son génie, à son sentiment vif des belles choses, à son talent de conteur et au charme de son style, une œuvre admirable qui avait la grandeur et la beauté de l'épopée antique. Dans un cadre immense, comme dans une sorte de panorama mouvant, il donnait à ses lecteurs le spectacle de la vie de vingt peuples divers. Que d'enseignements s'offraient dans ce recueil encyclopédique, où se laissaient constater la variété des types humains, la multiplicité des religions, la raison d'être des institutions diverses! C'était à peine si la tragédie contemporaine, elle-même, présentait une aussi riche collection de documents humains.

D'ailleurs, par leur intérêt national et par leurs épisodes pathétiques, ces amples récits, qui avaient pour sujet principal les guerres médiques, constituaient aussi un drame, un de ceux qui devaient émouvoir le plus fortement les fils des vainqueurs de Marathon et de Salamine. Une idée religieuse le dominait, identique à celle qui inspirait Eschyle et Sophocle. Comme eux, Hérodote croyait à une divinité jalouse, toujours attentive à réprimer les excès de l'orgueil et de l'ambition, toujours prête à renverser ce qui s'élevait imprudemment. Mais ni chez lui, ni chez eux, cette croyance ne tendait à décourager les activités utiles. Née du besoin d'expliquer certaines grandes catastrophes, elle laissait à la politique toute son importance, en lui faisant seulement un devoir d'observer en tout la mesure.

Thucydide. — Toutefois, si belle que fût cette composition, elle ne donnait pas pleine satisfaction au goût d'analyse morale, de réflexion approfondie, qui se développait de plus en plus, dans la fin du siècle, chez les esprits que la philosophie avait touchés. Ce fut pour ceux-là surtout que Thucydide écrivit alors son histoire de la guerre du Péloponnèse.

Appartenant à l'aristocratie athénienne, homme politique, général, il se trouva capable d'unir aux dons naturels les plus remarquables les bienfaits d'une forte éducation et l'expérience des choses dont il avait à parler. De ses premiers maîtres, parmi lesquels il faut peut-être compter l'orateur Antiphon, il prit le goût d'un style qui, délaissant la phrase libre et un peu molle d'allure des prosateurs ioniens, s'efforçait de condenser les idées, d'en mettre en valeur chaque parcelle, aux dépens même de l'aisance, de la grâce et quelquefois de la clarté, mais au profit d'une précision poussée jusqu'au scrupule.

Pour rompre définitivement les liens qui rattachaient encore l'histoire à l'épopée, il était nécessaire d'en éliminer tout à fait l'élément fabuleux et légendaire. C'est ce que fit Thucydide. Jetant, au début de son récit, un regard en arrière sur le développement de la civilisation grecque, il n'hésite pas à l'expliquer rationnellement d'après ce qui subsistait encore en Grèce de coutumes primitives. Ainsi s'évanouissait la fiction de l'âge d'or. Même fermeté de jugement à l'égard de l'élément surnaturel dans l'exposé des événements contemporains. Sans nier la puissance des dieux, il ne disait rien de leur intervention dans les choses humaines, estimant avec raison qu'il n'y avait aucun profit pour l'historien ni pour ses lecteurs à sonder des causes mystérieuses dont ils ne pouvaient rien savoir. Ce qui lui paraissait utile à considérer dans les événements en général, ce n'était pas ce qui échappe aux calculs humains; c'était au contraire ce qui avait été prévu ou aurait pu l'être. Car l'histoire, suivant lui, devait servir justement à rendre possible dans l'avenir d'utiles prévisions par les expériences du passé.

Cette vue le conduisait naturellement à la recherche des causes lointaines aussi bien que des causes immédiates. Et c'est bien ainsi qu'il procédait en expliquant de loin la rivalité de

Sparte et d'Athènes. Quant aux causes prochaines, ce n'étaient pas seulement pour lui les quelques incidents qui avaient allumé la guerre, mais aussi les dispositions morales des cités, l'idée qu'elles se faisaient de leur rôle, la conscience qu'elles avaient de leur puissance. Même méthode dans tous les détails du récit. Le hasard, qui ne peut jamais être entièrement exclu des choses humaines, s'y trouvait du moins réduit au minimum. Jamais pareil effort n'avait été fait pour expliquer par la raison tout ce qui peut être expliqué ainsi.

Bien loin d'ailleurs de méconnaître l'action personnelle de certains hommes, il s'attachait à pénétrer le caractère de chacun d'eux. C'est ainsi qu'il mettait en scène des personnages tels que Périclès, Nicias, Alcibiade, Cléon, figures fortement tracées et très voisines sans doute de la réalité. Pour exposer leurs desseins, leurs prévisions, leurs motifs avoués ou leurs illusions, il leur prêtait des discours, imités de ceux qu'ils avaient tenus effectivement, mais composés avant tout en vue de les faire connaître; et, au besoin, il les complétait, discrètement toujours, par quelques réflexions personnelles. Au reste, tout en les détachant de la foule, il avait soin de ne pas les en isoler. Sachant mieux que personne la puissance de l'opinion, il se sentait obligé d'en rendre tous les mouvements sensibles à ses lecteurs. Son histoire est autant celle des sentiments des peuples en lutte que de leurs succès et de leurs revers.

Ajoutons qu'il y avait chez ce penseur une imagination vive et forte, qui savait représenter en traits bien choisis les réalités émouvantes. Bon nombre de ses récits sont des drames admirables. L'impression en est d'autant plus vive qu'elle paraît résulter des faits eux-mêmes, tant le narrateur se dissimule et s'efface. Nulle recherche apparente de l'effet, nulle réflexion importune. Les choses, dans leur réalité vive, sont évoquées devant nous; nous en voyons précisément ce qu'il faut en voir pour en être le plus touchés.

En somme, grâce à Thucydide, la curiosité historique, qu'Hérodote avait si vivement excitée, apprenait à se resserrer, à se concentrer, à gagner en profondeur. L'exposé des événements, anciens ou récents, autrefois sujet de narrations épiques, puis rapprochés de la réalité par les progrès de la géographie, de l'observation des mœurs, de la critique des témoignages, devenait proprement matière de science en se laissant de plus en plus pénétrer par la réflexion. Thucydide préparait et annonçait Aristote.

IV. — L'ÉLOQUENCE

La rhétorique. — Avec la philosophie, la poésie et l'histoire, l'éloquence a été, au Vᵉ siècle, une des plus remarquables manifestations du génie grec. A vrai dire, il y avait eu, de tout temps, en Grèce, des orateurs remarquables. Les nombreux discours qu'on peut lire dans l'*Iliade* et l'*Odyssée* sont là pour l'attester. Mais l'éloquence était considérée, alors, comme un don des dieux, ce qui veut dire qu'elle était spontanée, résultant surtout d'une aptitude naturelle. C'est au Vᵉ siècle seulement qu'apparaît la rhétorique, c'est-à-dire l'enseignement d'un art qui a pour objet la persuasion par le discours. Un tel art ne pouvait être que le produit de la réflexion appliquée à la pratique de la parole publique. Les sophistes dont il a été question plus haut eurent, presque tous, la prétention de l'enseigner, moins toutefois par des leçons théoriques que par leur propre exemple. Quelques maîtres seulement, notamment le sicilien Corax, conçurent plutôt la rhétorique comme un recueil de recettes applicables surtout aux plaidoiries. Mais, après eux, d'autres, parmi lesquels il faut distinguer Gorgias, sicilien lui aussi, tout en s'inspirant des mêmes intentions, firent preuve, dans leurs leçons, d'un autre esprit. Pour eux, le discours, quel qu'en fût l'objet, dut être une œuvre d'art. Gorgias et ses disciples directs paraissent s'être attachés surtout à le rendre, par le travail du style, aussi séduisant que possible; ils voulurent que la prose devînt, en usant de ses moyens propres, l'égale de la poésie; ils en firent en fait quelque chose de très artificiel. En Attique toutefois, il se forma une école qui, dans l'emploi de cet art nouveau, fit preuve d'un goût plus sobre; Antiphon en fut le principal représentant dans la seconde moitié du siècle. Son influence s'exerça sur presque tous les orateurs que nous rencontrerons au siècle suivant. Nous avons vu qu'il fut peut-être le maître de Thucydide.

Les orateurs. — Mais, au Vᵉ siècle, cette influence, venue de l'étranger et tardivement accueillie dans Athènes, ne put guère s'exercer sur les hommes d'État qui furent les

186

orateurs renommés de ce temps. Ceux-là ont plutôt subi l'action directe de la philosophie, et surtout ils ont participé au progrès général de la pensée. Au reste, nous ne pouvons plus juger de leur éloquence que par des témoignages. Aucun d'eux, en effet, n'a publié ses discours. Pour eux, une harangue était avant tout un mode d'action. Ils ne se proposaient aucunement d'être lus, et peut-être auraient-ils craint, en répandant des copies de leurs discours, d'être confondus avec les maîtres de rhétorique.

Périclès. — Dans ces conditions, il suffira de mentionner ici le plus illustre d'entre eux, Périclès ; d'autant plus que celui-là est l'homme qui a donné son nom au siècle tout entier et, qu'en un certain sens, il le résume en sa personne. Nulle figure, en effet, n'est plus représentative de l'Athènes du ve siècle que la sienne. Autant qu'un idéal est réalisable, Périclès réalisait celui du peuple qui l'avait pris pour chef. Il y avait en lui une autorité naturelle qui tenait à son caractère autant qu'à son talent. Son éloquence était le reflet de l'un et de l'autre. A la noblesse de son extérieur répondait l'élévation de son esprit. Nourri de philosophie, ami et patron d'Anaxagore, il avait le don de dégager les idées générales, sans que la précision de ses vues en souffrît. Rien de bas ni de petit, soit dans son caractère, soit dans ses conceptions, rien non plus d'exagéré. Homme d'action et d'initiative, il savait aussi bien, nous dit Thucydide, calmer les ardeurs excessives de la foule que l'encourager dans les moments de défaillance. Un instinct de grandeur inspirait sa politique et se faisait sentir dans ses paroles ; mais cet instinct était comme pénétré de mesure. Le plus souvent, son discours était grave, simple, plein de lumière et de raison ; une grâce attique s'y mêlait à un charme qui produisait la persuasion. Quelquefois aussi, la force intime de sa puissante nature se révélait ; et alors éclataient soudainement ces arguments décisifs et accablants, qui renversaient tout et que l'on comparait à des coups de tonnerre. Il paraît évident, d'après cela, que son éloquence avait une liberté d'allure et de mouvement qu'on ne retrouve pas dans les harangues si fortement condensées que Thucydide a mises dans sa bouche. Nous sommes ainsi autorisés à penser qu'il en était de même de celle de ses rivaux et de ses successeurs, quelle qu'ait pu être d'ailleurs sa supériorité sur eux.

Ajoutons que ce grand orateur avait au plus haut degré le sens du beau, ainsi qu'en témoigne le rôle qu'il joua comme promoteur du mouvement artistique parmi ses concitoyens. C'est en quelque sorte parler encore de lui que de parler des artistes dont il fut à la fois le patron et l'admirateur le plus éclairé.

V. — LES ARTS DU Ve SIÈCLE

Caractères généraux de l'art du Ve siècle. — C'était le temps, en effet, où l'art grec atteignait son apogée. Créatrice de science, de liberté, d'humanité, la Grèce se révélait simultanément comme créatrice de beauté, et elle produisait alors, dans tous les arts qui relèvent du dessin, des chefs-d'œuvre qui n'ont pas été surpassés. Le VIe siècle avait peu à peu, comme on l'a vu, perfectionné la technique, sans laquelle l'artiste le mieux doué est impuissant. A la suite des progrès signalés plus haut dans l'architecture, la sculpture, la peinture même, les maîtres du Ve siècle n'avaient plus rien à apprendre de ce qui est proprement la part du métier. Désormais leur main obéissait docilement à leur pensée. Celle-ci, affranchie des servitudes de la matière, maîtresse de ses moyens, pouvait s'abandonner librement à l'inspiration. Elle ne se crut pas autorisée pour cela à mépriser la réalité. Comme les grands poètes dramatiques du même temps, les artistes d'alors s'attachèrent à l'imitation de la nature, dont ils surent, aussi bien qu'eux, interpréter la riche et vivante variété, tout en l'idéalisant, comme ceux-ci l'idéalisaient. En général, ce qui est purement individuel, le détail curieux, le trait particulier, les intéressait moins que le type. De là résultent la noblesse, la grandeur, la simplicité dont leurs œuvres sont empreintes.

Les circonstances d'ailleurs favorisaient ce développement et cette tendance. Les guerres médiques avaient donné à la Grèce le sentiment de sa force morale et la plus ferme confiance en son avenir. Pleine de reconnaissance envers ses dieux qui l'avaient sauvée, elle se mit à relever les sanctuaires détruits, à en édifier de nouveaux. Elle eut à cœur de les embellir par tous les moyens dont elle disposait. L'art des sculpteurs et des peintres, celui des décorateurs de tout genre, fut convié à s'associer à celui des architectes.

Et, à côté des temples, se multiplièrent les édifices civils, prytanées, portiques, gymnases, ainsi que les travaux d'utilité publique, ports, arsenaux, magasins. Les grandes cités et les princes rivalisaient entre eux. Athènes et Corinthe, Syracuse et Tarente, Elis et Delphes et les villes d'Ionie se faisaient gloire des œuvres qu'elles commandaient aux artistes les plus connus. Une émulation générale se traduisait en riches offrandes, en statues, en monuments dédicatoires. Et, presque partout, c'étaient des sentiments collectifs qu'on demandait aux artistes d'exprimer dans les représentations figurées.

L'architecture. — Ce que la Grèce fit alors en fait d'architecture est admirable. Le temple grec, dont le Parthénon d'Athènes peut être considéré comme le type achevé, est vraiment une des créations du génie humain qui approchent le plus de la perfection. Ce fut entre 447 et 438, sous les auspices de Périclès, que s'éleva, sur le rocher isolé de l'Acropole, cet édifice merveilleux, œuvre commune de l'architecte Ictinos, qui en traça le plan, et du grand sculpteur Phidias, qui non seulement le décora de ses chefs-d'œuvre, mais en dirigea tous les travaux et en surveilla l'exécution dans toutes ses parties. Jamais peut-être monument n'exprima mieux que celui-là l'âme d'un peuple et sa conception de la beauté. Assez grand pour dominer la cité du haut de son rocher, il n'avait pourtant rien de colossal. C'était surtout par l'harmonie de ses proportions, par la grâce fine et délicate de ses lignes, qu'il se distinguait tout d'abord. Légèrement élevé sur son soubassement, déployant à la vue son péristyle de colonnes doriques d'un galbe robuste et charmant, portant fièrement son entablement qui le couronnait sans l'écraser, il apparaissait au loin comme la demeure la mieux appropriée à la déesse en qui la force s'unissait à la raison. Vu de près, il satisfaisait le regard le plus difficile par la beauté des matériaux, par le fini de la construction, par le mélange discret des couleurs qui en faisaient valoir le dessin général. De plus, il enchantait le visiteur par ses admirables frontons sculptés, par les reliefs de la frise qui courait sous la colonnade tout autour de la cella, par ceux des métopes, espacés entre les triglyphes. Là, en effet, des scènes divines ou humaines se déroulaient dans des compositions pleines de sens, dans des formes pleines de vie, de grâce et de majesté : légendes nationales dont Athènes était fière, allégories qui rappelaient ses propres exploits, représentation idéalisée de ses plus belles cérémonies religieuses. Ainsi le temple parlait en quelque sorte; il traduisait une pensée, une dévotion, un ensemble de sentiments, en même temps qu'il manifestait la conception d'art la plus proprement hellénique.

Cet admirable monument est, dans son ensemble, de pur style dorique. Il marque l'apogée de ce style, si florissant déjà au siècle précédent et qui n'avait cessé de se perfectionner. Pourtant on y remarque aussi quelques éléments ioniques, notamment la frise de la cella. C'était l'annonce d'une tendance qui allait se développer rapidement.

A l'art dorique appartiennent en général tous les monuments de la première moitié du siècle. Tel le grand temple de Zeus à Olympie, œuvre de l'architecte Libon, construit de 468 à 456; tel le temple athénien improprement appelé le Théseion, qu'on peut approximativement dater du même temps, et dont la masse imposante, bien qu'un peu lourde, est encore debout; tel encore le célèbre Télestèrion d'Éleusis, œuvre commune des trois architectes Corœbos, Métagénès et Xénoclès, qui y travaillèrent successivement. On peut y ajouter l'Odéon dit de Périclès, dont il a parlé plus haut, et qui remonte peut-être au temps de Thémistocle.

Mais vers le troisième tiers du siècle, un retour se prononce vers l'art que l'Ionie avait créé au siècle précédent et que la Grèce propre avait tardé à accueillir. Et, avec cet art, où l'influence de l'Orient s'était fait sentir, une élégance nouvelle s'introduit dans l'architecture. A côté de la robuste colonne dorique se dresse maintenant la colonne ionique, plus svelte avec sa base moulurée, son fût lisse et élancé, son gracieux chapiteau à volutes. En même temps, la frise sculptée trouve faveur et rivalise avec les métopes et les triglyphes. L'association des deux styles apparaît aux Propylées, chef-d'œuvre de Mnésiklès, construit de 437 à 432. Puis voici le temple de la victoire Aptère et le délicieux Érechteion, commencé vers 435, achevé vers 407, qui nous offre d'une part deux colonnades ioniques, et de l'autre l'avant-corps célèbre sur laquelle six caryatides, comme autant de colonnes vivantes, soutiennent sans effort une architrave à trois bandes horizontales couronnée par une élégante corniche.

Notons enfin que, vers le même temps, était construit en Arcadie le temple de Bassai, avec ses colonnades ioniques, au milieu desquelles venait s'insérer la colonne au chapiteau de feuilles d'acanthes, premier essai connu de l'ordre corinthien.

Ainsi se réalisait dans l'architecture du Vᵉ siècle l'heureuse synthèse de deux styles divers, qu'elle savait tantôt marier harmonieusement, tantôt approprier à des conceptions différentes. De plus en plus, l'invention des artistes se montrait d'ailleurs habile à varier ses plans, à multiplier les moyens pour diversifier les effets, à s'adapter soit aux conditions du terrain, soit à la destination particulière des édifices. Et nous voyons comment, à la gravité noble qui convient aux édifices religieux, elle savait ajouter une fine parure qui comportait une part discrète de fantaisie.

La sculpture. — Comme l'architecture, la sculpture avait réalisé au cours du VIᵉ siècle, des progrès décisifs. Dès le début du Vᵉ siècle, on sent qu'elle approche de son point de perfection; elle l'atteint quarante ou cinquante ans plus tard. Détermination exacte des proportions, connaissance sûre des formes, sens juste du mouvement, en un mot tout ce qui constitue la maîtrise de l'art est désormais acquis. Le statuaire sait même dès lors varier et préciser l'expression du visage humain, bien que le goût des sculpteurs de ce temps, fidèle aux principes énoncés plus haut, s'attache plus à ce qui est typique qu'aux détails individuels.

Là aussi se manifeste une certaine différence entre le génie dorien et le génie ionien, entre les ateliers du Péloponnèse et ceux de l'Attique ou des îles. D'un côté, plus de force et plus d'application à faire ressortir la musculature, de l'autre, plus de grâce et plus de finesse. Les uns excellent à représenter les athlètes, les autres sont supérieurs dans l'imitation des formes et des attitudes féminines. Mais, bien entendu, ce sont là des distinctions qui ne peuvent avoir qu'une valeur générale, chaque artiste imprimant à ses œuvres son individualité.

Un certain archaïsme est encore très sensible dans les œuvres antérieures à 480, quel qu'en soit d'ailleurs le mérite. Il va s'atténuant plus ou moins rapidement, selon la valeur et l'indépendance des artistes, dans les années suivantes jusque vers 450. Ni le superbe Aurige de Delphes, ni les statues du temple élevé par les Éginètes à leur déesse Aphaïa après Salamine, ni les métopes et les frontons de celui de Zeus à Olympie n'en sont entièrement dégagés ; ce sont pourtant déjà de fort belles œuvres. Elles datent du temps où Calamis, qui nous est si mal connu, travaillait à Athènes, où Hagéladas fondait l'école d'Argos. Celle-ci attachée à l'étude des proportions et des rythmes du corps humain eut, vers le milieu du siècle, son plus illustre représentant en la personne de Polyclète, l'auteur du Doryphore et d'admirables statues de jeunes athlètes où se manifeste la pleine beauté du corps de l'homme harmonieusement développé. Ce Doryphore mérita d'être appelé le « Canon » parce qu'il était la réalisation admirable des principes que le grand statuaire avait énoncés, sous ce titre, dans son *Traité des proportions*. C'était en fait « la statue-modèle, où les formes humaines paraissaient comme soumises aux règles d'une sévère architecture, sans rien perdre cependant de la fraîcheur et de la spontanéité de la vie (1) ». Seulement, cette « fraîcheur de la vie », se révélait là dans l'attitude tranquille de la marche. Un contemporain de Polyclète, le béotien Myron, devenu en fait athénien, sut la faire sentir au même degré en l'associant à la représentation vive du mouvement dans son Discobole, non moins renommé que le Doryphore de l'argien.

Ce fut alors, dans la seconde moitié du siècle, que Phidias, Alcamène et Peonios produisirent leurs chefs-d'œuvre incomparables. Sous le ciseau de ces maîtres, la matière semble se spiritualiser. Ce ne sont plus seulement des formes parfaites qu'ils tirent du marbre, ce sont vraiment des dieux, dont la majesté s'exprime par la dignité des attitudes et par la noblesse des traits. Nous les voyons debout ou assis aux frontons du Parthénon, tels que l'imagination des poètes épiques ou lyriques les avaient représentés dans l'Olympe. D'admirables draperies les enveloppent et se déploient en longs plis simples et souples qui se déroulent jusqu'à leurs pieds; et parfois, pour rehausser leur beauté, l'artiste associe à la blancheur du marbre, l'éclat de l'or ou la douceur de l'ivoire. Habiles, quand il le faut à rendre le mouvement, les sculpteurs de ce temps n'en usent que discrètement, satisfaits d'en suggérer la sensation jusque dans les poses calmes qu'ils se plaisent à représenter. Des œuvres aujourd'hui disparues, telles que le Zeus de Phidias à Olympie, son Athéna Promachos et celle

(1) Lechat, *Phidias*, p. 36.

du Parthénon, l'Aphrodite d'Alcamène, ont excité dans l'antiquité une admiration unanime et durable. Nous l'éprouvons encore en face des marbres mutilés du Parthénon.

A l'impression produite par chacune des figures considérée isolément, s'ajoute celle qui résulte de leur groupement. Le principe d'équilibre et de symétrie, que l'art grec avait cherché dès ses débuts, est réalisé là dans sa perfection; symétrie sans raideur ni monotonie, qui semble résulter spontanément du sujet représenté et qui se dissimule habilement sous la variété des inventions; symétrie qui n'est pas faite seulement pour la satisfaction du regard, mais qui parle à l'esprit, en se faisant l'auxiliaire des allégories, en donnant aux scènes représentées une signification plus claire. Si l'art est une adaptation de la réalité à la raison et au sentiment, il ne semble pas qu'il ait jamais rien produit qui répondît mieux à sa définition.

La peinture. — Tandis qu'un certain nombre des plus belles œuvres de la sculpture du vᵉ siècle sont encore sous nos yeux, celles des peintres anciens ont totalement disparu depuis longtemps. Nous en sommes réduits à nous les représenter d'après des descriptions. Quelques stèles peintes, il est vrai, et l'abondante série des vases à représentations figurées, apportent à ces informations indirectes un complément précieux, mais ne nous donnent malgré tout qu'une idée bien imparfaite des tableaux exécutés par les grands artistes du temps. Nous ne pouvons donc en dire ici que quelques mots.

A côté des grands sculpteurs du vᵉ siècle, nous voyons se succéder une série de peintres que l'antiquité a mis au rang des grands artistes, un Polygnote, un Micon, puis un Apollodore, un Zeuxis, un Parrhasios. Tous les témoignages attestent que le dessin de ces maîtres atteignit à une rare perfection. Il était impossible d'ailleurs qu'il en fût autrement, lorsque les statuaires contemporains se révélaient si habiles à reproduire les formes et les mouvements. Ces grands peintres furent donc, eux aussi, des créateurs de vie et de beauté, qui contribuèrent à développer autour d'eux le sens esthétique. Il semble même qu'en raison des moyens propres à leur art, ils aient poussé plus loin que les sculpteurs l'interprétation des émotions humaines par le jeu mouvant de la physionomie et par celui des attitudes et des gestes. Comme eux, cependant, tout en saisissant les aspects infiniment variés de la vie, ils surent en dégager, pour les faire ressortir, les traits les plus dignes d'attention. Ce qui nous est rapporté de leurs compositions ne permet pas de douter qu'ils n'aient obéi en tout aux mêmes principes; ils surent, eux aussi, associer l'ordre à la variété, réaliser le mouvement sans exagération ni confusion.

Les arts décoratifs. — Ce dont nous pouvons juger en tout cas, c'est l'influence que le grand art a exercée au Ve siècle sur les arts industriels. Nos musées ont recueilli en quantité des vases peints, des figurines, des médailles, des gemmes, des bijoux, des monnaies, des ustensiles même qui en témoignent. Rien peut-être n'est plus propre à nous faire sentir combien la civilisation grecque de ce temps a été pénétrée du sens artistique. Signalons au moins à cet égard les vases à figures rouges qui succèdent, au commencement du Ve siècle, aux vases à figures noires. C'est le temps où la céramique athénienne réalise ses plus belles œuvres. Les vases signés d'Euphronios, de Douris, de Hiéron, de Brygos, dont on peut voir dans nos musées d'excellents spécimens, en sont le témoignage. Les plus beaux d'entre eux sont aussi remarquables par le mérite du dessin que par l'élégance des formes. Des scènes variées y sont représentées, tantôt empruntées immédiatement à la vie contemporaine, tantôt imitées plus ou moins librement des tableaux des peintres alors en renom. Dans les unes comme dans les autres, l'habileté technique s'allie à un accent personnel. Chacune de ces compositions est une invention plus ou moins originale, témoignant presque toujours d'un goût délicat, souvent spirituelle ou charmante. Et même dans les produits de second ordre, il est rare qu'on ne retrouve pas quelque chose de ces qualités.

Si l'on songe que ces jolis objets étaient alors répandus par le commerce dans presque tout le bassin de la Méditerranée, on apprécie mieux le rôle qu'a joué la Grèce comme éducatrice de l'art et du goût.

VI. — LA CIVILISATION GRECQUE A LA FIN DU Ve SIÈCLE

Donc, sous toutes les formes à la fois, la civilisation grecque s'était magnifiquement développée dans le cours du Ve siècle. Elle avait même atteint dans certaines de ses parties, particulièrement dans quelques-unes des créations de la littérature et de l'art, son point culminant. D'autre part, le type humain réalisé chez quelques-uns de ses meilleurs représentants était vraiment digne d'admiration pour l'heureux équilibre des qualités physiques et des qualités morales, pour ses larges et intelligentes curiosités. L'amour profond de la patrie n'excluait pas chez les plus cultivés des Grecs de ce temps un sentiment déjà vif de la fraternité humaine, la notion de la loi se conciliait dans leur esprit avec celle de la liberté, le respect du passé avec l'aspiration légitime au progrès. Une religion plus spirituelle commençait à se dégager de la vieille mythologie et à dissiper les plus lourdes superstitions du passé. Et, surtout, un idéal de beauté s'était formé qui se multipliait et se renouvelait sans cesse sous des formes diverses.

Est-ce à dire que la Grèce n'avait désormais plus rien à acquérir et qu'elle fût condamnée fatalement à déchoir plus ou moins rapidement, comme une plante épuisée par sa floraison même? L'événement allait prouver qu'il n'en était rien. Son génie était loin d'avoir encore manifesté tout ce qu'il contenait de ressources; et le IVe siècle devait, sur bien des points, compléter de la manière la plus heureuse l'œuvre magnifique du Ve.

7

LA VIE INTELLECTUELLE ET
ARTISTIQUE AU IVe SIÈCLE

I. — Vue générale du IVe siècle

Caractère des tendances nouvelles. — Si le mouvement intellectuel et artistique d'un siècle n'est jamais entièrement semblable à celui du siècle précédent, il n'en est jamais non plus indépendant. Tout se tient, en somme, et tout se continue, dans la vie de l'esprit humain comme dans celle de la nature. Mais rien ne se continue sans changer. Dans ce changement nécessaire, il y a progrès et développement sur certains points, affaiblissement et diminution sur d'autres, et toujours introduction d'éléments nouveaux.

Le Ve siècle avait été, en philosophie, un temps d'initiative féconde et ardente. Différentes directions s'étaient ouvertes devant l'effort de la pensée qu'excitait le besoin de savoir et qui se plaisait à construire. On aurait pu s'attendre à voir la recherche se poursuivre en divergeant de plus en plus. Mais, dès la fin du siècle, un penseur, Socrate, s'était séparé de tous les autres. Le IVe siècle allait montrer tout ce qu'il y avait de richesse dans la méthode dont il avait été l'initiateur. C'est la pensée socratique qui va devenir alors la source du plus important développement philosophique que l'antiquité ait connu. Dans le domaine de l'histoire aussi, le Ve siècle avait été créateur. Là, le génie d'Hérodote et celui de Thucydide avaient donné des exemples qui ne pouvaient être perdus. C'est sur leurs traces naturellement que les historiens du IVe siècle devaient se sentir obligés de marcher. Imitateurs, ils le seront du moins diversement, et, en imitant, ils seront, à certains égards novateurs; leur mérite sera d'adapter l'historiographie au goût de leur temps, de la mettre, pour ainsi dire, à la mode du jour, d'en faire un des sujets de lecture, à la fois agréables et nécessaires, dont aucun esprit cultivé ne pourra désormais se passer. Tous, à des degrés divers, ils y introduiront l'observation et la peinture de la vie, les portraits, la mise en scène des individus; formés presque tous par les maîtres de l'éloquence contemporaine, ils seront à leur tour d'utiles instructeurs pour les orateurs. A l'éloquence politique, ils fourniront l'aliment solide de la connaissance historique, l'étude réfléchie des événements et des actions, d'où elle tirera une force incomparable. A l'éloquence judiciaire, ils suggéreront le goût d'une fine et délicate psychologie, d'accord en cela d'ailleurs avec la tendance moralisante de la philosophie. Quant à la poésie, c'est elle évidemment qui va subir, au IVe siècle, la plus sensible diminution. La tragédie, si grande au temps d'Eschyle, de Sophocle et d'Euripide, s'éteint entre les mains de leurs successeurs. La poésie lyrique perd toute grande et généreuse inspiration. Seule, la comédie, après une période d'hésitation, retrouve pour quelque temps une vitalité nouvelle, qu'elle doit à une fine imitation de la vie du temps; elle crée ainsi des œuvres charmantes, qui constituent un genre nouveau, destiné à se perpétuer jusque dans les temps modernes. Tout ce qui vient d'être dit des œuvres littéraires s'applique d'une manière générale aux formes de l'art, architecture, sculpture, peinture, arts décoratifs. Partout se font sentir des tendances communes, qui donnent à la civilisation grecque du IVe siècle son caractère distinctif. Étudions-les sommairement dans leurs principaux représentants.

II. — LA PHILOSOPHIE : PLATON ET ARISTOTE

Caractère religieux de la philosophie de Platon. — Socrate a été représenté plus haut comme l'initiateur d'une philosophie toute pénétrée de religion. Platon, son plus illustre disciple, supérieur de beaucoup à son maître par l'étendue de ses connaissances et par son génie créateur, recueillit cette tradition et la développa avec toute son âme. La religion de Socrate n'était encore qu'à l'état d'ébauche dans ses entretiens, où il s'attachait moins à construire immédiatement qu'à jeter les fondements d'une construction future. Platon, par une méditation assidue et par un long enseignement dont ces œuvres écrites nous ont conservé l'écho, lui fit prendre une forme arrêtée; il la rendit ainsi capable de se perpétuer après lui, sans qu'elle eût à subir, chez ceux qui s'en sont faits les continuateurs, de modifications très profondes.

Depuis longtemps déjà, et presque dès l'origine, la pensée philosophique s'était sentie obligée de s'émanciper de la religion traditionnelle. Elle l'avait fait de telle manière, avant Socrate, qu'en fait elle semblait devoir abolir en même temps le sentiment religieux. Ce sentiment était au contraire très fort chez Socrate; il essaya de transformer la religion au lieu de la détruire. Chose singulièrement délicate et difficile. Quels éléments de croyance populaire était-il indispensable d'éliminer? Que convenait-il de conserver et d'adapter? Il ne semble pas qu'il ait réussi à se faire sur ces questions une opinion définitive. Platon s'y appliqua toute sa vie.

Associant étroitement, comme son maître, la morale à la religion, et soumettant celle-ci à la raison, il n'hésita pas à rejeter ouvertement tout ce que la mythologie contenait d'immoral ou d'absurde. Il le fit même avec une vivacité qui rappelait les hardiesses satiriques de Xénophane. Toutefois, cette réprobation n'allait pas jusqu'à proscrire la conception polythéiste; il lui suffisait d'y introduire une notion d'ordre et de hiérarchie qui donnait satisfaction à la tendance monothéiste de sa pensée. Attaché fermement à l'idée d'une intervention divine dans les choses humaines, il ne lui répugnait pas de l'imputer à des puissances distinctes, à la condition seulement de subordonner celles-ci à une autorité supérieure et de les représenter comme collaborant à un même dessein. Définir d'une façon précise la nature et les pouvoirs de ces dieux secondaires n'était pas d'ailleurs, selon lui, chose possible ni nécessaire; aussi, par une complaisance d'imagination qui ne lui paraissait pas tirer à conséquence, s'en remettait-il de ce soin à la tradition et aux révélations antiques, sans leur attribuer néanmoins une autorité dogmatique; c'était faire au mythe sa part, tout en réservant à la pensée philosophique sa liberté. L'essentiel lui paraissait être l'affirmation d'un ordre universel, conforme à la raison. De telle sorte que de ce polythéisme restreint, où les antiques croyances trouvaient leur compte, se dégageait en définitive l'idée d'une souveraineté divine, caractérisée à la fois par la perfection et par la puissance. Non pas, toutefois, puissance absolument illimitée : un certain dualisme subsistait dans la pensée du philosophe; il le croyait nécessaire pour expliquer le mal. La puissance divine, suivant lui, tout en voulant uniquement le bien et en cherchant à le réaliser par la création, ne pouvait créer que dans la matière, c'est-à-dire dans le fini et dans l'imperfection. Ainsi était ouverte la voie où devait s'engager pour longtemps toute philosophie désireuse d'expliquer l'antinomie de l'idéal et de la réalité.

Manifestement, cette théologie, qu'elle le voulût ou non, tendait à se dépouiller de tout caractère national; et c'est là un fait sur lequel il importe d'attirer particulièrement l'attention. En s'affranchissant de la mythologie et de ses fables poétiques, elle rompait les attaches qui enchaînaient les croyances de la Grèce au sol natal. La religion de Platon n'était plus la religion d'un peuple déterminé; rien ne l'empêchait de devenir universelle.

Et elle s'y prêtait d'autant mieux qu'elle complétait sur des points essentiels les données vagues ou insuffisantes de la tradition. Le premier, en effet, Platon essaya de démontrer méthodiquement l'immortalité de l'âme par un enchaînement de preuves qui lui paraissaient se compléter mutuellement. Sous l'influence du pythagorisme et aussi des idées orphiques, qu'il traduisait et transposait à sa manière, il se fit sur ce sujet une doctrine, qu'il a développée particulièrement dans le *Ménon*, dans le *Phédon* et dans la *République*. Il admettait que l'âme de chaque homme apportait, en prenant corps, les souvenirs plus ou moins effacés d'une vie antérieure, où elle avait eu l'intuition des réalités substantielles que l'intelligence peut ensuite ressaisir. Et il enseignait que, selon qu'elle savait plus ou moins ranimer ces souvenirs par la réflexion et la dialectique au contact des impressions sensibles, elle se préparait un sort plus ou moins heureux dans des existences ultérieures. A cette doctrine, — en s'inspirant de l'orphisme et des mystères, mais en adaptant librement ces emprunts à ses idées personnelles, — il joignait la conception d'un jugement des morts, de peines et de récompenses, d'un cycle de transformations, auquel il assignait pour terme, comme le but suprême à atteindre, le retour à la pure contemplation de Dieu. C'est ainsi que sa philosophie essayait de répondre à des questions troublantes que l'humanité se posait bien avant lui; et si ses réponses ne prétendaient pas à une certitude absolue, elles s'appuyaient du moins sur des raisonnements et des suggestions dont beaucoup d'esprits, désireux d'apaisement spirituel, ont pu se contenter.

Valeur morale de la religion platonicienne. — Cette religion se liait étroitement dans la métaphysique de Platon à sa morale. D'après lui, les choses que nous connaissons par les sens ne tiennent en effet leur réalité que de leur participation à des essences pures, qu'il appelait les Idées, et qui ne peuvent être connues que par la raison. Or la plus haute de ces Idées, celle qu'il semblait identifier parfois à Dieu lui-même, était l'Idée du Bien. Il pensait donc que tout l'effort de l'âme devait tendre vers la possession la plus complète possible de cette Idée; ce qui revenait à dire que le culte le plus pur, le plus digne de Dieu, le meilleur aussi pour l'homme, était la vertu. Et celle-ci, telle qu'il la concevait ne pouvait se réduire à une honnêteté vulgaire, à l'observation consciencieuse de la justice, à la pratique du courage ou de la tempérance, à l'obéissance aux lois. L'élément nouveau qu'il y introduisait, le principal à ses yeux, était l'amour, conçu comme une aspiration ardente vers l'idéal. Il se représentait la vertu comme une ascension continue, par laquelle l'âme, se détachant et s'éloignant de plus en plus du monde des sens, s'élevait toujours plus haut, jusqu'à se rendre, autant que cela était humainement possible, semblable à Dieu lui-même. Et il lui semblait que ce développement progressif de la vie spirituelle, orientée vers le Bien suprême, était à la fois la condition nécessaire et la plus sûre garantie du bonheur. C'est par là que la philosophie platonicienne a dépassé singulièrement toutes les autres formes de la morale antique et qu'elle reste, après plus de vingt siècles, une des plus nobles affirmations des tendances de la conscience humaine.

La philosophie de Platon comme science. — Mais si, sous ce premier aspect, elle se présente comme une véritable religion, nul ne peut méconnaître qu'elle ne doive être considérée aussi, à titre au moins égal, comme une science, ou plutôt comme une synthèse de sciences. L'école fondée à Athènes en 387 par Platon sous le nom d'Académie a été, en effet, un des foyers d'études et de recherches savantes les plus actifs que la Grèce ait connus avant Aristote. Lui-même considérait les mathématiques comme indispensables au philosophe. Il s'adonnait avec une ardeur infatigable à la science des nombres, à la géométrie, à l'astronomie, et aussi à la connaissance de la nature. Continuateur de Pythagore, d'Empédocle, d'Héraclite, il ne voulut rien ignorer de leurs recherches et il travailla à développer ce qu'ils avaient découvert. La conception de l'univers exposée par lui dans le *Timée* dénote un esprit riche en connaissances variées, disposant de tous les matériaux amassés jusqu'alors par la science hellénique et d'ailleurs assez puissant pour les approprier à ses vues personnelles. Mais ici, nous avons à considérer de préférence ce qu'il a fait pour la logique, la psychologie et la politique.

C'est par lui surtout que nous connaissons la dialectique antérieure à Aristote, telle que l'avaient faite les Éléates, les Sophistes, Socrate et l'école de Mégare. Il n'est pas douteux que Platon, en la pratiquant lui-même, en lui donnant dans ses dialogues la forme d'une action dramatique, ne l'ait aiguisée, assouplie, disciplinée et, en somme, perfectionnée. La méthode dite socratique, telle qu'elle a été définie précédemment, a pris chez lui toute son efficacité. Nous l'y voyons se produire sous des aspects multiples, avec autant d'adresse que de sûreté. La définition, l'analyse, la comparaison, l'induction et la déduction ont chacune leur rôle dans ces argumentations vigoureuses et fines, quelquefois subtiles. Mais la dialectique platonicienne va bien au-delà; elle ne s'arrête pas, comme celle de Socrate, à des définitions; elle n'est même plus une simple méthode de raisonnement; elle embrasse toute une éducation de l'esprit, toute une discipline intellectuelle, qui se propose d'accoutumer la raison à se détacher de plus en plus des choses concrètes pour se rendre capable de s'élever jusqu'au plus haut degré de l'abstraction, où se trouve pour Platon la suprême réalité.

Sa psychologie est en quelque sorte le reflet de cette dialectique. Si elle ne forme pas un ensemble très arrêté, quelques traits néanmoins ressortent fortement et permettent de la caractériser. La distinction des trois parties de l'âme, qu'il appelle raison, sentiments généreux, appétits sensuels, si loin qu'elle soit de satisfaire aux exigences d'une observation vraiment scientifique, n'en est pas moins un premier essai d'analyse et de classification dont il faut reconnaître la valeur. A cette distinction fondamentale se coordonne celle du désir et de la volonté, qui n'en est qu'un corollaire. Mais c'est surtout dans l'étude des opérations de l'intelligence que Platon a manifesté sa perspicacité. Nul ne s'était encore appliqué avec tant de soin à rendre compte de la nature de la connaissance et des formes diverses qu'elle comporte. Il les a réparties en une double échelle, mettant d'un côté la connaissance inférieure, qu'il subdivise en opinion conjecturale et jugement, et, de l'autre côté, la connaissance supérieure qui est d'abord réflexion et qui s'achève dans la science. C'est à l'élaboration de cette dernière notion qu'il s'est particulièrement attaché ; à lui revient le mérite d'avoir défini ce degré dernier de la connaissance, qui est la pleine possession de l'objet, complètement pénétré par l'intelligence. Et si peut-être il n'a pas assez nettement marqué la limite du domaine accessible à l'esprit humain, il a bien vu du moins à quoi il devait tendre.

Quant à sa politique, il s'en faut de beaucoup qu'elle se résume, comme on le croit trop souvent, dans la construction d'une utopie fondée sur le communisme. L'État dont il a tracé l'image dans sa *République* n'est pas pour lui un État réel. C'est une sorte d'hypothèse suggestive, qui lui sert à faire sentir vivement ce qu'il y a de défectueux dans la plupart des sociétés humaines et l'influence funeste des passions qui les divisent. Mieux que personne avant lui, il a vu et montré qu'elle étroite relation existe entre le caractère d'un peuple et la forme de son gouvernement; mieux que personne, il a su mettre en lumière cette vérité essentielle, que ce sont les bonnes mœurs politiques qui font les bons gouvernements; et il a défini, en traits décisifs, les conditions d'où résultent la solidité ou l'instabilité des institutions. Autant d'aperçus profonds, qui sont devenus de précieuses acquisitions pour la science politique.

Influence de Platon. — En somme, c'est dans son œuvre, pour la première fois, que la philosophie s'est révélée comme la synthèse de toutes les sciences. Il est vrai qu'aucune des parties de cet ensemble immense n'était encore ni élaborée suffisamment ni même délimitée avec la précision désirable. Cette synthèse puissante appelait donc une série de révisions qui exigeaient de longues et patientes analyses; mais le génie de Platon avait tout aperçu de haut; il était nécessaire seulement qu'après lui l'observation et l'expérience fissent leur œuvre pour contrôler, corriger, ou développer ses vues, une par une. A son disciple, Aristote, revient l'honneur d'avoir commencé ce travail et d'avoir ainsi frayé quelques-unes des voies que devait suivre dans l'avenir la recherche scientifique.

Aristote. Son École et son caractère. — Très différent de ce maître merveilleux, en qui le génie athénien avait trouvé un de ses meilleurs interprètes, Aristote, de Stagyre en Macédoine, n'avait rien de sa sensibilité ni de sa poétique imagination. Il était né observateur. Le sens de l'exactitude, le besoin de la précision, la passion de la recherche s'associaient en lui à la finesse pénétrante de l'esprit et à la force de la pensée. C'est pour avoir su assujettir l'étude des faits à une méthode ferme et raisonnée qu'il nous apparaît comme le plus excellent représentant de l'esprit scientifique dans l'antiquité; disons mieux, comme un des pères de la science moderne.

Principes de sa méthode. — Sans entrer ici dans le détail de sa métaphysique, il est nécessaire d'en rappeler du moins quelques principes fondamentaux qui expliquent sa méthode.

Toute chose déterminée procède, d'après lui, de trois causes : 1º de la manière dont elle est faite; 2º de la forme qui modifie cette matière et la détermine; 3º d'une fin qui est la raison de cette modification. Dans la matière, ce qui doit être appelé à l'existence n'est encore qu'en puissance; la cause formelle, en opérant le passage de l'indéterminé au déterminé, le réalise en acte; cette réalisation tend vers un terme qui est pour cette chose le meilleur état possible, sa cause finale. Il résulte de là que l'observation, chez Aristote, est dominée par la notion de finalité. Selon ce principe, on ne connaît vraiment un être quelconque ou ses parties que si l'on a trouvé à quoi ils sont destinés. C'est en cela que la science, telle qu'il l'a conçue, diffère le plus de la science moderne, celle-ci, depuis Bacon, ayant écarté systématiquement toute recherche de la fin des choses. Mais cette différence, à vrai dire, si importante qu'elle soit théoriquement, l'est beaucoup moins dans la pratique. Car, d'une part, Aristote, dans ses multiples observations, ne fait autre chose le plus souvent que rattacher les effets qu'il note à leurs causes efficientes; et, d'autre part, la science de la vie, aujourd'hui même, ne peut étudier un organe sans déterminer sa fonction.

L'étude de la nature. — C'est peut-être dans le vaste domaine des études naturelles que le génie d'Aristote a le mieux fait voir sa valeur. La nature jusqu'à lui n'avait été interrogée que partiellement. Il fut le premier qui conçut le dessein d'une investigation méthodique et universelle. Rassembler pour cela le plus de matériaux possible lui parut la tâche ndispensable. Ses dix livres de *Recherches sur les animaux* témoignent du zèle, de la passion qu'il apportait à ce travail, ainsi que de la variété des enquêtes qu'il dirigeait ou provoquait. Et, sans doute, ils laissent voir aussi combien il était alors difficile de se procurer des informations sûres et à quel point la connaissance du monde vivant demeurait encore imparfaite. Mais l'exemple ainsi donné n'en était pas moins excellent. Ces matériaux réunis, il s'agissait pour le penseur de les élaborer scientifiquement; et, dans ce second travail, éclatait la force de son génie. Ses remarquables traités sur *les organes des animaux*, sur leurs *manières de se mouvoir*, sur leur *reproduction*, nous révèlent comment il y procédait. Son esprit pénétrant excellait à décomposer les faits complexes, à en discerner les éléments simples, à les rapprocher d'après leurs ressemblances, à les classer. Non moins habile d'ailleurs à découvrir les liaisons des phénomènes, les concordances obscures et inaperçues jusque-là, l'intuition si nécessaire au savant illuminait chez lui l'observation et la fécondait. Enfin la vigueur logique de sa pensée lui permettait, mieux qu'à tout autre, de passer, grâce au raisonnement, des connaissances acquises à des connaissances nouvelles. Et là, sa prudence d'observateur le mettait en garde contre le danger des conclusions hâtives. Une des choses qu'il faut admirer chez lui, c'est le scrupule avec lequel il recueille tout ce qui avait été dit auparavant sur les mêmes sujets; c'est aussi le soin qu'il prend d'aller au-devant des objections, et, lorsqu'il ne peut les résoudre, de le reconnaître sincèrement. Telle est, sommairement, la méthode qu'il n'a cessé d'appliquer aux sciences de la nature, soit dans les ouvrages qu'il a rédigés lui-même, soit dans ceux dont il a été l'inspirateur, sur la physique, sur les plantes, sur les phénomènes célestes.

Les sciences morales. — Dans les sciences morales, même esprit, même méthode, mêmes résultats. C'est, là aussi, par l'observation attentive des faits que débute la recherche. Sa morale, condensée dans son *Éthique à Nicomaque*, laisse deviner un travail préalable, qui a consisté à noter les formes de la vie morale, à les distinguer et à les définir. De ce travail d'enquête se sont dégagées les idées générales qui dominent l'œuvre entière. On y reconnaît la modération naturelle de son esprit, jusque dans quelques vues particulièrement contestables, telles que la conception de la vertu considérée comme un milieu entre deux excès; on y retrouve aussi ses instincts les plus personnels, par exemple dans la valeur attribuée à la vie contemplative, qui lui paraît la plus complète réalisation du bonheur.

Étroitement liée à cette morale, sa *Politique* procède de la même méthode. Nous possédons, en effet, les fragments d'une collection de *Constitutions*, dans laquelle avaient été rassemblées et passées en revue les institutions de nombreux États. Ce qu'était ce recueil, nous pouvons en juger par la *République des Athéniens*, retrouvée de nos jours en Égypte. La *Politique* elle-même abonde en références à des lois, à des coutumes, à des constitutions diverses, à mille événements historiques soigneusement relevés par l'auteur. C'est de l'expérience qu'il veut déduire tous ses enseignements, mais d'une expérience interprétée par la raison. Ainsi se précisent et se formulent la notion de la famille et celle de la cité, la distinction de leurs éléments, la théorie des diverses formes de gouvernements, celle des dangers qui les menacent sans cesse et des moyens d'y parer, en un mot une véritable philosophie des sociétés humaines, la plus instructive et la plus complète que l'antiquité nous ait léguée.

Étude de l'esprit humain. — Non moins curieux de connaître l'esprit humain en lui-même et dans ses opérations que la vie de l'univers et celle des êtres qui le peuplent, il s'est appliqué avec le même zèle et la même perspicacité à l'observer et à le décrire. Si son *Traité de l'âme* marque brillamment le début de la psychologie méthodique, les ouvrages qui composent ensemble ce que le moyen âge a désigné du nom collectif d'*Organon* ont dégagé définitivement un certain nombre d'observations fondamentales relatives aux formes nécessaires de la pensée, à ses relations avec le langage, à la structure du raisonnement déductif, aux sophismes et aux moyens de les dépister (*Catégories, De l'expression de la pensée, Analytiques, Topiques*). Peu d'écrits ont exercé une influence plus profonde et de plus longue durée que ceux-là, influence excessive à certaines époques, mais qu'une critique plus éclairée a pu restreindre sans la renier et qui se justifie par une somme importante de vérités finement aperçues. Enfin, sa *Rhétorique* et sa *Poétique* sont, elles aussi, des études solides de certaines facultés de l'esprit et de leurs productions; et l'observation n'y a pas une moindre part. Observation des mœurs et des passions d'uncôté, revue des ressources de l'art, de l'autre côté ; préceptes déduits de l'histoire des genres et fondés sur la psychologie des auditeurs ou des spectateurs ; en somme, une doctrine nullement abstraite, mais inspirée au contraire d'une connaissance approfondie des réalités.

III. — LES ÉCOLES DE PHILOSOPHIE

L'Académie et le Lycée. — Mais ni Aristote ni Platon, si grands qu'ils soient, ne doivent être considérés isolément, si l'on veut apprécier la part qui leur revient dans la civilisation hellénique. Ils furent l'un et l'autre des fondateurs d'écoles, des promoteurs d'activités intellectuelles qu'ils ont dirigées d'abord et qui se sont perpétuées après eux. L'Académie, instituée par Platon, fut représentée après lui, au IVe siècle, par Speusippe, Xénocrate, Polémon ; école de métaphysiciens, de mathématiciens et de moralistes, nous la verrons se continuer et se transformer dans les siècles suivants, jusqu'au temps où une partie de ses doctrines sera absorbée dans le christianisme. Le Lycée, inauguré par Aristote, dirigé ensuite par Théophraste, devait, lui aussi, produire jusqu'au temps de l'Empire une longue série de philosophes, connus sous le nom de péripatéticiens, et généralement animés de l'esprit de curiosité positive qui avait été celui du maître dont ils revendiquaient l'héritage. Nous les verrons plus loin se mêler au mouvement intellectuel d'une autre époque.

Aucune des autres philosophies n'eut au IVe siècle une importance comparable à celle de l'Académie et du Lycée. Il est impossible, toutefois, dans un aperçu de la civilisation de ce temps, de passer sous silence les noms d'Antisthène et d'Aristippe, puisque d'eux devaient sortir les écoles qui eurent la plus brillante fortune dans la période suivante.

Antisthène. — C'est par le côté moral de son enseignement qu'Antisthène affirma surtout son originalité. Estimant comme son maître, Socrate, que la morale est la science du bonheur et que le bonheur est identique à la vertu, l'intransigeance de son esprit lui fit pousser à l'extrême cette affirmation. Il voulut être l'ennemi personnel du plaisir. Il le fut avec une conviction ardente, jusqu'au paradoxe ; d'autant plus qu'il était raisonneur subtil et vigoureux, homme d'esprit, écrivain habile. Ses dialogues eurent grand succès. On peut douter, il est vrai qu'il ait convaincu beaucoup de ses lecteurs; mais il les intéressait ou les amusait par de piquantes satires, par une critique mordante des mœurs, peut-être par des allusions qui plaisaient à leur malignité. La sévérité de sa vie donnait d'ailleurs crédit à sa doctrine. Il se faisait honneur de sa pauvreté. Ses disciples, comme il arrive, allèrent encore plus loin que lui dans cette voie de renoncement et d'abstinence dédaigneuse. Diogène de Sinope inaugura le cynisme proprement dit, protestation hautaine et quelque peu tapageuse d'une austérité farouche, non seulement contre le luxe et la mollesse, mais contre les usages mêmes du monde, y compris la politesse, la discrétion et la bonne tenue. Il eut des continuateurs. Cette manière étrange de vivre en marge de la société, et presque en révolte contre elle, n'est pas un des traits les moins caractéristiques de ce temps si favorable à l'individualisme. De cette tradition, combinée avec quelques éléments différents, devait sortir, à la fin du siècle, le stoïcisme de Zénon, dont il sera question plus loin.

Aristippe. — Dans une société où chacun était plus que jamais libre de vivre à sa guise, il était inévitable qu'à cet ascétisme une tendance contraire s'opposât. Celui qui l'érigea en doctrine fut un autre socratique, Aristippe de Cyrène. Son principe étant que le bonheur n'est qu'une somme de plaisirs, il professait que la recherche du plaisir est la loi naturelle de la vie, puisque tout être vivant veut par instinct être heureux. Et, de ce point de vue, les plaisirs des sens lui paraissaient aussi justifiables que ceux de l'esprit. C'est ce qu'il exposa dans des écrits qui eurent une certaine vogue. Si relâchée que fût cette morale, il est à noter, toutefois, que le sens de la mesure, si naturel à l'esprit grec, ne laissait pas de s'y faire sentir. Aristippe était loin de vivre en débauché grossier; c'était un esprit fin, cultivé, qui voulait qu'en tout on prît conseil de la raison. Le sens pratique et le bon goût corrigeaient en lui jusqu'à un certain point l'erreur de la doctrine. Aussi peut-on le considérer comme représentant assez bien la morale moyenne d'un grand nombre de ses contemporains. Mais de même que les leçons d'Antisthène se tournaient chez les Cyniques en un défi à l'humanité, celles d'Aristippe aboutirent chez les Cyrénaïques à la négation de toute discipline. Sa pensée vraie devait être reprise à la fin du siècle, avec plus de modération et de science philosophique, par Épicure, qui l'organisa, comme nous le verrons, en un système soigneusement construit.

IV. — L'ART ORATOIRE

Les plaidoyers civils. — Tandis que la philosophie élargissait ainsi son influence, l'art oratoire, profitant du progrès réalisé au ve siècle dans les écoles de rhétorique, sans s'asservir toutefois ni à leurs préceptes ni à leurs exemples, s'adaptait de mieux en mieux à toutes ses tâches. C'est ainsi qu'un genre d'éloquence vraiment nouveau apparaît dans les plaidoyers civils qui nous ont été conservés.

Ceux de Lysias, qui datent du début du ive siècle, sont le modèle achevé d'un art qui se dissimule à dessein. Écrits pour des plaideurs de condition diverse, qui les obligeait à soutenir eux-mêmes leur cause, ils visent à imiter le langage, la manière de raconter et de raisonner qui étaient naturels à chacun d'eux. Et dans ces récits, dans cette argumentation brève, précise, dans la naïveté de certains détails, se fait sentir une finesse d'imitation dont le charme est très vif. Chez Isée, de qui les plaidoyers conservés se rapportent à des questions d'héritage, une dialectique serrée, mais toujours simple, sans rien de tendu ni de laborieux, se joue au milieu des faits plus ou moins compliqués qu'il s'agit d'éclaircir; elle mène l'esprit du juge à son but, en lui ménageant des repos, pour le mieux reprendre et le presser ensuite plus vivement. De Démosthène et de quelques autres, dont l'œuvre s'est mêlée à la sienne, nous possédons aussi, en dehors des grands discours politiques dont nous aurons à parler, une collection de plaidoiries relatives à des contestations de propriété, à des litiges entre héritiers, à des affaires de commerce ou de banque; et nous voyons là, également, une éloquence simple, agile, variée de ton, vigoureuse quand il le faut, qui atteste un art dégagé, associant l'aisance à la force. Enfin, dans d'importants fragments d'Hypéride, notamment dans ceux d'un discours qui retrace les roueries d'un aigrefin, nous admirons, avec les mêmes qualités, un joli enjouement, une grâce légère, et piquante. C'est dans cette classe d'œuvres littéraires qu'il faut chercher, non pas assurément tout l'atticisme, mais une

209

9

des formes très séduisantes de l'atticisme du IV⁰ siècle, imbu d'observation morale et singulièrement propre à commenter spirituellement les choses de la vie commune.

L'éloquence politique. — Mais, nulle part, l'art oratoire n'a brillé avec autant d'éclat que dans la politique. Plus la situation générale était alors confuse, plus l'éloquence avait à faire d'efforts pour vaincre les hésitations et déterminer les buts ou les moyens. Elle usa pour cela de toutes ses ressources. Le IV⁰ siècle fut à Athènes le siècle des orateurs. Les noms d'Eschine, de Lycurgue, d'Hypéride, et plus encore celui de Démosthène, sont demeurés illustres, et les discours qui nous restent d'eux n'ont pas cessé d'être admirés.

C'est qu'en effet, quelque jugement que l'on porte en définitive sur les hommes et sur les événements, des œuvres telles que les *Philippiques,* ou encore les discours des deux adversaires *sur l'Ambassade* ou *sur la Couronne,* ont en eux-mêmes une valeur durable. Et cela, non pas seulement pour leur mérite oratoire, comme des modèles de style ou de composition, mais plus encore à titre d'études contradictoires sur une même situation politique, dans lesquelles se manifestent, sous les partis pris et la violence des passions, de rares qualités d'intelligence pratique, de réflexion forte et pénétrante, une large expérience humaine. Louées ou critiquées pour leur tendance générale, elles ont été de tout temps lues et méditées avec profit par les historiens, par les hommes politiques, par tous les esprits de haute culture, et tous y ont trouvé des leçons de psychologie, d'analyse historique, de raisonnement, des suggestions fécondes non moins que de nobles inspirations.

Particulièrement, chez Démosthène, le plus grand des orateurs grecs sans contredit, l'éloquence déploie toutes les qualités dont la Grèce s'est fait honneur : l'ordonnance claire et habile, la vigueur de la pensée, la logique du raisonnement, l'art de grouper et d'interpréter les faits historiques, celui de rattacher les effets à leurs causes, de découvrir les motifs des actions, de mettre en scène les hommes, de composer des récits émouvants. Et, avec cela, la justesse de l'expression, une simplicité grave et forte, une noblesse sans emphase, et tout à coup des élans admirables. Il y a des passages du discours *de la Couronne* qui sont égaux en valeur morale à quelques-unes des plus belles pages de Platon.

A côté de ces orateurs passionnés, Isocrate doit être aussi

mentionné, mais comme appartenant à une autre famille d'esprits. Il représente à la fois une tendance plus rapprochée de la philosophie et un art plus soucieux de paraître. Célèbre comme maître de rhétorique, il s'appliqua, dans des œuvres oratoires longuement élaborées, à réaliser tout ce qui avait été peu à peu inventé pour donner à la parole une élégance achevée. Par le soin de la composition, par l'équilibre harmonieux des phrases, par le développement savant des périodes, l'exactitude et la variété des rythmes, le choix et l'invention des mots, par l'agencement des antithèses, il séduisait les plus difficiles. Et, dans cette forme brillante, il exposait des idées générales qui répondaient aux sentiments d'une partie de ses contemporains. Épris d'un idéal généreux, mais irréalisable — pacification entre les cités grecques et union nationale contre le barbare — il faisait de cette politique la matière de harangues fictives, de lettres, de plaidoyers imaginaires, par lesquels il croyait exercer une influence sur l'opinion publique ou sur les hommes d'État de son temps. Quelque illusion qu'il se soit faite à cet égard, son œuvre reste cependant comme le témoignage de sentiments élevés et d'intentions vraiment humaines qui honorent l'hellénisme de ce temps.

V. — Le drame et la peinture des mœurs

La peinture des mœurs et des caractères. — Ce siècle, si favorable à l'éloquence, ne le fut pas moins à la peinture des mœurs et des caractères, et, en partie pour les mêmes raisons. La grande diversité qui apparaissait de plus en plus entre les hommes, à mesure que l'ancienne formation sociale se dissolvait, et la prédominance croissante de l'individualisme appelaient l'analyse psychologique. Nous venons de la voir pénétrer dans l'éloquence et s'y faire une large place, tantôt sous une forme familière, tantôt dans des exposés graves ou passionnés. Elle s'imposait également aux philosophes et aux historiens. Bon nombre d'entre eux manifestent alors le même goût pour l'étude et la représentation de ces variétés morales. Elles sont mises en scène dans les dialogues socratiques, dont Platon et Xénophon nous ont laissé de vivants spécimens. Chez Platon surtout, nous voyons passer sous nos yeux toute une série de personnages prestement dessinés, qui ont chacun leur physionomie propre. Ailleurs, en particulier dans certaines parties de la *Morale*, de la *Rhétorique* et de la *Politique* d'Aristote, ce sont des notations précises et fines, qui font ressortir les traits caractéristiques des différents âges ou ceux par lesquels les passions humaines se distinguent les unes des autres.

Théophraste. — Le plus illustre disciple de ce philosophe, Théophraste, s'est fait connaître en ce genre par le petit livre des *Caractères*, qui a servi de modèle à La Bruyère. C'est, comme on le sait, une collection de portraits, qui représentent moins des individus que des types, chacun de ces types étant caractérisé par un groupement de traits qui sans doute n'ont jamais été réunis dans un même homme, mais qui font partie d'une même définition. Il y a de l'esprit dans le choix et le groupement de ces détails, un genre d'esprit qui n'est et ne veut être que de l'observation aiguisée.

La comédie nouvelle. — Sous l'influence de ce goût, naît alors une forme de comédie, très différente de celle qui avait fait les délices des Athéniens du ve siècle. Celle-ci, avec ses exagérations bouffonnes, sa fantaisie exubérante, ses inventions folles, ses violentes attaques contre les hommes du jour et son âpre satire des nouveautés, avait fait son temps. Elle ne convenait plus à une société de jour en jour plus polie et qui en même temps se montrait curieuse de la réalité, à mesure qu'elle en découvrait l'intérêt. Euripide, déjà, dans la tragédie même, avait fait sentir tout ce que la vie commune contenait de matière dramatique. Ce fut cette matière que la comédie du ive siècle, après une période d'apprentissage et de transition, sut exploiter excellemment.

Dans le dernier tiers de ce siècle, ce genre nouveau atteignit à sa perfection avec Philémon et Ménandre. Ce qu'ils représentent sur la scène, c'est en somme la société de leur temps. Dans le cadre d'une intrigue empruntée aux incidents de la vie contemporaine et développée à l'aide de quelques combinaisons ingénieuses, ils groupent et mettent en action des personnages dont les sentiments, les travers, les ridicules, les manières sont l'image vive du milieu social qui était le leur. Leur art se pique avant tout de naturel, de vérité. Ils se proposent de faire en sorte que leurs spectateurs se reconnaissent, ou du moins reconnaissent leurs voisins, dans ces êtres fictifs. Le goût du public exige que les aventures mêmes n'aient rien d'impossible ni de trop extraordinaire. Ce sont fréquemment de simples faits divers, qu'on dirait tirés de la chronique du jour. Et justement parce que ces pièces imitent de près la vie, elles excitent à penser tout en amusant. Elles posent des problèmes pratiques, font appel au jugement, donnent à ceux qui réfléchissent des leçons utiles.

Cet art délicat complète de la façon la plus heureuse l'art plus simple, plus large, du siècle précédent. Il tient plus de compte des petites choses, tout en se gardant de s'y absorber. Ménandre fait passer sous nos yeux des hommes de toute sorte, des avares, des indiscrets, des fanfarons, des bavards, des étourdis, des amoureux légers et inconstants, caractères de médiocre relief et pourtant bons à regarder pour qui s'intéresse, selon sa formule même, à tout ce qui est humain. Il nous montre les fines particularités qui tiennent à leur âge et à leur condition, leurs émotions passagères et les sentiments qui ont leur racine dans leur nature propre. On voit chez lui des riches et des pauvres, des gens du peuple, des affranchis, des esclaves; on y voit des mères de famille, des épouses, des jeunes filles et aussi des femmes d'intrigue et des courtisanes. Rien ne donne mieux l'idée de ce qu'était alors la société grecque. Elle se découvre là dans sa vérité et dans sa diversité, avec ses défauts et même ses vices, comme aussi avec ses qualités, son élégance, son humanité, terme qu'il convient de prendre ici au sens le plus large comme celui qui la caractérise le mieux.

En tant que forme d'art, cette comédie a eu d'ailleurs une influence tout autre que celle qui l'avait précédée. La comédie ancienne, celle d'Aristophane et de ses contemporains, était trop exclusivement athénienne pour qu'on pût la transporter aisément sur un théâtre étranger. Au contraire, rien n'empêchait celle de Ménandre et de ses rivaux, où la vie humaine était dépeinte telle qu'elle est en tout temps, de s'adapter à des sociétés diverses. C'est ce qui explique qu'elle ait pu servir de modèle à Plaute et à Térence. Ceux-ci, à leur tour, ont trouvé des imitateurs dans les pays de civilisation latine; et ainsi elle a fourni aux littératures modernes le type de la comédie d'intrigue, de la comédie de mœurs et même de la comédie de caractères. Molière, quelle que soit l'originalité de son génie, se rattache à eux par des intermédiaires connus. Nous saisissons ici, comme à propos de la tragédie et d'autres genres littéraires, l'influence de la civilisation hellénique sur la nôtre.

VI. — L'HISTOIRE

L'histoire et le goût public au IVe siècle. — Comme le drame et comme l'art oratoire, l'histoire, au IVe siècle, ne pouvait manquer de modifier plus ou moins la tradition dont elle héritait. Ses principaux représentants furent alors Xénophon, Ctésias, Éphore et Théopompe; la popularité dont ils jouirent prouve que les récits historiques trouvaient autour d'eux de nombreux lecteurs. Ce qui vient d'être dit explique cette faveur et permet de comprendre quel était en cette matière le désir général. Le public grec devenait de plus en plus curieux du spectacle de la vie; il demandait aux historiens de le lui montrer sous ses aspects multiples; ceux-ci, comme il est naturel, s'étudièrent à lui procurer satisfaction.

Xénophon et l'influence socratique. — Chez Xénophon, l'histoire nous apparaît toute pénétrée de l'esprit socratique. Jeune encore, il avait subi d'autant plus profondément l'influence de Socrate qu'elle était en intime accord avec ses tendances naturelles. Les enseignements de ce maître et l'expérience personnelle qu'il acquit dans la suite se confondirent en une morale dogmatique, dans laquelle vinrent s'encadrer toutes ses conceptions. Elle est exposée en dialogues dans ses *Mémoires* sur Socrate; elle remplit tout le roman historique qu'est sa *Cyropédie;* elle se fait reconnaître et sentir jusque dans les œuvres où il est proprement historien, l'*Anabase* et les *Helléniques*. En racontant dans l'*Anabase* l'expédition du jeune Cyrus contre son frère, le roi Artaxerxès, et la retraite des dix mille mercenaires grecs qui y avaient pris part, ce qu'il fait surtout ressortir, c'est la valeur de la discipline, du courage raisonné, de l'endurance, ce sont les services que peuvent rendre, au milieu des plus rudes épreuves, le sang-froid, la réflexion, la confiance en la protection divine; et l'intérêt de l'ouvrage naît de la notation judicieuse des sentiments que ces épreuves provoquent soit chez les soldats, soit chez les quelques personnages que les circonstances détachent de la foule. Il en est de même des *Helléniques*, où est retracée la série des événements qui agitèrent la Grèce entre 411 et

362. Quelque droit que l'on ait de reprocher à l'auteur ses préventions, sa partialité et trop souvent sa médiocre intelligence des hommes et des choses, on ne peut lui refuser le don d'intéresser et de plaire. Et ce n'est pas seulement par son élégante simplicité, par une certaine grâce naturelle qui séduit et qui attache, mais c'est aussi parce qu'il y a, chez ce narrateur agréable, un moraliste, qui appelle notre attention sur la qualité des actions et des motifs et qui invite par là même à les juger.

Les autres historiens du IVe siècle. — Ctésias, Éphore et Théopompe ne sont plus connus que par des fragments, des extraits rares et courts, des témoignages assez nombreux, mais qui ne sauraient suppléer, pour les apprécier, à leurs œuvres perdues. Ce que nous en savons suffit du moins à nous faire sentir, chez eux aussi, quelques traits caractéristiques de leur temps.

Ctésias, qui avait séjourné assez longtemps en qualité de médecin à la cour de Suse, excita vivement l'intérêt de ses lecteurs par les informations qu'il y avait recueillies. Les Grecs du IVe siècle étaient particulièrement curieux de connaître l'Asie, avec laquelle leurs relations politiques et commerciales devenaient de plus en plus fréquentes. Ctésias se fit accueillir, à tort ou à raison, comme un témoin qui venait les instruire sur beaucoup de choses qu'Hérodote n'avait pu qu'entrevoir.

Éphore et Théopompe, avant de se faire historiens, avaient été l'un et l'autre disciples d'Isocrate ; ce fut même lui, dit-on, qui les engagea à traiter des sujets historiques. L'art oratoire, en la personne de ce maître renommé, revendiquait donc l'histoire comme une partie de son domaine. Tous deux, malgré la diversité profonde de leur nature, semblent bien s'être inspirés de cette pensée. La tâche que s'était proposée Éphore, en écrivant son *Histoire universelle*, était de mettre en œuvre, dans une large composition, tous les renseignements que d'autres avant lui avaient amassés. Un tel dessein réduisait à peu de chose la recherche personnelle. Le succès qu'il obtint était dû à l'heureux emploi de ces matériaux divers, à l'ordonnance claire qui permettait de suivre le cours des événements et qui les groupait néanmoins de manière à en faciliter l'intelligence, à l'intérêt de cette immense revue historique dans laquelle tout le passé de la Grèce était exposé, depuis les temps primitifs jusqu'au milieu du IVe siècle, avec un remarquable talent de narrateur et d'écrivain. Quant à Théopompe, orateur brillant et passionné, c'était aux choses de son temps qu'il s'était attaché dans ses *Helléniques* et ses *Philippiques*, comprenant d'une part les dernières années de la guerre du Péloponnèse et l'hégémonie de Sparte jusqu'en 394, de l'autre, les événements qui avaient suivi et le règne entier de Philippe de Macédoine. De brillants discours, des récits dramatiques, des fictions ingénieuses même en formaient le tissu. Les hommes du temps y étaient mis en scène et jugés d'après les sentiments personnels de l'historien, qui ne dissimulait ni ses antipathies ni ses préférences. Quelques réserves qu'il y ait lieu de faire sur cette manière de comprendre l'histoire, il n'est pas douteux que l'œuvre ne fût singulièrement vivante et suggestive, abondante en portraits, en descriptions morales, très appropriée par conséquent à satisfaire la curiosité du public auquel elle était destinée.

VII. — Les arts

L'art du IVe siècle. — Comme il est naturel, les changements que l'on voit se produire au ive siècle dans les mœurs, dans les sentiments, dans les idées et qui se reflètent dans la littérature, se manifestent également dans l'architecture, la sculpture et la peinture. L'art de ce temps se distingue donc de celui du siècle de Périclès, dont il procède pourtant directement. C'est que, sans renoncer à la simplicité des lignes, à la pureté du dessin, à l'harmonie intime, dont le génie grec ne pouvait se passer tant qu'il restait lui-même, il devient moins sévère et, pour ainsi dire, moins abstrait. Certes, on ne cesse pas d'admirer alors, la noblesse, la beauté sereine des œuvres d'Ictinos, de Phidias et d'Alcamène, mais on demande aux artistes une imitation plus réaliste de la vie. Et ceux-ci répondent à ce besoin de nouveauté par une recherche plus curieuse du mouvement et de la variété. Ainsi apparaît un art inférieur en noblesse, en valeur idéale, mais charmant, mais séduisant par son élégance, par une liberté pleine de grâce, qui permet à chaque artiste de faire sentir davantage sa personnalité.

Évolution de l'art architectural. — En architecture, le siècle de Périclès avait créé des modèles dont il était désormais impossible de se détacher. Le temple grec avait été dessiné une fois pour toutes. Sa forme et même ses proportions essentielles s'imposaient comme quelque chose d'intangible. C'était donc dans l'ornementation, dans les détails, dans l'adaptation à telles ou telles conditions particulières, que l'originalité inventive des artistes du IVe siècle pouvait surtout s'exercer. Quelques rares monuments épargnés par le temps, d'autres ruinés, mais dont les débris peuvent du moins être interrogés utilement, nous permettent encore de nous en faire une idée assez exacte.

Ils nous montrent la faveur toujours croissante de l'ordre ionique, le succès de l'ordre corinthien, à peine connu dans la période antérieure. L'un et l'autre tendent à prévaloir sur l'ordre dorique plus sévère, qui avait prédominé antérieurement et ils cherchent à plaire de plus en plus. L'ordre ionique s'enjolive, s'assouplit, prend une parure plus variée, comme en témoignent les débris du Didyméion de Milet, ceux du temple d'Athéna à Priène, le tombeau du roi Mausole à Halicarnasse et d'autres monuments contemporains. L'ordre corinthien pose sur les pilastres et les colonnes la couronne de ses chapiteaux à feuilles d'acanthe, relevés parfois de couleurs qui en font valoir les reliefs et les découpures. L'ensemble des édifices s'adapte à cette mode nouvelle. La décoration se fait plus délicate; elle s'anime, pour ainsi dire, et se diversifie; elle appelle les inventions ingénieuses. De petits édicules même, ainsi parés, offrent au regard un spectacle des plus agréables, tel le petit monument choragique de Lysicrate à Athènes, avec sa jolie forme, sa sveltesse, la fantaisie de sa frise circulaire où se joue un petit drame à nombreux personnages, l'élégance de son couronnement, formé d'un trépied de victoire qui se détache sur un support de volutes.

Voici d'ailleurs que l'architecture doit satisfaire de nouvelles demandes. C'est au IVe siècle que commencent à s'élever dans les villes grecques les théâtres de pierre. Si la disposition générale de ces édifices ne fait que reproduire dans ses grandes lignes celle des théâtres de charpente du siècle précédent, il n'en est pas moins évident que, construits pour durer, ils sont en fait tout autre chose. Des règles générales s'établissent et se perfectionnent peu à peu par l'effet de l'expérience. Il s'agit de réaliser les meilleures conditions possibles pour que le spectacle soit vu d'un public nombreux, pour que la voix des acteurs se fasse entendre aisément, pour assurer l'entrée et la sortie de la foule, pour faciliter la mise en scène. Ces conditions varient naturellement selon les lieux. De plus, la scène et ses dépendances exigent le concours d'artistes divers, auxquels l'architecte doit imposer ses vues d'ensemble; et, bien qu'il soit souvent difficile aujourd'hui de retrouver sûrement, sous les remaniements postérieurs, ce qui appartient à ce temps, il n'est pas douteux que l'unité d'effet n'ait été obtenue sans nuire à la variété des détails. Le type architectural du théâtre, tel qu'on le voit à Épidaure par exemple, fut incontestablement une des plus brillantes créations de l'art du IVe siècle.

Il faudrait toutefois, pour en faire apprécier tous les mérites, rappeler ce que firent les architectes du même temps pour les stades, les hippodromes et aussi pour les ports, les arsenaux, les constructions militaires, sans parler des villes nouvelles, dont ils eurent à tracer les plans. La technique raisonnée, créée au siècle précédent par Hippodamos de Milet, eut certainement alors d'intelligents continuateurs. Mais nous devons nous en tenir ici à ces simples indications.

La sculpture. — Dans la sculpture, nous retrouvons les mêmes tendances, plus nettement caractérisées encore; elles y sont représentées par des artistes dont les noms sont demeurés illustres, un Scopas, un Praxitèle, dans la première moitié du siècle, un Lysippe un peu plus tard. Leur art, à tous, si on le compare à celui de leurs prédécesseurs, devient, selon l'expression d'un excellent connaisseur, « plus intime et se dégage de la tradition religieuse pour chercher dans la vie réelle le caractère individuel et personnel » (1).

Cette conception nouvelle ne peut être méconnue dans l'œuvre de Scopas de Paros, d'après les témoignages anciens. Sollicité par un grand nombre de villes grecques qui tenaient à honneur de posséder quelques-unes de ses œuvres, il peupla leurs temples de statues de dieux et de déesses. Mais ce qu'on admirait dans ces statues, c'était moins la majesté divine que la grâce des formes et des attitudes, la souplesse des membres, le jeu des draperies, le mouvement et le pathétique. Il fut le premier qui demanda au marbre de traduire les agitations violentes de l'âme. Nous savons qu'il collabora au Mausolée

(1) Collignon, *Archéologie grecque*, p. 187.

d'Halicarnasse, élevé en 353 par les ordres de la reine de Carie, Artémise. Rien n'empêche de croire que la frise de ce monument, en partie conservée, n'ait été exécutée de sa main, soit en entier, soit au moins partiellement, et, en tout cas, d'après un modèle créé par lui. Elle atteste qu'au plus vif instinct de l'élégance s'associaient chez le maître des qualités d'un autre ordre. L'œuvre, qui représente un combat de Grecs et d'Amazones, est remarquable par la fougue des mouvements, par la hardiesse des postures, par la vie intense qui anime les combattants; et l'invention dramatique des situations, la représentation saisissante des fureurs de la lutte la rendent particulièrement émouvante.

L'Athénien Praxitèle, un peu plus jeune que Scopas, ne fut pas moins renommé. Aucun des artistes grecs ne semble avoir possédé autant que lui le don inné de la grâce. Toute l'antiquité a célébré ses nombreuses figures d'Aphrodite. On citait particulièrement comme digne d'admiration sa statue d'Aphrodite de Cnide, représentant la déesse au moment où elle venait de déposer ses vêtements pour le bain, chef-d'œuvre dans lequel l'artiste avait réalisé son idéal de beauté féminine, caractérisé par la délicatesse juvénile des formes. Au sentiment religieux se substituait une séduction voluptueuse. Le marbre prenait, sous le ciseau de l'artiste, l'apparence de la vie en fleur. Cette grâce affinée se retrouvait dans les figures de jeunes dieux, qu'il aimait à créer. Nul ne se complut autant que lui à mettre en pied le dieu de l'amour, Éros; non plus, bien entendu, l'Éros mythologique du vieil Hésiode et des théogonies, contemporain des origines du monde; non pas même la personnification divine de la passion, le dieu redoutable qu'avait chanté Sophocle; mais plutôt l'amour sensuel et pourtant élégant, tel que le concevaient la plupart de ses contemporains. C'est celui-là qu'il avait sculpté pour Phryné et que celle-ci voulut consacrer à Thespies. D'Apollon aussi il fit un éphèbe, bien différent du dieu aux flèches terribles que dépeignait Homère; il le montrait dans sa nudité un peu gracile, en lui prêtant une posture légèrement alanguie, propre à faire valoir la souplesse de ses membres. Et c'est encore une conception voisine de celle-là que l'on admire dans l'Hermès d'Olympie, œuvre authentique de ses mains, retrouvée si heureusement de nos jours. Quoique mutilée et imparfaitement restaurée, elle est le témoignage d'un talent délicieux, qui, sans effort visible, alliait à la perfection du travail le charme du sentiment.

Dans la seconde partie du siècle, le bronzier Lysippe de Sicyone se montra plus attaché que Praxitèle et Scopas aux traditions de l'âge précédent, particulièrement à celle de Polyclète, dont il procédait; et cependant, lui aussi fut, à certains égards, un novateur. S'il aimait, comme Polyclète, à faire sentir la force et le jeu des muscles, il s'attachait comme ses contemporains aux détails individuels, notamment à l'expression personnelle de la physionomie. C'est ce qu'atteste le grand nombre d'effigies qu'il exécuta et qui reproduisaient les traits des hommes illustres de son temps, en particulier ceux d'Alexandre le Grand. Il représenta le conquérant à divers moments de sa vie, marquant avec finesse les variations de sa physionomie. Nous savons en outre, par le témoignage de Pline l'Ancien, qu'il traitait avec quelque minutie certaines parties secondaires de ses figures, notamment les cheveux, et qu'il essayait de donner à ses personnages une sveltesse élégante en allongeant le corps et en diminuant les proportions de la tête. Cette interprétation nouvelle de la nature eut grand succès. Lysippe a été considéré avec raison comme le précurseur du naturalisme hellénistique; et lorsque Rome s'initia aux arts de la Grèce, il n'y fut pas moins goûté que Praxitèle et Scopas. Un jour vint où leurs chefs-d'œuvre allèrent orner les demeures des riches Romains; et c'est par leur influence surtout que se fit l'éducation artistique de l'Italie latine.

Apogée de la peinture grecque. — Au sujet de la peinture, il faut répéter ici ce qui a été dit précédemment : la disparition totale de ses œuvres ne nous permet d'en parler que sur la foi des auteurs anciens. Mais nous savons par eux que les grands peintres du IVe siècle, Apelle et Protogène, ne furent pas seulement les dignes successeurs des Zeuxis, des Parrhasios et des Polygnote; ils les surpassèrent. Ce qu'on nous en dit met hors de doute, en effet, qu'ils ne continuèrent pas servilement, eux non plus, la tradition des maîtres dont ils héritaient. La réputation que se fit Apelle comme peintre de portraits atteste un goût nouveau de l'analyse psychologique, une finesse remarquable du coup d'œil, habile à saisir les traits propres d'une physionomie, à noter les indices extérieurs qui révèlent le caractère. Et ce n'était pas seulement ce qu'il y avait de permanent dans l'individu qu'il découvrait ainsi.

Il excellait à traduire les agitations de l'âme, émotions violentes ou troubles passagers. Les sentiments délicats, les nuances de la vie morale, ne lui échappaient pas davantage. Et, pour les exprimer, la précision de son pinceau était merveilleuse. Jamais sans doute la vie, dans son extrême variété, n'avait été encore imitée avec pareille perfection. Il était à peu près dans la peinture ce qu'étaient Philémon et Ménandre dans la poésie. Ne soyons pas surpris qu'il ait partagé avec Lysippe la faveur d'Alexandre. Sa réputation d'ailleurs semble avoir été presque égalée par celle de son contemporain Protogène; il est impossible aujourd'hui de dire en quoi ils se distinguaient l'un de l'autre.

Parmi les arts mineurs, celui des coroplastes mérite d'être particulièrement mentionné, comme complément du tableau que nous traçons ici à grands traits. Il n'en est aucun qui nous fasse mieux connaître les aspects familiers de la civilisation grecque de ce temps. C'est au IVe siècle, en effet, qu'appartiennent la plupart de ces jolies figurines de terre cuite qui, de nos jours, se sont répandues dans tous les musées, dans toutes les collections d'amateurs, et qui ont popularisé particulièrement le nom de la petite ville béotienne de Tanagra. Tout le monde a vu quelques-unes de ces menues statuettes de jeunes filles ou de jeunes femmes, qui nous ont fait connaître tant de détails amusants et gracieux d'une coquetterie raffinée. C'est un plaisir pour les yeux que d'en savourer l'élégance, la gentillesse exquise, d'y étudier le naturel des attitudes, l'ajustement des draperies, d'y prendre sur le fait la vie familière dans son amusante variété, la promenade, la méditation plus ou moins sérieuse, les jeux de l'enfance ou de l'adolescence.

Ainsi, dans l'art comme dans la littérature, le IVe siècle a su ajouter à toutes les créations de l'âge antérieur des traits qui lui sont propres. Et ces traits se sont incorporés de la manière la plus heureuse à l'ensemble de la civilisation grecque. S'ils lui avaient manqué, elle n'en serait pas moins restée pour la postérité une des plus admirables manifestations de l'humanité, mais elle nous paraîtrait aujourd'hui plus imposante et par conséquent plus éloignée de notre vie actuelle. C'est le goût du IVe siècle, ce sont ses œuvres variées qui l'ont rapprochée de nous en lui prêtant un aspect plus à notre mesure, en ajoutant à sa majesté la séduction d'une grâce plus familière.

8

LA SOCIÉTÉ ET LES MŒURS

Pour quelles raisons Athènes doit être principalement considérée dans ce chapitre. — Pour se faire une idée juste d'un peuple, il ne suffit pas de considérer ses institutions politiques ou religieuses, ni même les œuvres de ses artistes ou de ses penseurs, si instructives qu'elles soient d'ailleurs ; il faut encore se représenter sa vie sociale, c'est-à-dire les relations des hommes entre eux, leurs manières de vivre et leurs mœurs. Mais lorsque ce peuple nous apparaît, comme le peuple grec, divisé en un grand nombre d'États ayant chacun leur esprit, leurs lois et leurs coutumes, comment rassembler ces traits multiples en un tableau unique ? D'ailleurs, Athènes est presque la seule cité grecque sur la vie intérieure de laquelle nous ayons assez de renseignements pour qu'il soit possible d'en parler en connaissance de cause. Mais, comme cette cité a été manifestement aux ve et ive siècles avant notre ère, le centre où a convergé tout ce qu'il y eut de plus intéressant et de plus caractéristique en ce temps, il y a peu d'inconvénient à s'attacher à elle de préférence. C'est Athènes, en fait, qui a mis alors son empreinte sur la civilisation grecque et c'est d'elle que procède tout ce qui en a survécu de meilleur dans la suite. On peut dire qu'elle en contenait donc toute la substance. En lui attribuant une importance historique privilégiée, on ne fait que constater une évidente réalité.

I. — LES DIVERS ÉLÉMENTS DU PEUPLE ATHÉNIEN

Citoyens, métèques, étrangers de passage. — Rappelons d'abord de quels éléments se composait à cette époque la population de l'Attique. L'ancienne division en classes, distinguées par le cens, avait perdu beaucoup de son importance dans le cours du ve siècle, toutes les charges étant devenues accessibles à tous. Dès lors, plus de distinctions essentielles entre les citoyens. Tout Athénien, à partir du jour où il atteignait l'âge de sa majorité, jouissait de la plénitude de ses droits. Les femmes, par contre, sur la condition desquelles nous reviendrons un peu plus loin, restaient toujours mineures devant la loi. Mais, sans parler d'elles pour le moment, il s'en fallait de beaucoup que la population de l'Attique fût uniquement composée de citoyens. Elle comprenait, en outre, un nombre considérable d'étrangers domiciliés, désignés du nom de métèques, et une foule, plus considérable encore, d'esclaves et d'affranchis. Ajoutons enfin les étrangers non domiciliés, ceux qui étaient seulement de passage à Athènes, pour leurs affaires ou pour leur plaisir.

On comptait à Athènes, vers la fin du ive siècle, dix mille Métèques, nombre égal à la moitié de celui des citoyens (1). La plupart d'entre eux étaient des Grecs, qui étaient venus s'établir là, soit pour s'y livrer au commerce, soit pour profiter des facilités d'enrichissement qu'on y trouvait plus qu'ailleurs. Toutefois, il y avait aussi des Asiatiques, Lydiens, Phrygiens ou Syriens, presque tous fabricants ou négociants. Si Athènes se montrait plus hospitalière envers eux qu'aucune autre cité grecque, c'est qu'elle comprenait mieux sans doute le profit qu'elle tirait de leur présence. Toutefois, elle ne leur ouvrait pas ses portes sans conditions. Le métèque devait avoir un patron, le *prostatès*, choisi par lui entre les citoyens athéniens; faute de ce patronage, il était exposé à une poursuite criminelle, à la suite de laquelle il pouvait être réduit en esclavage. Il avait, en outre, à payer une taxe spéciale, le *métoikion*, qui, d'ailleurs, ne l'exemptait pas de certains autres impôts. Comme les citoyens, il servait, soit dans la marine, soit dans l'armée de terre. En somme, les métèques n'avaient pas à se plaindre du sort qui leur était fait. Un certain nombre d'entre eux, qui étaient des gens d'affaires entendus, amassaient de grosses fortunes. Bien entendu, Athènes, de son côté, tirait profit de leur séjour. Leur présence et leur activité contribuaient grandement à sa prospérité.

(1) Athénée, VI, 103 (p. 272 c.), d'après le recensement de Démétrius de Phalère.

Les étrangers de passage y contribuaient aussi, sans contracter avec elle de liens réguliers. On a eu l'occasion de dire précédemment, à propos des sophistes et des artistes, combien d'hommes renommés jugeaient opportun de faire, en quelque sorte, sanctionner leur réputation par le public athénien. Ce fut à ces illustres visiteurs autant qu'à ses propres citoyens que la cité de Périclès dut l'avantage de devenir la capitale intellectuelle d'un pays si divisé politiquement.

II. — LES PROFESSIONS

Les professions. — Citoyens ou étrangers, les Athéniens se répartissaient naturellement entre un grand nombre de profession.

L'agriculture. —   Nous avons vu que l'agriculture avait peu à peu perdu de son importance dans l'économie athénienne par le développement de la vie urbaine. Ce n'est pas à dire, toutefois, qu'elle eût cessé d'y tenir sa place. Il y avait toujours en Attique, sinon d'immenses propriétés, comme à Rome — la Grèce n'a jamais connu les *latifundia* — du moins d'assez grands domaines, d'autres d'étendue moyenne et un nombre considérable de petits. La production des céréales y était insuffisante, malgré tout, pour nourrir la population, et l'on devait faire venir du dehors une quantité notable de blé. Mais la culture de l'olivier donnait en abondance une huile de qualité supérieure, qui était en grande partie exportée; et, quelle que fût l'aridité du sol dans la partie montagneuse du territoire, beaucoup de paysans tiraient du peu de terre qu'ils cultivaient de quoi satisfaire à peu près leurs besoins. Aristophane, dans plusieurs de ses comédies, nous a fait connaître le petit cultivateur de son pays, économe et laborieux, ne demandant que la paix pour récolter les fruits de sa vigne et de ses figuiers. Et d'autre part, Thucydide nous apprend que beaucoup de citadins même, avant la guerre du Péloponnèse, avaient à la campagne leur installation préférée. Il est peu probable que ces habitudes se soient complètement perdues au siècle suivant.

L'industrie. — Néanmoins, c'était l'industrie, sans cesse en progrès, qui tendait manifestement à prévaloir. Certaines exploitations extractives, marbres du Pentélique, mines d'argent du Laurium, mines d'or du Pangée étaient une source de richesses, qui profitait soit à des fortunes privées, soit à l'État. Mais c'était surtout par le travail de ses artisans qu'Athènes manifestait son activité industrielle. Elle avait des fabriques d'armes, de meubles, d'objets divers, dans lesquelles le bon goût s'associait à l'habileté technique. Sans parler des artistes proprement dits, architectes, peintres, sculpteurs, les ouvriers décorateurs, orfèvres, potiers, et beaucoup d'autres voués à des travaux d'un ordre moins relevé, tels que forgerons, maçons, charpentiers, ou encore les tisseurs et les foulons, les teinturiers et les parfumeurs formaient une partie importante de la population urbaine. La ville était pleine d'ateliers, renommés par la qualité de leurs produits. Certains chefs d'industrie y travaillaient eux-mêmes, assistés d'ouvriers libres ou d'esclaves spécialisés, tandis que d'autres s'en réservaient seulement la direction générale et le profit, laissant la surveillance technique à quelque homme de confiance, souvent à un affranchi intelligent. Ces ateliers étaient toujours assez restreints; d'ordinaire, ils ne comptaient guère plus d'une dizaine d'ouvriers, souvent moins, rarement plus de vingt ou trente. Point de machines à proprement parler; un outillage simple; rien par conséquent d'analogue à nos industries modernes; pas de classe ouvrière, comme il en existe aujourd'hui dans presque tous les pays; en revanche, nombre de petits patrons qui se distinguaient à peine de leurs employés, ayant à peu près même vie, même régime, même costume.

Commerce. — Comme l'industrie, le commerce avait pris, au vᵉ siècle, un rapide essor, qui s'accrut encore au ivᵉ. Les exportations d'huile, de vins, de meubles, d'armes et en général d'objets fabriqués, les importations diverses, particulièrement celle des blés, y avaient donné naissance à un grand négoce et à de grosses fortunes. Les métèques prenaient une bonne part à ces opérations. C'était à eux qu'appartenaient quelques-unes des plus importantes maisons de commerce du Pirée. Pour satisfaire aux besoins de ce commerce, se multiplia au ivᵉ siècle une nouvelle classe de gens d'affaires, les banquiers ou trapézistes, qui pratiquaient soit le change, rendu nécessaire par la diversité des types monétaires en circulation, soit les opérations de crédit indispensables aux armateurs. D'ailleurs, ils n'étaient pas moins utiles au petit et au moyen commerce, notamment aux nombreux détaillants qui débitaient leurs marchandises dans les boutiques, les échoppes ou les divers marchés. C'est pourquoi ils s'étaient accoutumés à installer leurs tables sur l'agora, au centre de la ville; c'était là qu'ils se tenaient à la disposition des petits clients, sauf à traiter sans doute à domicile avec les plus importants. Ce qu'étaient les marchés de la ville pour les Athéniens, notamment le marché aux poissons, les allusions de la comédie nous l'apprennent; et elles nous renseignent aussi sur l'importance des barbiers qui tenaient boutique aux alentours des lieux fréquentés et chez qui on discutait les faits du jour; c'étaient les officines des nouvellistes, d'où s'envolaient en foule médisances et commérages.

La Ville et le Pirée. — Dans l'ensemble, cette population urbaine se faisait remarquer par sa vivacité, son enjouement, ses mots piquants, sa bonne humeur. Sans être tout à fait exempte de grossièreté, elle possédait, à un degré remarquable pour une foule, le goût du beau, la finesse naturelle, une aversion instinctive pour toute vaine ostentation. Elle savait apprécier les œuvres des artistes et celles des auteurs dramatiques, elle aimait l'élégance simple, le naturel, elle goûtait la raillerie spirituelle et saisissait vite les allusions. Habituée d'ailleurs à la pratique des affaires, elle ne manquait pas de jugement, lorsqu'il s'agissait de choses qu'elle connaissait bien. Son plus grand défaut était de se laisser prendre trop facilement aux beaux discours. Éprise de toutes les manifestations de l'intelligence et douée d'une vive sensibilité, elle se délectait à écouter les raisonnements ingénieux et les paroles émouvantes et savait mal se défendre de tout ce qui la touchait ou séduisait son imagination. A tout prendre, c'était en ville cependant que se trouvait la partie de la classe industrielle et commerçante la plus capable de prudence et de modération. A cet égard, elle différait de la population du Pirée, bien plus mêlée et plus turbulente. Là étaient les travailleurs du port, les employés des docks et des chantiers, les matelots de profession, les pêcheurs, auxquels se mélangeait constamment la foule bigarrée des gens d'outre-mer, Grecs des îles ou Asiatiques, Siciliens, Italiens, Syriens, Égyptiens, Libyens, marchands ou marins du Pont et des colonies lointaines, barbares des différents rivages méditerranéens, chacun apportant son langage, ses mœurs, ses superstitions. En contact quotidien avec ces hommes du dehors, les Athéniens du port prenaient eux-mêmes un esprit nouveau, plus accessible aux changements, plus dégagé des traditions. C'était dans la république l'élément le plus turbulent et le plus novateur, celui par l'intermédiaire duquel bien des choses étrangères, en religion surtout, s'introduisaient dans la cité.

III. — La famille

La puissance paternelle. — La famille, aux ve et ive siècles, avait moins changé, en apparence du moins, que la société. Sa constitution fondamentale, reposant sur la puissance paternelle, était toujours la même. Elle procédait de l'idée antique de la supériorité de l'homme sur la femme. Le chef de famille détient donc une autorité qui, en principe, est à peu près absolue, bien qu'en fait elle soit de plus en plus limitée, à Athènes surtout, par le progrès des mœurs. Il a le droit de commander à sa femme, à ses enfants, à ses serviteurs. Il est le maître à qui toute la maison doit obéissance; il règle, comme il l'entend, l'administration de son bien, les occupations et les obligations de chacun; rien ne se fait chez lui sans sa permission. Sa femme n'a de liberté que celle qu'il autorise. S'il lui plaît de la répudier, une déclaration devant témoins lui suffit, et il la renvoie, à la seule condition de rembourser la dot qu'il a reçue. Quant à ses enfants, il lui appartient de décider, au moment de leur naissance, s'il lui convient de les élever; ils n'ont le droit de vivre que s'il y consent. Lorsqu'ils auront grandi, il gardera toujours celui de les exclure de sa famille par la procédure de l'expulsion (*apokéryxis*). Tels sont du moins ses pouvoirs légaux. Comment étaient-ils exercés ordinairement? A Athènes, en tout cas, nous avons bien des raisons de croire qu'ils ne l'étaient guère. Les témoignages ne nous manquent pas qui nous font voir, dès le ve siècle, des maris, comme le Strepsiade des *Nuées* d'Aristophane, cédant aux fantaisies de luxe et de grandeur de leur femme et singulièrement indulgents pour leurs enfants. La comédie du ive siècle nous en dit plus encore sur ce point.

La condition des femmes. — Il est vrai que la femme athénienne, au point de vue légal, est toujours une mineure. Dans le mariage, elle a pour tuteur son mari; devenue veuve, elle passe sous la tutelle de son plus proche parent ou d'un nouveau mari, souvent désigné par le testament du premier. Fille, elle n'hérite du patrimoine paternel que si elle n'a pas de frère, et elle ne reçoit cet héritage que pour le transmettre à celui qu'elle est tenue d'épouser. La coutume veut qu'elle sorte peu de chez elle, qu'elle n'y accueille que ses proches parents ou d'autres femmes, et seulement si son mari l'y autorise. C'est une demi-recluse (1). Pour s'occuper, elle a les soins de la maison, la surveillance du ménage, l'éducation de ses filles jusqu'à leur mariage, celle de ses fils, jusqu'à sept ans environ. Seulement ici, comme précédemment, il y aurait lieu de distinguer entre la condition légale et la situation réelle. Jamais, en aucun pays, ni les sentiments ni même les habitudes de la vie n'ont été entièrement réglées par les lois. En fait, l'influence de la femme et son rôle, à Athènes comme ailleurs, dépendaient naturellement de son caractère et de celui de son mari. Telle femme a pu être une conseillère judicieuse, souvent consultée, souvent écoutée. Telle autre a même pu avoir en réalité beaucoup plus de part au gouvernement domestique qu'un mari faible ou indécis ou indifférent. L'histoire des ménages athéniens ne se trouve chez aucun historien; mais les témoignages qu'on peut recueillir çà et là, chez les biographes, chez les poètes de la tragédie et plus encore chez ceux de la comédie, sans parler d'un tableau d'intérieur tel que celui de la maison d'Ischomaque dans l'*Économique* de Xénophon, confirment suffisamment ce que la simple connaissance de la nature humaine suggère à cet égard. Le sort de la femme dépendait, sinon absolument, du moins pour une part importante, de ses qualités naturelles. Il faut reconnaître, il est vrai, qu'elle avait peu de moyens de les développer par l'éducation et que la réclusion du gynécée n'y était guère favorable non plus.

De l'éducation. — L'État athénien ne s'emparait pas de l'enfant dès l'âge de raison, comme le faisait l'État lacédémonien, pour le dresser à sa guise. Il laissait à la famille le soin de l'éducation et s'en remettait à l'initiative privée pour en assurer les moyens. Il n'y avait pas à Athènes d'écoles publiques. L'enseignement élémentaire était donné aux petits garçons par des maîtres bénévoles qu'on appelait les grammatistes et qui, moyennant un faible salaire, rassem-

(1) « Ce qu'il y a de plus beau pour une femme », dit Macarie dans Euripide, « c'est d'observer le silence et la réserve, c'est de se tenir paisiblement dans sa demeure. » (*Héraclides*, v. 476-477).

blaient dans de petites classes les enfants d'un même quartier. Ils leurs apprenaient à lire, à écrire, à compter. Lorsque les petits élèves étaient devenus capables de lire, on leur faisait apprendre et réciter par cœur des morceaux d'Homère et quelques passages des poètes gnomiques, tels qu'Hésiode, Théognis, Phocylide, contenant des sentences et conseils pratiques. L'explication des mots, indispensable pour des enfants, leur faisait connaître beaucoup de choses. Les beaux récits homériques, même sans aucun commentaire, n'étaient-ils pas d'ailleurs par eux-mêmes une initiation excellente à la vie ? Cet enseignement très simple et peu coûteux était accessible à presque tous les enfants athéniens, du moins aux garçons; mais tous n'allaient pas au-delà. Ceux qui pouvaient poursuivre leurs études étaient confiés aux soins de maîtres plus instruits, professeurs de lettres et de musique, qui leur apprenaient à jouer de la cithare, les initiaient pratiquement aux lois essentielles du rythme, et leur faisaient exécuter et chanter les morceaux les plus célèbres des poètes lyriques. Ils se trouvaient naturellement amenés à les leur expliquer d'abord. De telles leçons ne pouvaient être assujetties à aucun programme régulier; elles variaient forcément selon la qualité d'esprit du maître. Au reste, il est clair que ce plan d'études, dans son ensemble, n'avait rien de rigoureux. Les enfants des familles aisées étaient souvent confiés à des maîtres particuliers, et ceux-ci pouvaient être des hommes de talent, dont le commerce était singulièrement profitable à des esprits bien doués. C'est dans cette classe qu'on doit ranger les sophistes dont il a été question plus haut. L'enseignement qu'ils donnaient et qu'ils faisaient payer fort cher était déjà une ébauche d'enseignement supérieur qui, à vrai dire, n'approfondissait rien, mais qui ouvrait des vues sur presque toutes les directions de la pensée.

A cette formation de l'esprit, s'ajoutait celle du corps, obtenue par les exercices physiques sagement coordonnés. Ceux-ci avaient lieu dans les palestres, où les jeunes gens les pratiquaient sous la conduite de maîtres spécialisés, appelés pédotribes, et suivant une progression méthodique. Les principaux étaient la course, le saut, la lutte, le maniement des haltères, le lancement du disque. Toute brutalité en était soigneusement écartée, comme aussi tout excès de fatigue. On ne visait pas à former des athlètes, mais uniquement à développer la force, la souplesse, l'agilité, sans parler du courage, de l'endurance, du sang-froid, en un mot à faire des hommes sains et bien conformés. Enfin, lorsque le jeune Athénien atteignait l'âge de dix-huit ans, époque de sa majorité, il avait à faire deux ans de service militaire dans les limites de l'Attique, occupé à la garde des frontières, à la défense des points fortifiés et à la police du territoire. Au terme de cette période, il devenait citoyen et s'engageait par serment à remplir les devoirs attachés à ce titre. Il était prêt dès lors à tout ce que le pays pouvait exiger de lui.

Cette éducation formait, comme on le voit, un cycle bien compris, qui ne procurait, il est vrai, au jeune Athénien qu'un savoir généralement très restreint, suffisant toutefois pour donner aux bons esprits le désir de l'accroître, et pour leur inspirer l'attachement à la cité, avec le sens du bien et du beau. Les études proprement scientifiques étaient réservées à la période ultérieure, c'est-à-dire à la vie entière. Les Athéniens mettaient ainsi en pratique la maxime de Solon : « Je vieillis en m'instruisant. » Il en résultait sans doute que beaucoup apprenaient trop tard bien des choses qu'ils auraient eu intérêt à savoir plus tôt. L'inconvénient s'en faisait moins sentir en un temps où la somme des connaissances nécessaires à un esprit cultivé était loin d'être ce qu'elle est aujourd'hui.

C'était surtout l'éducation des femmes qui laissait à désirer. Pour elles, point d'écoles, les jeunes filles, à Athènes, ne paraissant en public qu'exceptionnellement. C'était donc dans la maison qu'elles devaient être instruites. Par quels moyens ? Sur ce point, nous sommes réduits aux conjectures. On doit admettre qu'elles recevaient au moins dans la classe moyenne une instruction élémentaire. Profitaient-elles indirectement de celles de leurs frères ? Ce qui est certain, c'est qu'elles savaient fort peu de chose, ou plutôt qu'à l'âge du mariage, elles ignoraient presque tout de la vie. Dans l'*Économique* de Xénophon, nous voyons un nouveau marié se faire l'instructeur de sa toute jeune femme. Le tableau ne manque pas de grâce, mais il donne à penser. Quelle pouvait être la vie de ces femmes si peu cultivées et réduites à n'entretenir de relations qu'avec d'autres femmes semblables à elles ? Nous voyons, par les témoignages, qu'on leur reprochait souvent d'être frivoles, bavardes, indiscrètes, de se complaire aux commérages.

Que leur avait-on mis dans l'esprit pour avoir le droit de se plaindre, quand on n'y trouvait rien de solide ni de sérieux?

Les esclaves. — A la famille se rattachaient les esclaves, sauf le petit nombre de ceux qui appartenaient à l'État. Devant la loi, l'esclave ne comptait pas comme une personne : c'était un corps (*soma*). N'ayant donc aucun droit, il était à la discrétion de son maître, qui pouvait disposer de lui à son gré, sans avoir de compte à rendre à personne. Si toutefois la loi athénienne accordait à cet être inférieur quelque protection contre certains abus particulièrement graves, c'était pure concession à un sentiment d'humanité; rien ne lui était dû. Son témoignage même n'était reçu devant un tribunal qu'à la condition d'être affirmé dans la torture; par lui-même, un serment d'esclave semblait sans valeur. Cela étant, on ne peut douter que beaucoup d'esclaves ne fussent assujettis à une existence fort dure, à la campagne surtout ou dans l'exploitation des mines. Tout dépendait du caractère du maître. Cependant, il semble qu'un assez grand nombre d'entre eux à Athènes n'avaient pas, à tout prendre, une vie aussi pénible qu'on pourrait le croire. La simplicité des mœurs leur était favorable. Elle diminuait la distance entre eux et les hommes libres. Mêlés à la vie de famille ils s'attachaient souvent à leurs maîtres, pour peu que ceux-ci fussent justes et bienveillants, et, par cet attachement, ils adoucissaient singulièrement leur sort. Des relations, même affectueuses, pouvaient s'établir entre des esclaves, hommes ou femmes, et les enfants qu'ils avaient vu naître, qu'ils avaient entourés de soin dans leurs premières années. Ces relations se prolongeaient dans la vie, et il arrivait que telle jeune fille, devenue femme, eût pour confidente une ancienne servante, ou que tel jeune garçon, devenu homme, trouvât dans le « pédagogue » qui l'avait autrefois surveillé le plus sûr auxiliaire et le meilleur conseiller. Cela explique comment on vit quelques-uns de ces humbles serviteurs, dans les temps de trouble, se dévouer pour leurs maîtres, et comment, plus souvent encore, on vit des maîtres faire de leurs esclaves leurs hommes de confiance et les associer à leurs entreprises. L'affranchissement d'ailleurs était fréquemment la récompense de bons services; et il n'était pas rare, dans l'industrie et le commerce, que des affranchis, après avoir dirigé les affaires de leurs patrons, devinssent à leur tour chefs d'entreprises et fissent fortune. C'est ainsi que des sentiments naturels d'humanité corrigeaient, dans une certaine mesure, les vices de l'institution. Celle-ci n'en restait pas moins odieuse par elle-même. Car, indépendamment des violences qu'elle couvrait trop souvent et des souffrances quotidiennes qu'elle infligeait à beaucoup de malheureux, elle outrageait chez tous la dignité humaine et l'exposait à une dégradation presque inévitable. Reconnaissons simplement, à l'honneur de la civilisation grecque, que, si elle n'a pas su s'affranchir de cette tare, commune d'ailleurs à toute l'antiquité, c'est en Grèce du moins que se sont élevées les premières protestations de la raison et de la conscience contre cette violation du droit naturel. Elles se font entendre dès le ve siècle dans certaines tragédies d'Euripide; elles devaient être reprises par la philosophie et transmises par elle au christianisme.

IV. — L'EMPLOI DU TEMPS ET LES MANIÈRES DE VIVRE

Les occupations. — Si la vie est une sorte de théâtre où se jouent incessamment des scènes variées, les quelques renseignements qui précèdent nous en ont fait à peu près connaître les acteurs. Il s'agit maintenant de les montrer en action. Transportons-nous par la pensée dans l'Athènes de Périclès et de Socrate, de Platon et de Démosthène, d'Aristophane et de Ménandre, et essayons de nous en représenter l'agitation quotidienne.

Évidemment, les occupations, les passe-temps et les plaisirs variaient beaucoup d'une classe à l'autre de la société. Mais, à coup sûr, le nombre de ceux qui restaient entièrement oisifs ne pouvait être très considérable. Songeons d'abord aux obligations passablement assujettissantes qui étaient communes à tous. Tout citoyen devait, comme tel, une part importante de son temps aux affaires municipales et publiques. Il lui fallait, en principe du moins, assister aux assemblées du dème, de la phratrie, de la tribu, à celles du peuple; et, s'il faisait partie du Conseil des Cinq-Cents, s'il était désigné comme arbitre ou comme commissaire, s'il siégeait dans un des tribunaux de l'Héliée, s'il exerçait une magistrature quelconque, il devait renoncer à régler librement l'emploi de son temps. D'ailleurs, indépendamment des devoirs publics, les simples exigences de la vie imposaient à presque tous une activité constante. Ce n'était pas une petite affaire pour quiconque possédait un peu de terre, dans ce pays de laborieuse culture, que d'en diriger ou d'en surveiller l'exploitation, alors même qu'on ne prenait pas, comme beaucoup, une part personnelle au travail; restait ensuite à assurer le bon emploi ou la vente des produits. Ceux qui vivaient de l'industrie avaient à suivre de près ce qui se faisait dans leurs ateliers, lorsqu'ils n'étaient pas eux-mêmes des artisans, à se faire rendre des comptes, à s'occuper de l'achat des matières premières, à se tenir au courant des demandes de la clientèle locale et de l'étranger. Que dire des négociants et des armateurs? Ne leur fallait-il pas s'informer quotidiennement des conditions d'affrètement et de transport, se faire renseigner sur les débouchés possibles, entretenir de constantes relations avec des clients lointains et en chercher de nouveaux? Beaucoup d'entre eux naviguaient eux-mêmes; jeunes, ils faisaient leur apprentissage commercial en allant au loin vendre leurs marchandises et s'informer sur place de ce qu'on pouvait acheter ou débiter avec profit dans les diverses régions méditerranéennes. Il y avait là, certes, de quoi tenir en haleine bien des gens. En fait, toute la cité, ou peu s'en faut, devait être en mouvement du matin au soir.

Les loisirs. — Toutefois, l'Athénien, même de condition moyenne, savait se donner quelques loisirs. Les esclaves, qu'il faisait travailler pour lui, le dispensaient des corvées les plus ennuyeuses et des besognes trop absorbantes. Homme libre, il voulait pouvoir user de sa liberté et il se réservait du temps pour en jouir. Son humeur sociable lui faisait rechercher les occasions de causer de ses affaires et de s'enquérir curieusement de celles des autres.

Un des endroits propices aux rencontres et aux entretiens était le marché. Dès le matin, on y voyait arriver les gens de la campagne apportant les fruits, les légumes, la volaille et le gibier, les pêcheurs qui venaient vendre poissons de mer, crustacés et coquillages divers, et même des Béotiens offrant aux gourmets les anguilles renommées du lac Copaïs. Peu à peu, les boutiques s'ouvraient, les étalages se déployaient, les ateliers s'animaient, les esclaves s'affairaient. Vers le milieu de la matinée, l'agora était pleine. C'était l'heure, nous dit Xénophon, où Socrate s'y rendait, sûr d'y trouver à qui parler. Jusqu'au milieu du jour, il y avait foule sur la place et aux environs; l'Athénien, même de bonne condition, ne dédaignait pas de faire lui-même son choix pour approvisionner sa table. Et, plus que tout, il aimait à regarder et à causer. Tout en passant d'échoppe en échoppe, on s'arrêtait avec des amis, on échangeait propos et informations, on recueillait au vol les bruits du jour; c'étaient l'heure et le lieu des rencontres et des conciliabules.

D'autres endroits encore offraient d'agréables passe-temps, les palestres par exemple, où l'on pouvait voir les jeunes gens se livrer à des exercices divers, et les gymnases, où des hommes faits, parfois même des athlètes connus, donnaient le spectacle de l'agilité unie à la force et à l'adresse. On sait l'intérêt que tout Grec prenait à ces exhibitions. Ceux même qui avaient cessé de pratiquer la gymnastique trouvaient plaisir à être témoins de ces luttes, de ces courses, de ces sauts où toutes les qualités du corps se faisaient admirer tour à tour.

Mais rien peut-être n'était plus agréable aux Athéniens en général que d'entendre bien parler. A cet égard, on ne pouvait être mieux servi qu'ils ne l'étaient. Les assemblées du peuple qui avaient lieu périodiquement leur donnaient occasion d'écouter des hommes exercés à la parole, quelquefois de grands orateurs, discutant contradictoirement sur les intérêts de la république. Tantôt ces délibérations étaient de hautes leçons de politique, tantôt elles se transformaient en de véritables luttes où entraient en jeu d'ardentes passions. C'étaient là, pour les auditeurs, de véritables spectacles, tout aussi dramatiques que ceux du théâtre. A plus forte raison en était-il ainsi d'un grand nombre de procès, surtout des procès politiques, si fréquents à Athènes. A tous ceux qui y assistaient, soit comme juges, soit comme simples curieux, ces débats, où souvent un homme d'État défendait son honneur, sa fortune et même sa vie contre des accusateurs acharnés, procuraient les émotions profondes dont ils étaient particulièrement avides. Comme aux pièces de Sophocle et d'Euripide, l'admiration, la crainte, l'indignation ou la pitié agitaient tour à tour les âmes tenues en suspens par la parole des orateurs.

N'oublions pas non plus qu'Athènes était le lieu où tous les hommes de talent venaient chercher la considération de leurs succès. Nulle part on n'avait autant d'occasions de les voir et de les entendre. Les sophistes célèbres y venaient donner des conférences, les acteurs en renom tenaient à s'y faire applaudir, les rhapsodes les plus habiles à interpréter l'antique poésie des aèdes se plaisaient à y réciter les plus beaux passages de l'*Iliade* et de l'*Odyssée*, les musiciens à la mode, un Philoxène, un Timothée, avaient à cœur d'y faire goûter leurs innovations. Et, d'autre part, il y avait dans la ville tant de chefs-d'œuvre d'architecture et de sculpture, tant de belles peintures, qu'on pouvait, rien qu'en la parcourant, se procurer les plaisirs les plus délicats. Enfin, c'était le temps aussi où le goût de la lecture était de plus en plus favorisé par le commerce des manuscrits. Il n'était guère d'Athénien cultivé, au ve siècle et surtout au ive, qui n'en eût un certain nombre à sa disposition et qui ne prît plaisir à se les faire lire par un esclave instruit.

Une chose manquait à la Grèce de ce temps. Par suite de la clôture du gynécée, elle ne connaissait point de réunions mondaines comparables à nos salons, où la présence de femmes distinguées a contribué si efficacement au progrès de la politesse et du bon ton. Les hommes à Athènes, et dans les cités grecques en général, se réunissaient uniquement entre eux et presque toujours pour banqueter. Certaines maisons riches étaient largement hospitalières. Le maître se faisait honneur de tenir en quelque sorte table ouverte et d'y recevoir ses amis, dont le cercle pouvait être fort étendu. La chère y était délicate, comme il convient, et l'on avait à cœur d'y faire régner la gaieté. Après le repas, l'usage était que l'on servît aux convives des vins de plus en plus généreux et que la réunion joyeuse se prolongeât autour des coupes fort avant dans la nuit, quand ce n'était pas jusqu'au matin. On ne tenait pas pour un scandale que les cerveaux fussent plus ou moins troublés par les fumées du vin ni même que plus d'un convive finît par s'endormir sur le champ de bataille. Comme on peut bien le penser, on ne buvait pas en silence. Souvent les invités étaient priés de chanter tour à tour en s'accompagnant sur la cithare. D'autres fois, on se livrait à divers jeux de société; ou encore, l'hôte faisait venir des joueuses de flûte, des bouffons, des mimes, chargés de divertir les assistants. Ces usages avaient donné naissance à une classe d'hommes qu'on appelait les parasites et qui étaient, pour ainsi dire, des convives professionnels. Flatteurs, tantôt insinuants, tantôt éhontés, ils savaient se faire inviter partout et se passaient au besoin d'invitation. Si le bouffon était absent, ils le remplaçaient. Prêts à tout supporter, pourvu qu'on les laissât manger et boire à discrétion, ils se laissaient bafouer et tourmenter, prenant tout en plaisanterie. On conçoit que la présence de ces êtres dégradés n'était pas sans provoquer de fâcheux abus. Il était difficile qu'une certaine grossièreté ne se mêlât pas au laisser-aller qu'autorisait la nature même de ces réunions. Nous pouvons en juger encore par quelques-unes de celles qui nous ont été décrites. Elles sont même d'autant plus significatives qu'elles se passent dans un milieu où l'on se piquait de philosophie. Xénophon nous a dépeint un de ces banquets où figurent des gens posés; les chansons y sont remplacées par de petites improvisations oratoires où chacun des convives à son tour fait preuve d'esprit; encore est-il que la soirée s'achève par une pantomime fort libre. Platon, avant lui, avait représenté un autre banquet, qu'il a rendu justement célèbre. On sait comment il y a mis en scène des personnages de conditions diverses, qui dissertent l'un après l'autre sur l'amour. Aux ingénieux éloges qu'ils en font succède un admirable discours de Socrate, par la bouche duquel Platon expose les plus hautes idées. Nous sommes transportés quelques instants par son génie en pleine poésie, dans une région de rêve et de pensée tout à la fois. Mais, tout à coup, Alcibiade ivre fait irruption. Le ton change brusquement; au dénouement, nous voyons tous les convives assoupis près de leurs coupes vides, à l'exception de Socrate, qui seul a tenu bon. Ce n'est pas là, on en conviendra, la peinture d'un salon. Ainsi cette belle œuvre elle-même nous découvre, par ses contrastes, ce qu'il y avait de relâchement dans les mœurs athéniennes.

Sur ce point d'ailleurs, les témoignages abondent. Ils s'offrent à nous chez les historiens et les biographes, chez les compilateurs d'anecdotes tels qu'Athénée et dans ce qui nous reste des comédies du temps; et ils nous sont rendus sensibles par les scènes figurées, qu'on peut voir sur un grand nombre de vases réunis dans les divers musées. Ils nous révèlent clairement le rôle que jouaient à Athènes les courtisanes de toute classe, depuis les plus vulgaires jusqu'à celles qui ajoutaient à la séduction de la beauté le charme de l'esprit. Leur succès est la meilleure preuve du tort que se faisait à elle-même la société grecque par la réclusion qu'elle imposait aux femmes honnêtes et par l'insuffisance de l'éducation qu'elle leur donnait.

J'ai passé en revue, dans ce chapitre et dans les trois précédents, les principaux aspects de la civilisation grecque à l'époque de son plein épanouissement. La suite de cet exposé nous en fera voir la diffusion, mais aussi l'affaiblissement. C'est le moment de résumer brièvement les traits qui sont ses titres d'honneur, sans négliger de rappeler ce qu'elle a tenté avec moins de succès.

Il est incontestable que le libre développement de la personnalité chez les individus, qui est, comme je l'ai dit au début, une des fins sociales, a été brillamment réalisé dans plusieurs cités grecques : en Ionie, dans certaines colonies d'Italie et de Sicile, mais surtout à Athènes. Ce fut en partie l'effet des qualités propres de la race, en partie celles des circonstances qui l'ont favorisée, notamment de ses contacts fréquents avec des peuples étrangers. Nulle part, l'humanité n'a produit, dans un espace de temps restreint, autant de talents divers ni autant d'œuvres originales si voisines de la perfection. La pensée, sous toutes ses formes, s'est montrée là plus créatrice que partout ailleurs, et, dans toutes ses créations, elle restée maîtresse d'elle-même, toujours soucieuse de mesure, toujours éprise de clarté. Jamais ni la puissance de l'imagination, ni l'intensité pathétique du sentiment n'ont dégénéré dans ses œuvres en violence ni en désordre. C'est pourquoi elle a réalisé, dans les arts comme dans la littérature, des types de beauté qui n'ont jamais été surpassés. Et à ce sens exquis s'est ajoutée souvent une pénétration de l'intelligence qui a permis à ses penseurs de poser, sinon de résoudre, presque tous les grands problèmes qui sollicitent l'esprit humain, souvent même d'en pressentir partiellement certaines solutions. Enfin, c'est en Grèce aussi qu'ont été énoncés pour la première fois un certain nombre des principes qui ont peu à peu adouci les instincts violents et préparé une humanité meilleure. Ce sont là d'incontestables bienfaits, qui confèrent à la Grèce antique le droit d'être considérée comme la principale éducatrice du monde moderne.

Mais le développement personnel de l'individu n'est que l'une des fins sociales, l'autre étant l'organisation même de la société. A cet égard, la Grèce a fait des essais variés, qui sont en somme supérieurs en intérêt et en valeur à presque tous ceux que nous offre ailleurs l'antiquité. Ce ne sont toutefois que des essais, dont aucun n'a été complètement heureux. Elle a constitué des républiques de types divers qui ont fait preuve de vitalité; quelques-unes ont été grandes par le patriotisme de leurs citoyens; il en est qui ont réalisé l'égalité devant la loi, au moins partiellement, et qui, constituées en démocraties, ont créé, dans une certaine mesure, un régime de liberté. Mais les différences qui existaient entre elles les ont mises en conflit les unes avec les autres, et presque aucune d'elles n'a trouvé dans ses institutions la garantie de la paix intérieure. Il n'en est donc pas une qui puisse être proposée en exemple à un État moderne. Ce que la Grèce antique nous a légué d'utile, en ce qui concerne la politique, ce sont, d'une part, des expériences instructives, qu'il faut savoir interpréter, et, de l'autre, les enseignements que ses historiens et ses philosophes en ont tirés. Expériences et enseignements sont du moins un sujet de méditations singulièrement profitables.

TROISIÈME PARTIE

DERNIÈRES ÉPOQUES
DE LA CIVILISATION GRECQUE

9   LES ROYAUTÉS HELLÉNISTIQUES

Le déclin de la civilisation hellénique. — C'est à partir de la mort d'Alexandre que commence, pour la civilisation hellénique, la longue période du déclin. Elle a duré huit siècles, si l'on en fixe le terme au temps où s'éteignit la dernière création importante de la pensée grecque, le néoplatonisme. Déjà, il est vrai, avait commencé une autre civilisation, celle de Byzance, mélange d'hellénisme et de christianisme; mais, dans l'histoire des choses humaines, toutes les séparations ont nécessairement quelque chose d'arbitraire. Ce terme de déclin n'a lui-même qu'une valeur toute relative. Il s'en faut de beaucoup, en effet, que ces huit siècles aient été stériles. C'est dans les œuvres de l'imagination et du sentiment que l'amoindrissement du génie grec se fait vraiment sentir. Nous en verrons les causes et nous nous expliquerons l'espèce d'engourdissement intellectuel qui fut mortel à la grande poésie. Mais cette même époque ne se montra pas aussi défavorable à la recherche du vrai ni aux méditations sur la conduite de la vie. L'érudition, la science, la philosophie continuèrent à se développer; et ce qu'elles ont produit alors ne peut être méconnu dans un aperçu d'ensemble de la civilisation hellénique. D'autant moins que c'est en somme le travail de cette période d'affaissement relatif qui a transmis cette civilisation aux siècles suivants, après l'avoir dépouillée de ses caractères trop particuliers et l'avoir mieux adaptée par conséquent aux besoins généraux de l'humanité.

Le monde grec après la mort d'Alexandre. — Lorsqu'Alexandre le Grand mourut au terme de ses prodigieuses conquêtes, les peuples de l'Orient, soumis par lui, s'ouvraient aux influences helléniques. En apprenant à parler grec, ils se rendaient aptes à s'imprégner des idées et des sentiments de la Grèce. Tout ce que le génie hellénique avait produit en fait de poésie, de science, de philosophie, d'histoire et de créations artistiques devint ainsi le patrimoine commun de l'humanité civilisée. Mais, dans cette diffusion, ce patrimoine ne pouvait pas demeurer inaltéré. D'une part les peuples qui en prirent possession laissèrent de côté ce qu'ils ne comprenaient pas, ce qui ne s'accommodait pas à leur culture propre. D'autre part, ils y introduisirent des éléments nouveaux, les uns empruntés à leur passé, les autres en rapport avec les formations politiques et sociales qui surgissaient alors.

On sait comment les généraux macédoniens, après la mort du conquérant, entrèrent en lutte et au milieu de quels conflits sanglants ils se partagèrent son héritage. Rappelons seulement ici que des débris de son empire se formèrent un certain nombre de royaumes, entre lesquels il faut mentionner particulièrement celui d'Égypte sous les Lagides, celui de Syrie sous les Séleucides, celui de Pergame sous les Attalides, celui de Macédoine sous les Antigonides. A côté de ces royaumes subsistèrent quelques cités grecques, plus ou moins indépendantes selon les temps et les circonstances, mais, au total, survivances de médiocre importance. Le fait caractéristique de cette époque, dite hellénistique, fut l'établissement et l'organisation de ces royautés.

Les monarchies absolues. Leurs caractères. — Toutes étaient des monarchies militaires, fondées sur le pouvoir absolu d'un seul homme. Dans chacune d'elles domine une volonté souveraine. A la tête de l'État, plus de magistrats élus, mais un maître héréditaire, servi par ceux qu'il choisit lui-même; et, par conséquent, plus de citoyens, mais des sujets. Dans la Grèce elle-même, on voit alors d'anciennes cités libres soumises à des tyrans locaux, clients des rois. Donc, plus de vie politique à proprement parler; ce qui en subsiste çà et là par exception ne dépasse guère l'horizon municipal; médiocres querelles intérieures à propos de petits intérêts. Quelques groupements, comme les ligues achéenne et étolienne, promptement réduites à se mettre sous le patronage des puissances prédominantes, n'apparaîtront guère que pour attester par le peu de durée de leur existence la mort définitive des républiques autonomes. Seules, les grandes monarchies ont vraiment une vie digne d'attention; ce sont elles qui donnent à la civilisation de ce temps sa physionomie distincte.

Essentiellement militaires par leur origine et condamnées à le demeurer puisqu'elles étaient presque constamment en guerre les unes avec les autres, elles s'appuyaient sur de puissantes armées qu'elles organisaient de leur mieux.

C'était dans l'armée, désormais, que résidait la force de l'État. Et ces armées, entretenues et soldées par le trésor royal, étaient des armées toutes professionnelles, sans esprit civique, entièrement dans la main du roi. Pour alimenter son trésor, il fallait que toutes les ressources du pays fussent mises à sa discrétion. De là le besoin d'une administration telle que la Grèce libre n'en avait jamais connu. Fonctionnaires royaux, assistés de secrétaires, de conseillers, d'agents de tous grades, toute une hiérarchie, qui enserrait dans ses règlements l'activité des peuples, contrôlait la production sous prétexte de la stimuler et de la coordonner, canalisait au profit du fisc la richesse publique. Ainsi concentrée, celle-ci se dépensait en grande partie dans les guerres incessantes, dans les prodigalités royales, dans le faste des cours; une autre partie restait entre les mains de ceux qui étaient chargés de la recueillir; une autre enfin servait aux choses vraiment utiles; ce n'était pas sans doute la principale. A tout prendre, un tel régime pouvait enrichir une classe restreinte; il devait, à la longue, épuiser les peuples, paralyser les initiatives privées, engendrer une diminution des énergies vraiment créatrices.

Celles de ces monarchies qui étaient proprement orientales, la monarchie des Séleucides, celle des Lagides, héritières des traditions de l'Asie et de l'Égypte, ne conféraient pas seulement à leurs représentants la puissance militaire et politique; elles en faisaient des dieux. Aux religions nationales et à celles de la Grèce s'ajoutait la religion du roi. Celui-ci devenait pour ses sujets l'objet d'un culte. Une majesté divine enveloppait sa personne. C'était trop peu pour lui que d'imposer à tous l'obéissance, il lui fallait encore l'adoration. Jusque-là confinés en Orient, ces sentiments pénétrèrent alors dans le monde grec, et la consécration qu'ils y reçurent leur valut de se faire accepter plus tard du monde romain.

Les capitales et les cours. — Ces rois de l'époque hellénistique sont tous, à l'imitation d'Alexandre, des fondateurs de villes. C'est, le plus souvent, autour de villes nouvelles, créées par eux, ou de villes anciennes transformées, que s'organisent l'administration et la défense militaire de leurs royaumes. A ces villes ils donnent souvent des noms qui rappellent leurs propres noms ou ceux des membres de leurs familles, comme pour inscrire sur le sol les titres de leurs dynasties. Chaque royaume, en tout cas, a sa capitale, qui est le siège du pouvoir. Rapidement, ces villes privilégiées, Alexandrie, Antioche, Pergame, Pella, Syracuse, résidences des rois, prennent une importance exceptionnelle. Elles ne tardent pas à surpasser toutes les autres par leur richesse, par la grandeur et la beauté de leurs monuments, par le nombre de leurs habitants, par le mouvement des affaires qui s'y traitent, par les cérémonies et les spectacles dont elles sont le théâtre. A chacun de ces monarques il faut un palais, où il puisse dignement tenir sa cour et recevoir ses hôtes. Car la monarchie absolue veut un entourage brillant et qui lui fasse honneur. Elle ne se contente pas des officiers royaux, ni de la foule de ses serviteurs. Elle tient à représenter toute la civilisation hellénique et c'est pourquoi elle fait venir à elle les poètes, les historiens, les savants, les artistes. Ceux-ci ont désormais pour tâche principale de glorifier les princes, de commémorer les événements de leur règne, de donner aux cérémonies qu'ils célèbrent le plus d'éclat possible. Aussi ces capitales deviennent-elles des foyers renommés de culture. Une émulation se manifeste à cet égard entre les chefs des États. Presque tous mettent leur amour-propre à fonder des bibliothèques où ils rassemblent des manuscrits, achetés souvent à grands frais. Aucune n'eut plus de réputation ni d'importance que celle d'Alexandrie, inaugurée par Ptolémée II Philadelphe; et l'intention qu'il eut d'en faire un centre d'études se marqua plus nettement encore par l'institution du Musée, sorte d'Académie, où se groupaient des érudits et des hommes de lettres, pensionnés par le trésor royal. Sans égaler Alexandrie, d'autres villes, notamment Pergame, eurent aussi leurs écoles, leurs savants, leurs bibliothèques. Ce furent ces fondations, ces conditions de vie nouvelles par lesquelles les écrivains devenaient les clients des rois, qui donnèrent surtout à la littérature de ce temps son caractère propre. Mais elle subit aussi l'influence d'un état social dont il convient d'indiquer les principaux traits.

La société et les classes. Diffusion de la civilisation hellé-

nique. — Le plus frappant est l'effacement de l'élément populaire. Le peuple, qui était presque tout dans les républiques grecques, n'est plus rien dans les royaumes hellénistiques. Les habitants des campagnes, absorbés dans un labeur journalier qui suffit à peine aux exigences du fisc, ne comptent plus au point de vue politique; ils deviennent d'ailleurs de moins en moins nombreux, car la vie urbaine exerce autour d'elle une attraction puissante. Mais comment est composée la population des villes? Une aristocratie de richesse, un corps nombreux de fonctionnaires y tiennent le premier rang; autour d'eux gravite une clientèle d'affranchis, de gens de métier, de parasites, qui vivent pour ainsi dire sous leur ombre et dans leur dépendance. Une armée d'esclaves les environne et les sert. Ce qui subsiste en fait de classe moyenne n'a plus d'influence sociale, puisque les institutions n'assurent aux gens de médiocre fortune aucune des garanties qui en feraient vraiment des hommes libres. En revanche, dans les grandes villes, une foule mal définie, masse confuse, dans laquelle se mêlent des hommes de conditions et de professions diverses, souvent même différant les uns des autres par leur religion et leur nationalité, que n'unit d'ailleurs aucun esprit civique, multitude tantôt passive, tantôt turbulente, agitée parfois de mouvements brusques et violents, mais incapable d'une action concertée et continue. En somme, un milieu sans caractère original, sans idéal commun, et, dans ce milieu, une seule classe vraiment cultivée, classe restreinte, où domine l'imitation des cours princières, recherchant par conséquent l'élégance, la finesse de l'esprit, le bon ton, mais hors d'état de rien produire qui fût vraiment hardi et nouveau.

Dans cet état du monde, la civilisation hellénique ne rencontrait nulle part de forte résistance. Sauf de rares exceptions, dont la plus notable fut le judaïsme, les vieilles civilisations n'étaient plus en état de lui faire obstacle. Dans ces royaumes factices, créés par des ambitions rivales, le patriotisme avait perdu toute vertu. Les traditions anciennes s'effaçaient; aucun groupement de peuples ne trouvait en lui-même les éléments d'une solidarité morale, fondée sur l'attachement profond aux mêmes souvenirs. Seuls, les Grecs conquérants apportaient à ces multitudes désorganisées un ensemble d'idées et de sentiments assez fortement élaborés pour satisfaire aux besoins éternels de l'humanité. Et, seule aussi, la civilisation hellénique se prêtait à l'élargissement que les mélanges des nations avaient rendu nécessaire. Car elle contenait en elle-même un principe de progrès et d'expansion qui lui permettait de se modifier sans renier son passé et par conséquent de s'adapter sans cesse à des conditions nouvelles. Cette adaptation fut l'œuvre essentielle de la période hellénistique. Elle l'accomplit à la fois en vulgarisant le trésor de connaissances et de pensées que la Grèce avait amassé antérieurement et en réalisant ou en préparant, dans la morale, dans la philosophie, dans la religion, des syncrétismes qui purent être acceptés partout où la langue grecque pénétrait.

II. — LE MOUVEMENT DES IDÉES DANS LA LITTÉRATURE

Caractères généraux de la littérature hellénistique. — Toutes les grandes sources d'inspiration étant taries, il était naturel que la société d'alors cherchât son plaisir dans des œuvres de moindre importance, les seules qui fussent à sa mesure. Et ces œuvres devaient lui plaire surtout par l'agrément des détails, par la finesse ingénieuse du travail. C'est le caractère général de la littérature d'imagination au iiie siècle et cette littérature même va en s'appauvrissant de jour en jour dans les deux siècles suivants. Pourtant, quelques-unes de ses productions n'ont pas cessé d'être lues et goûtées; et, après avoir servi de modèles à quelques bons poètes latins, à Tibulle, à Properce, à Ovide, à Virgile même, elles ont suscité des imitations jusque dans les temps modernes. C'est pourquoi, sans nous y arrêter longuement, nous ne pouvons les passer ici sous silence.

L'épopée, l'élégie et l'épigramme. — L'épopée n'avait jamais disparu complètement en Grèce, bien que l'histoire et la tragédie lui eussent dérobé, dès le ve siècle, sa principale raison d'être. Elle fit à l'époque hellénistique un curieux effort pour se rajeunir sous une forme moins ample et plus savante. Les *Argonautiques* d'Apollonios de Rhodes, que nous possédons encore, en sont le principal témoignage (seconde moitié du iiie siècle). Elles révèlent précisément ce qui rendait impossible le succès de cette tentative. Travail d'érudition et d'imitation, auquel manquent à la fois l'intérêt national ou religieux, indispensable au genre épique, et la variété des passions humaines, qui ne l'est pas moins. Un seul épisode, celui de l'amour de Médée, se fait encore lire aujourd'hui. Les dieux n'y ont plus guère que des rôles froids et artificiels. Rien là que de naturel, la mythologie était morte. Aussi d'autres faiseurs de poèmes épiques préféraient-ils demander des sujets à l'histoire. Ni les *Messéniaques* de Rhianos de Crète, ni les autres poèmes du même genre ne sont venus jusqu'à nous; il n'y a pas lieu sans doute de le regretter beaucoup. La poésie didactique, imitée de celle d'Hésiode, semblait mieux convenir à cette époque de curiosité scientifique et d'érudition. Ainsi s'explique le succès du poème astronomique d'Aratos de Soles (1re moitié du IIIe siècle) et des poèmes médicaux de Nicandre de Colophon (*Thériaques*, *Remèdes*, IIe siècle), qui nous ont été conservés. Le sentiment poétique n'y était pour rien.

L'élégie, plus libre d'allures, moins chargée de traditions transformées en règles, n'offrait pas les mêmes difficultés. Aucun genre ne fut alors plus pratiqué, plus goûté. Elle suppléa, dans une certaine mesure, soit à l'épopée désormais impuissante, soit aux formes plus ou moins délaissées de la poésie lyrique, à laquelle manquait le souffle vivifiant. Elle se prêtait soit à raconter agréablement des aventures amoureuses, auxquelles se complaisait un public très sensible à l'influence des femmes, soit à rassembler des souvenirs historiques et mythologiques, à expliquer de vieilles coutumes et d'antiques institutions, ou encore à célébrer les rois et à prêter son concours aux cérémonies de la religion officielle. Habile à se diversifier, elle mêlait adroitement un peu de sentiment à beaucoup d'érudition et faisait valoir de vieux sujets par de jolis détails. Ce fut le mérite de Philétas de Cos et surtout du fécond Callimaque de Cyrène, préposé par Ptolémée Philadelphe à la bibliothèque d'Alexandrie. Poètes de cour l'un et l'autre, ils se firent reconnaître comme les maîtres de ce genre préféré, le premier par ses élégies amoureuses qui devaient exciter plus tard l'émulation de Properce, le second par celles qu'il avait intitulées les *Origines* (ou les *Causes*), ample et savante composition, dans laquelle il rattachait à des légendes mythologiques ou à de simples historiettes un grand nombre de coutumes religieuses ou civiles. Un réel talent de conteur et une certaine grâce prêtent encore de l'agrément aux fragments qui nous en restent.

De l'élégie on ne peut séparer l'épigramme, qui est, à vrai

dire, une élégie en miniature. En raison de sa brièveté même, elle était encore plus apte à saisir au vol les occasions et à plaire par l'à-propos. Elle réussissait non moins bien à enchâsser dans quelques vers un tableau, un souvenir, une pensée morale, une impression. En aucun autre temps, elle n'obtint autant de succès. On vit alors paraître des spécialistes en ce genre, artistes en traits d'esprits, dont les meilleures trouvailles, semblables à des médaillons finement ciselés, nous ont été conservées dans la partie la plus ancienne de l'*Anthologie*. Quelques-unes des épigrammes d'un Asclépiade de Samos, d'un Posidippe, d'un Léonidas de Tarente, pour ne mentionner que quelques noms entre beaucoup, sont en leur genre de menus chefs-d'œuvre, dont on goûte encore la délicatesse ou le tour ingénieux.

Théocrite et le genre bucolique. — A côté de ces formes anciennes artificiellement rajeunies apparut une création originale, celle du genre bucolique, auquel le nom de Théocrite demeure attaché. Image très infidèle évidemment de la vie des bergers siciliens, elle devait plaire, et elle plut à des citadins quelque peu blasés, par l'évocation charmante des mœurs rustiques, par la description des paysages champêtres. Et le succès en a été durable. Car le poète avait un sentiment vif de la nature, il la peignait en quelques touches franches et précises, il savait aussi prêter à la passion un langage expressif, il relevait enfin par un réalisme discret, mais savoureux, ce qu'il y avait d'artificiel dans ses compositions. Mêmes qualités dans ses mimes, tels que la *Magicienne*, les *Syracusaines*, transformation d'un genre populaire qu'il accommodait sans l'affadir au goût d'une société polie. Dédaignant avec raison l'ample épopée, qu'il jugeait trop lourde pour les poètes de son temps, il l'imitait pourtant en la rapetissant dans des récits épisodiques où brillait son talent dramatique et descriptif. Les imitations que son œuvre a suscitées chez les Latins d'abord, puis dans les littératures modernes, ont fait ressortir les mérites d'un modèle qui n'a pu être complètement égalé.

Le genre satirique. — La poésie satirique, issue de l'iambe et de la comédie, n'a pas non plus manqué à cet âge où l'on cherchait à rajeunir ce qui avait vieilli. Elle prit alors quelques formes nouvelles, soit dans les vers injurieux et grossiers d'un Sotadès qui osait s'attaquer à un Ptolémée et qui paya de sa vie son insolence, soit dans les *Silles* du philosophe Timon de

Phlionte, adversaire mordant et impitoyable de tous les dogmatismes, soit enfin dans les diatribes, mélangées de vers et
de prose, qui, du nom de leur auteur, Ménippe de Gadara,
reçurent la qualification de *Satires ménippées*. Ces diverses
œuvres, aujourd'hui perdues, et probablement de médiocre
valeur, méritaient cependant d'être signalées, comme attestant
la survivance exceptionnelle dans le monde hellénisé d'un des
traits caractéristiques de l'esprit grec.

Le drame. — Quant à la poésie dramatique, bien qu'il y ait
eu encore en ce temps çà et là, et particulièrement à Alexandrie,
des auteurs de tragédies et qu'on ait même groupé en une
« Pléiade » les noms obscurs de sept d'entre eux, on peut dire
qu'elle ne comptait plus. Les seules pièces qui fussent alors
jouées, sur les nombreux théâtres où les troupes d'acteurs
grecs exerçaient leur talent, étaient, à bien peu d'exceptions
près, celles des grands poètes d'autrefois, devenues classiques.

La littérature savante. — Mais si l'époque hellénistique n'a
que faiblement enrichi le patrimoine poétique de la Grèce, elle
a du moins accompli dans la littérature savante une œuvre
considérable. La critique philologique et littéraire, la grammaire, l'histoire même et la géographie ont dû beaucoup à
l'activité laborieuse de ses savants.

Critique philologique et littéraire. — La formation et l'accroissement constant des bibliothèques royales imposaient plusieurs tâches aux hommes qui avaient charge de satisfaire en
cela les volontés des princes. D'abord, il fallait se procurer des
manuscrits dispersés, afin de réunir les œuvres complètes des
principaux écrivains. Puis, parmi les manuscrits ainsi rassemblés, on avait à discerner ce qui était authentique; travail
délicat, dans lequel l'esprit critique fit son éducation. Ces
manuscrits étaient d'ailleurs plus ou moins incorrects. On dut
s'occuper de les comparer entre eux pour les corriger, pour
offrir aux lecteurs des textes sains, aussi conformes que possible à des originaux souvent perdus. Et cela même ne suffisait
pas. Ces textes anciens étaient devenus obscurs, soit que la
langue en eût vieilli, soit qu'ils fissent allusion à des événements
oubliés, soit encore que la pensée de l'auteur fût demeurée
enveloppée. De là le besoin d'annotations critiques, de commentaires, de conjectures même et de lexiques spéciaux. La
philologie et la critique littéraire naquirent ainsi des nécessités
du temps. C'est dans cette sorte de travaux que s'illustrèrent

des savants tels que Zénodote d'Éphèse, Ératosthène de Cyrène, Aristophane de Byzance, Aristarque de Samos, qui se succédèrent dans Alexandrie au cours du IIIe et du IIe siècle avant notre ère. A la fin de la même période, Cratès de Mallos remplissait à Pergame le même office avec une égale notoriété. Et, après eux, il faut nommer Apollodore d'Athènes, Denys le Thrace et l'Alexandrin Didyme, le plus infatigable des érudits. Ce n'est pas ici le lieu de faire à chacun d'eux sa part ni d'entrer dans le détail de leurs travaux. Disons seulement que nous leur devons, non seulement la conservation des textes anciens dont ils ont prévenu la détérioration, mais nombre d'explications précieuses, sans lesquelles beaucoup de ces textes nous auraient été en partie inintelligibles. D'eux procède en effet ce qu'il y a de meilleur dans les scholies que les commentateurs des époques romaine et byzantine ont résumées et trop souvent gâtées. La critique littéraire proprement dite, celle qui juge du mérite des auteurs, ne manquait pas dans ces commentaires. Nous en trouvons encore des traces intéressantes dans quelques-uns des fragments qui nous en restent. Mais elle se laisse mieux apprécier dans les divers écrits non historiques de Denys d'Halicarnasse, qui doit être considéré comme l'héritier et le continuateur des Alexandrins, bien qu'il vécût à Rome sous l'empereur Auguste. Il ne serait pas juste toutefois de leur imputer les préjugés personnels qui nous choquent chez lui, lorsqu'il parle de Thucydide ou de Platon. Préoccupé avant tout de l'éducation oratoire, Denys prétend n'offrir au futur orateur que les modèles les plus adaptés à son art, et c'est pourquoi il semble se faire un devoir de tout sacrifier à Démosthène. Point de vue étroit, qui ne doit pas nous empêcher de reconnaître ce qu'il y avait de précision et de finesse parfois dans la tradition critique qui s'était transmise jusqu'à lui.

La grammaire. — A cette critique, soit verbale, soit littéraire, se rattache naturellement la grammaire, c'est-à-dire le classement et la définition méthodique des parties du discours. A peine ébauchée aux Ve et IVe siècles, elle fut réellement mise en forme par quelques-uns des érudits de ce temps, notamment par Aristarque, par Chrysippe et Cratès de Mallos, imbus de la logique stoïcienne, et surtout par Denys de Thrace, autour du premier traité où le sujet ait été exposé dans son ensemble et d'où procédèrent tous les travaux postérieurs.

L'histoire. — L'histoire est peut-être, de tous les genres littéraires, celui qui est le moins sujet à péricliter, puisqu'il tire en partie sa valeur des événements eux-mêmes et se donne pour tâche de les enregistrer à mesure qu'ils tombent dans le passé. Il y eut donc, dans les trois siècles de la période hellénistique, beaucoup d'historiens. Les plus connus furent Callisthène d'Olynthe, les compagnons d'Alexandre Ptolémée et Aristobule, le Silicien Timée, Hiéronymos de Cardie, Douris de Samos, Phylarque, Clitarque, les auteurs d'*Atthides*, surtout Androtion et Philochore, tous écrivains dont les œuvres ont péri, et Polybe, le seul que nous puissions apprécier encore en pleine connaissance de cause, grâce à la conservation de parties considérables de son grand ouvrage. Aucun d'eux ne semble avoir été égal par le talent aux historiens de l'époque précédente. Mais il faut signaler ce qu'ils ont introduit de nouveau dans l'histoire.

Avec Timée, nous voyons apparaître le souci de substituer aux chronologies locales, notamment à celles qui se fondaient sur les listes d'archontes et d'éphores ou de prêtres éponymes, une chronologie vraiment panhellénique, celle des Olympiades. Mais, lorsque l'histoire de l'Égypte et de l'Orient fut mieux connue, lorsque celle de Rome vint se mêler à celle des peuples grecs, on sentit le besoin d'élargir encore cette chronologie qui devenait à son tour trop étroite. On essaya donc de constituer une chronologie comparée, qui permît d'établir les synchronismes nécessaires. Et ce travail dut amener une révision générale des calculs antérieurs. Ce fut une des tâches où s'illustra le savant Ératosthène, auquel nous avons déjà assigné sa place parmi les philologues. Il l'accomplit en utilisant les données recueillies par l'Égyptien hellénisé Manéthon, qui avait été prêtre d'Héliopolis sous Ptolémée Philadelphe. Elle fut continuée après lui par un autre érudit, précédemment nommé lui aussi, Apollodore d'Athènes. Et, malgré les erreurs ou les incertitudes inévitables, ces laborieux calculateurs réussirent en somme à jeter les fondements d'une connaissance positive des temps.

Mais à Polybe appartient un mérite d'ordre supérieur. C'est l'horizon même de l'histoire qui s'agrandit chez lui. Cet agrandissement, qui avait commencé dès les conquêtes d'Alexandre, ne pouvait manquer de se prononcer plus fortement au second siècle, lorsque les relations de la Grèce avec Rome ouvraient aux esprits des vues sur l'Italie, sur Carthage, sur tous les peuples soumis à l'influence romaine ou punique. L'étude des accroissements de l'État romain en Italie, de sa rivalité avec la puissance carthaginoise, de son extension rapide vers l'Occident et vers l'Orient, quel sujet pouvait stimuler davantage la pensée d'un homme doué de quelque sens politique? Devant lui se déroulait un long enchaînement de faits historiques, déterminés par des causes qu'il s'agissait de mettre en lumière. Polybe en eut pleine conscience. Ce fut chez lui que se précisa l'idée d'une continuité dans la vie de l'humanité, d'une logique intime des choses, d'une interdépendance entre des nations qui, jusque-là, avaient pu paraître isolées. Ainsi se constituait une philosophie positive de l'histoire, capable d'éliminer définitivement les explications théologiques dont on avait trop longtemps abusé. Et cette philosophie donnait au récit historique une valeur d'enseignement politique et moral que Polybe a su faire ressortir avec insistance. Elle avait aussi pour effet de faire mieux sentir la valeur des éléments scientifiques de l'histoire. Désormais celle-ci ne pouvait plus considérer ni la géographie, ni les constitutions des États, leurs lois et leurs mœurs, leur organisation économique et militaire, comme des sujets épisodiques, propres à intéresser passagèrement la curiosité des lecteurs. Toutes ces choses devenaient la matière essentielle de son étude. Et, par suite, elle était amenée à faire un emploi plus méthodique et plus fréquent des documents épigraphiques, des traités, des décrets, des archives publiques. Timée avait déjà donné le bon exemple à cet égard. Polybe ne se contenta pas de l'en louer, il fit comme lui.

Mieux comprise par là même, la géographie, tout en prêtant un meilleur concours à l'histoire, tendit à revendiquer son indépendance et à se développer parallèlement. Bien qu'elle n'eût cessé de progresser depuis les temps lointains d'Hécatée de Milet et d'Anaximandre, on peut dire qu'elle était encore dans l'enfance au milieu du IVe siècle. Les conquêtes d'Alexandre d'abord, puis l'extension du monde grec vers l'Occident par suite de ses relations avec Rome, lui imprimèrent un vigoureux élan. Grâce aux découvertes de voyageurs et d'explorateurs, tels que Pythéas de Marseille et Néarque, amiral d'Alexandre, Ératosthène dont le nom revient à propos de tous les progrès de la science, put écrire au IIIe siècle sa *Géographie*, description complète du monde alors connu, œuvre qui fit époque en résumant tout ce qu'on savait alors et en y joignant un remarquable essai de mensuration de la terre. Polybe, à son tour, y fit des corrections et des additions, fondées sur les observations qu'il avait recueillies lui-même dans ses voyages. Et, vers la fin du second siècle, ce travail aboutit à la rédaction de l'ample *Géographie* d'Artémidore d'Éphèse, utilisée au temps d'Auguste par Strabon, dont nous lisons encore l'ouvrage. C'est chez ce dernier, par conséquent, bien qu'il soit à l'extrême limite et presque en dehors de la période hellénistique, que nous pouvons le mieux mesurer aujourd'hui ce que la connaissance du monde avait réalisé de progrès en ce temps.

A l'historiographie de la période hellénistique se rattachent deux œuvres qui en dépassent quelque peu, elles aussi, la limite chronologique, mais qui en sont inséparables, l'*Histoire universelle* ou *Bibliothèque* de Diodore de Sicile, achevée vers le début du règne d'Auguste, et celle des *Premiers siècles de Rome* de Denys d'Halicarnasse, composée sous le même règne. Le premier n'est qu'un abréviateur des historiens qui l'avaient précédé. Tout son travail a consisté à les résumer, à coudre pour ainsi dire bout à bout les extraits qu'il en faisait. Le principal mérite de son œuvre est de nous avoir conservé ainsi quelque chose de tant d'écrits perdus. Mais, au point de vue qui est le nôtre ici, elle manifeste un besoin très répandu alors, celui de faire la synthèse d'un passé qu'on désirait embrasser dans son ensemble. L'esprit du temps réclamait l'histoire universelle comme la conséquence de l'unification du monde par la conquête romaine. Quant à Denys d'Halicarnasse, dont nous avons signalé plus haut les œuvres de critique littéraire, son mérite d'historien est en lui-même fort mince. Mais d'une part, son histoire romaine nous fait sentir vivement l'influence que la rhétorique prétendait exercer alors sur l'historiographie, considérée par elle comme une partie de son domaine; de l'autre, elle atteste l'intérêt que les Grecs commençaient à prendre aux choses romaines et aussi la quantité de légendes qu'ils introduisaient dans les traditions de la vieille Rome pour rattacher celles-ci à leur propre histoire. C'était pour eux une sorte de revanche de la conquête.

La biographie. — N'oublions pas non plus qu'à côté de l'histoire proprement dite, cette même époque vit se développer la biographie, qui en est une forme secondaire, nullement négligeable cependant. Dérivée au IVe siècle de l'*Éloge* oratoire, la biographie fut mise en honneur d'abord par les écoles philosophiques, qui tenaient à garder pieusement le souvenir de leurs chefs. Puis, la publication et la diffusion des œuvres des grands écrivains donnèrent occasion à la rédaction de notices où étaient rappelés les principaux événements de leur vie et les plus notables traits de leur caractère. Une fois le genre accrédité, les biographies d'hommes d'État, de généraux, de rois, de grands personnages eurent naturellement leur tour. Le goût du public pour les détails de mœurs, l'intérêt de plus en plus vif qui s'attachait aux particularités individuelles et aussi une certaine curiosité scientifique qui se généralisait, en assurèrent le succès. Aucun des biographes de ce temps, il est vrai, ni un Hermippe, ni un Antigone de Carystos, ni un Satyros, ne semble s'être classé parmi les écrivains en renom. Ce sera seulement sous l'empire, au temps des Antonins, que le genre biographique, grâce à Plutarque, prendra place parmi les créations durables de l'esprit grec. Mais l'œuvre de Plutarque, dont nous parlerons en son temps, n'aurait pas été possible sans doute, si elle n'eût été préparée de longue date.

L'éloquence, les écoles de rhétorique. — Faut-il parler d'une éloquence grecque à l'époque hellénistique? A coup sûr, il y eut alors, dans toutes les parties du monde grec, des orateurs diserts; mais si rien de leurs discours n'a subsisté, c'est presque certainement parce que rien n'y offrait un intérêt durable. La grande éloquence était morte avec la liberté. Exilé de la tribune publique, l'art oratoire avait désormais son domicile d'élection dans les écoles.

Le principal mérite des maîtres d'éloquence de ce temps a donc été de transmettre aux orateurs romains les traditions qui s'étaient formées dans la Grèce aux Ve et IVe siècles. Ces traditions procédaient soit des exemples fournis par les grands orateurs dont les principaux discours avaient été publiés, soit des observations et des préceptes mis en forme au IVe siècle dans quelques traités devenus classiques, particulièrement dans ceux d'Aristote, de Théophraste, d'Anaximène. Plusieurs des philosophes des siècles suivants, il est vrai, écrivirent à leur tour sur le même sujet; mais il ne semble pas qu'aucun d'eux ni aucun des rhéteurs contemporains ait apporté à l'art de persuader quelque contribution vraiment neuve. Plus adonnés à la pratique qu'à la théorie, c'était surtout par des exercices répétés qu'ils cultivaient les dispositions naturelles de leurs disciples. Quelques-uns, qui se disaient attiques, demeuraient plus ou moins fidèles à la manière simple des orateurs athéniens d'autrefois; d'autres en plus grand nombre prônaient le genre qu'ils appelaient asiatique et dont le principal initiateur avait été, au IIIe siècle, un certain Hégésias de Magnésie; éloquence emphatique et redondante, qui tendait à faire prévaloir l'improvisation plus ou moins brillante sur la saine réflexion. Les grands orateurs romains n'échappèrent pas complètement à cette fâcheuse influence; mais les meilleurs d'entre eux surent la tempérer et remonter aux véritables modèles que la rhétorique hellénistique avait trop oubliés.

III. — La philosophie et les sciences

Besoins philosophiques de l'époque hellénistique. — Dans un temps qui se prêtait si peu à l'action indépendante et vraiment utile, il était naturel qu'on vît les esprits les plus vigoureux se tourner vers la philosophie. Là du moins, de grands objets s'offraient à eux; et la liberté de la pensée n'y était pas entravée comme dans le domaine de la politique. D'ailleurs, si la philosophie, attachée aux leçons essentielles de Socrate, se proposait de régler la conduite de la vie, elle avait fort à faire pour s'adapter aux changements survenus dans les sociétés humaines. Une révision des enseignements qui avaient suffi aux ve et ive siècles s'imposait. En un temps où la cité antique disparaissait, il s'agissait d'assurer à l'individu, désormais isolé et comme ramené en lui-même, les moyens de conserver tout ce qui fait le prix de la vie. Et, d'autre part, puisque les garanties légales perdaient leur efficacité, il était nécessaire de réaliser autrement les conditions de la tranquillité morale. C'est le mérite des penseurs de l'époque hellénistique de s'être appliqués à cette tâche et d'avoir réussi en somme, par des méthodes diverses, à satisfaire de nombreuses générations jusqu'à l'avènement du christianisme et au-delà.

Les sectes. — Plusieurs écoles, nous l'avons vu, s'étaient constituées au cours des ve et ive siècles. A côté de celle des Pythagoriciens, qui tendait à s'éclipser, les plus renommées étaient alors celle de Platon ou Académie, celle d'Aristote ou

Lycée, auxquelles il faut joindre le petit groupe des disciples d'Antisthène, devenus les Cyniques, et d'autre part les sectateurs d'Aristippe. L'époque hellénistique vit naître deux grandes sectes nouvelles : le Stoïcisme ou école du Portique et l'Épicurisme. Le développement de ces doctrines rivales et leurs disputes forment un chapitre d'autant plus important dans l'histoire de la civilisation hellénique qu'elles en ont été un des éléments les plus vivaces.

Caractère général du stoïcisme. — C'est incontestablement dans le stoïcisme que la préoccupation morale, commune à toutes les philosophies de ce temps, s'est affirmée avec le plus de noblesse. On peut critiquer ses dogmes, mais l'énergie morale dont il a donné l'exemple est digne d'admiration. Son tort a été de demander à la nature humaine plus qu'elle ne peut donner; à force de vouloir élever son idéal, le Portique a trop perdu de vue la réalité. Pour appuyer son intransigeance, il a construit tout un ensemble de paradoxes qui donnèrent beau jeu à ses adversaires. Ce défaut ne saurait masquer ce qui a fait sa grandeur.

Ses fondateurs. — Trois hommes éminents l'ont édifié, tous trois originaires de la Grèce d'Asie, Zénon de Kition en Chypre, Cléanthe d'Assos en Troade, Chrysippe de Soloi en Cilicie. Zénon, venu à Athènes vers l'âge de vingt ans, peu après la mort d'Alexandre, y fréquenta successivement le cynique Cratès, le dialecticien Stilpon, les chefs de l'Académie, notamment Polémon; puis, à l'âge d'environ quarante ans, ayant mûri sa doctrine, il se mit à professer dans le portique dit Poecile. Tout l'essentiel du stoïcisme était déjà dans cet enseignement austère et dénué de charme, mais auquel la dignité de sa vie et la noblesse de son caractère prêtaient une autorité puissante. Cléanthe, qui fut après lui le chef de l'école, de 270 environ à 251, se montra son digne successeur. L'application au travail, le zèle de la vérité étaient ses traits dominants. Mais ses nombreux écrits étant perdus comme ceux de Zénon, il est devenu très difficile de distinguer exactement ce qui lui appartient dans les premiers développements de la doctrine. Venu le troisième, Chrysippe y eut certainement une part considérable. Professeur disert, dialecticien plein de ressources, il se trouva placé à la tête de l'école dans la seconde moitié du IIIe siècle, au moment où elle avait à subir les plus vives attaques de ses rivales. Pour la défendre, il se vit amené à préciser les théories de ses prédécesseurs, à les compléter, à les modifier même sur quelques points. C'est ce qu'il ne cessa de faire dans les écrits qu'il répandait à profusion, avec une facilité qui en expliquait la forme négligée, sans l'excuser. On a su l'appeler la « Colonne du Portique », et, en effet, ce fut désormais sur ses arguments surtout que celui-ci appuya son dogmatisme.

Principes fondamentaux du stoïcisme. — L'idée fondamentale du stoïcisme était de considérer l'homme comme une partie d'un tout admirablement ordonné. Cet ordre universel, ou *cosmos*, apparaissait au stoïcisme comme la manifestation d'une raison divine, ou, pour mieux dire, comme Dieu lui-même. Panthéisme qui était en même temps optimisme absolu. Une telle croyance, une fois acceptée dans son intégralité, procurait au sectateur du Portique la paix intérieure au milieu de tous les hasards de la vie; car tout, à ses yeux, même ce qu'on appelle vulgairement la souffrance et le mal, tendait à des fins conformes à la raison suprême, par conséquent au bien. C'est le sentiment que l'on trouve exprimé avec une foi touchante dans quelques vers de Cléanthe qu'on peut lire encore. Il remonte donc jusqu'aux origines du stoïcisme; et il nous fait comprendre par quel attrait ce déterminisme austère, mais profondément religieux, devait séduire ceux que le spectacle d'un monde dénué d'idéal troublait et tourmentait.

Cet optimisme d'ailleurs prétendait s'appuyer sur un rationalisme rigoureux, consistant à la fois dans la connaissance exacte de la nature et dans une logique très soigneusement étudiée. C'était là le côté passablement épineux du système, celui qui le rendit toujours peu accessible à la foule. Il fallait, pour se l'approprier, un long et patient effort d'esprit. La physique stoïcienne, s'inspirant des conceptions d'Héraclite et les interprétant à sa manière, se proposait d'expliquer la formation de l'univers et sa durée par une série de transformations du feu, considéré comme l'élément primordial. Mais ce qu'il importe de noter ici, ce n'est pas le détail de ces théories, créations arbitraires que le progrès de la science devait ruiner; c'est bien plutôt l'esprit qui s'y manifestait. Avant tout, le stoïcisme voulait établir une liaison intelligible entre tous les phénomènes dont est faite la vie de l'univers; et comme il assimilait l'âme humaine à un souffle de feu pénétrant tous les organes du corps, c'était par les transformations du feu qu'il lui paraissait naturel d'expliquer l'ensemble des choses. Le même besoin d'enchaînement rationnel se faisait sentir dans la partie de leur philosophie que les stoïciens appelaient « logique ». Sous cette dénomination, ils comprenaient l'étude de la connaissance, partant de la sensation pour aboutir à la science, celle du jugement et du raisonnement, en passant par celle des catégories, renouvelée d'Aristote. En somme, leur système se présentait comme un enseignement continu qu'il était indispensable de s'approprier en entier; car les conclusions dernières, celles qui constituaient la morale, tiraient toute leur force des prémisses établies par la physique et la logique. D'où il résulte d'ailleurs que logique et physique n'avaient guère de valeur pour eux qu'à titre d'introduction à la morale. C'est celle-ci, en définitive, qui a marqué la place du stoïcisme dans la civilisation grecque, et c'est sur ses caractères propres qu'il convient d'insister.

L'idéal stoïcien. Le sage. — Le plus essentiel fut sa conception de la vertu. Tandis qu'Aristote l'avait représentée comme un juste milieu entre deux excès, et Platon comme le développement harmonieux des facultés humaines, le stoïcisme en fit le terme d'un progrès continu vers un but si lointain, si haut placé que quelques hommes à peine étaient par exception capables d'y atteindre. Entraînés par l'intransigeance de leur logique, les stoïciens, lorsqu'ils voulurent définir cet idéal, ne purent éviter d'étranges paradoxes. Ils imaginèrent un sage à qui rien ne manquerait puisqu'il trouverait tout en lui-même, donc incapable de faillir, inaccessible à la douleur, possédant la vraie richesse et la vraie puissance, en somme un mortel semblable à un dieu, conception si manifestement irréelle qu'elle donnait à toute la doctrine une apparence d'utopie. Elle leur paraissait toutefois nécessaire pour réaliser pleinement cette « impassibilité », qui était pour eux la forme suprême du bonheur. Et ils aggravèrent encore ce défaut en niant qu'il y eût des degrés dans le bien ou dans le mal, en affirmant, par conséquent, que toutes les fautes étaient égales, ou encore que tout homme, non parvenu à la sagesse suprême, n'était qu'un insensé. C'était là le danger du dogmatisme à outrance auquel ils se complaisaient. Et, sans doute, dans la pratique, ces paradoxes se corrigeaient, s'atténuaient par la force des choses; quelques-uns d'entre les plus modérés de leurs docteurs se résignaient à des concessions; mais la doctrine des chefs de l'école subsistait, et force était de la défendre avec toutes les ressources d'une dialectique subtile, qui compromettait ce qu'il y avait d'excellent dans leurs idées.

La loi naturelle. Les devoirs. La casuistique. — Comprenant clairement que la loi de l'homme ne peut être qu'une application particulière de la loi universelle et que celle-ci assujettit tout être à vivre conformément à sa nature propre, les premiers stoïciens avaient posé en principe que la vie humaine doit être réglée selon ce qui est le propre de l'homme, c'est-à-dire selon la raison. Toute leur morale dérivait de là. Cela revenait à dire que l'homme n'était vraiment homme qu'à la condition de soumettre ses instincts, ses craintes, ses désirs, en un mot tous les mouvements de son âme, au jugement de cette faculté conductrice et souveraine. C'est l'honneur du stoïcisme d'avoir dégagé et mis en lumière cette formule simple, fondement de toute morale rationnelle. Et l'ayant ainsi précisée, les stoïciens en étudièrent toutes les conséquences pratiques. Chez eux apparut en pleine clarté la notion du devoir, qui était demeurée comme implicite dans les philosophies antérieures. Et ils s'attachèrent à la définir, non seulement dans ses caractères généraux, mais dans la multiplicité de ses formes pratiques. Soucieux de ne rien abandonner aux impulsions irréfléchies, ils se donnèrent pour tâche de déterminer des règles de conduite en prévision de tous les cas douteux. Ils constituèrent ainsi ce qu'on a plus tard appelé une casuistique ; réglementation parfois excessive, trop minutieuse ou subtile, propre cependant à solliciter l'attention de la conscience, à y faire naître plus de délicatesse. Le traité *des Devoirs* de Cicéron, imité de celui que le stoïcien Panaitios avait publié au second siècle, nous permet encore d'en juger ; personne ne niera qu'il ne continue un enseignement moral sain, solide et précis.

Le stoïcisme et la personnalité. — Mais le plus grand mérite peut-être du stoïcisme, le plus frappant en tout cas, fut de fortifier merveilleusement les âmes qui s'en imprégnèrent. Aucune doctrine n'a mieux fait sentir à chacun de ses adeptes la puissance intérieure qu'est la volonté et l'emploi qu'on en peut faire pour se rendre vraiment libre. Aucune n'a proclamé plus hautement que cette liberté consiste dans l'adhésion à une loi supérieure, adhésion qui ne dépend d'aucune circonstance extérieure et qu'aucune autorité ne peut empêcher. Et si l'expérience de la vie ne permet pas d'admettre comme les stoïciens le professaient, que cette liberté suffise à rendre l'homme insensible à toute atteinte de la souffrance, il est certain qu'elle est du moins une des meilleures conditions du bonheur. C'est aussi une de celles qui contribuent le plus à la formation de la personnalité. Les vrais stoïciens ont été ce qu'ils voulaient être, des hommes, au sens le plus noble du mot.

Du cosmopolitisme attribué aux stoïciens. — Ils le furent aussi par le sentiment de la fraternité humaine. Habitués à considérer dans l'homme les caractères communs de l'espèce, ils ne pouvaient attacher qu'une médiocre importance aux distinctions individuelles, et par suite il leur était plus facile qu'à d'autres de s'élever au-dessus des préjugés de classes, de reconnaître un frère dans le pauvre, dans l'esclave même. Qu'un certain cosmopolitisme ait dû résulter de cette disposition d'esprit, on ne peut le nier. Dans l'effacement des nationalités, dans le mélange des peuples, et lorsque les intérêts politiques tendaient à se confondre, ce sentiment était d'ailleurs naturel et ne doit pas être imputé à une doctrine particulièrement. Celle des stoïciens s'y prêtait assurément, comme toutes les philosophies, toutes les religions de caractère universel. Mais, pas plus que celle-ci, elle ne l'imposait. Chez des Romains, tel que Caton d'Utique, bien loin d'affaiblir le patriotisme, il semble au contraire lui avoir donné plus d'énergie.

Influence du stoïcisme. — Le stoïcisme avait dû beaucoup aux philosophes de l'âge précédent, notamment à Socrate, à Antisthène, à Platon, à Aristote. A son tour, il exerça une influence sensible sur les penseurs des siècles suivants. Il contribua à ramener l'Académie hors des voies du demi-scepticisme où elle s'était engagée depuis le IIIe siècle; et, plus tard, il entra pour une part dans la formation du néoplatonisme et de l'ascétisme chrétien. Depuis lors, d'ailleurs, quelque chose de ses enseignements et de ses exemples a toujours survécu dans toutes les doctrines morales qui se sont proposé un idéal généreux.

L'épicurisme, son caractère général. — A côté, ou plutôt en face du stoïcisme, s'élevait dans le même temps une autre philosophie nouvelle, l'épicurisme, inspiré, lui aussi, du désir de régler la vie humaine en vue du bonheur, mais qui préten-

dait y réussir par une méthode opposée. Tandis que le stoïcisme exigeait un effort prolongé, l'épicurisme voulait au
contraire supprimer tout effort. Comme il promettait beaucoup, tout en n'exigeant presque rien, on ne doit pas être
surpris qu'il ait fait de nombreux adeptes. Qu'enseignait-il
en somme? l'art de vivre doucement, d'éloigner les soucis, de
se ménager quelques plaisirs sans excès ni fatigue. Rien ne
convenait mieux aux natures molles, dénuées d'ambition,
assez réfléchies pour apercevoir les dangers de l'action, trop
peu énergiques pour les affronter. D'ailleurs l'épicurisme
séduisait par sa modération; il avait gardé de la tradition
grecque le sens de la mesure; ce qui prêtait à sa doctrine, si
médiocre qu'elle fût, l'apparence d'une sagesse.

Épicure et son école. — L'Athénien Épicure, qui lui a donné
son nom, semble n'avoir pas eu de maître à proprement parler, sauf pour la partie physique de sa philosophie, qu'il
emprunta à Leucippe et à Démocrite. Mais ses principes
essentiels, ce fut lui qui les formula, en s'inspirant des écrits
d'Aristippe. L'école qu'il ouvrit à Athènes en 306 était une
sorte de réunion d'amis, qu'il conviait à venir entendre ses
leçons dans son jardin. Son influence sur eux était grande.
Tous l'aimaient, persuadés qu'il leur apportait le secret de la
vie heureuse. Sa confiance en lui-même, la netteté de ses affirmations, la simplicité de ses raisonnements et de ses préceptes
enchantaient des esprits qui ne se souciaient guère de rien
approfondir. Il excellait à les délivrer des principales causes
de trouble, à leur fournir des conseils pratiques, adaptés à
toutes les circonstances de la vie. Écrivain abondant et indifférent à la forme, il composa des traités nombreux, où il répétait à satiété des idées peu variées, mais toujours accueillies
avec respect par ses admirateurs. De cette littérature, il ne
nous reste que deux lettres contenant le résumé de sa doctrine
et un recueil de *Maximes*, qui était le manuel ou le *vade-mecum*
de l'épicurien. Une école qui, au fond, dédaignait la science
et s'abstenait le plus possible de la discussion ne pouvait guère
subir de changements notables. Aussi n'eut-elle pas d'histoire.
Elle vécut plusieurs siècles, mais demeura, jusqu'à sa disparition, telle que son fondateur l'avait faite.

L'incrédulité en matière religieuse. — Un de ses traits caractéristiques était la négation qu'elle opposait à la croyance
commune relative à l'action des dieux. Épicure considérait la

notion d'une providence divine et tout ce qui en dépend comme la principale cause de beaucoup d'inquiétudes qui tourmentaient alors la plupart des esprits. Il voulait les en affranchir définitivement. Il en demanda le moyen à une conception de l'univers entièrement fondée sur le hasard. La doctrine atomistique de Leucippe et de Démocrite lui en fournit tous les éléments. On en peut lire l'exposé dans le poème didactique du poète latin Lucrèce. Cette doctrine expliquait, comme on l'a vu, la formation de l'univers et tous les phénomènes de la nature par la rencontre fortuite et les combinaisons mécaniques de corpuscules tombant éternellement dans le vide. Tout était ainsi réduit à la matière et au mouvement. L'âme, étant elle-même matérielle, ne pouvait avoir d'autre destinée que le corps. Donc plus de survivance; toute appréhension relative à une autre vie devait disparaître. Épicure, il est vrai, ne niait pas l'existence des dieux; mais il les concevait comme relégués dans une oisiveté absolue, indifférents aux choses humaines et trouvant leur bonheur dans cette indifférence même. De tels dieux étaient pour l'homme comme s'ils n'existaient pas. En fait, le surnaturel sous toutes ses formes se trouvait éliminé; l'humanité n'avait rien à demander à ces bienheureux qui l'ignoraient, rien à redouter d'eux. Aussi était-ce en vain que l'épicurien se défendait d'être athée; l'opinion commune le tenait pour tel; et, à tout prendre, il n'est pas douteux que l'épicurisme n'ait contribué pour sa part à ruiner l'ancienne religion.

Morale des épicuriens. — La morale d'Épicure était en rapport avec sa conception de l'univers. Tout dans le monde dépendant du hasard, l'homme n'avait, d'après lui, qu'à obéir à l'instinct qui le portait à rechercher le plaisir. Mais soucieux d'écarter toute cause de malaise intérieur, il devait éliminer du plaisir lui-même tout ce qui risquait de le faire dégénérer en peine; et le plaisir se réduisait ainsi à une sorte de quiétude. L'art de vivre heureux consistait pour l'épicurien à se garder le plus possible soit des désirs, presque toujours suivis de déceptions, soit des craintes, anticipations vaines d'un avenir inconnu. Le sage, à ses yeux, était celui qui savait se renfermer dans le présent, vivre au jour le jour, sans ambition, sans projets, attaché à jouir du moment qui passe, oublieux des souvenirs importuns, fermé aux préoccupations des choses futures. Une tranquillité faite d'une série indéfinie de sensations douces, tel était son idéal. L'atomisme physique, auquel il croyait, se reflétait dans cette sorte d'atomisme moral. Mais, dans la pratique, cela n'allait pas sans quelque difficulté. La nature ne se laisse pas aisément assujettir à une discontinuité artificielle qui lui est si contraire. Aussi l'épicurien devait-il se munir d'une abondance de préceptes et les avoir sans cesse présents à l'esprit. Il ne pouvait se maintenir dans la bonne voie qu'à la condition de porter en lui-même une collection d'avis, formules brèves, impératives, destinées à le mettre en garde contre ses impulsions irréfléchies, souvent même contre ses sensations. On ne réussissait à être heureux, selon l'esprit du maître, qu'en se persuadant fermement qu'on pouvait toujours l'être, grâce à ces recettes coutumières. En somme, on achetait l'illusion d'une vie facile au prix d'une discipline sujette à bien des mécomptes.

Influence de l'épicurisme. — Ceux qui adoptaient cette forme de vie aimaient à se rapprocher les uns des autres, à la fois sans doute parce qu'ils se sentaient défavorablement jugés au-dehors et parce qu'ils éprouvaient le besoin d'échapper par les agréments de la société au vide intérieur qu'une telle doctrine ne pouvait manquer de produire en eux. Quelques témoignages relatifs à ces cercles d'épicuriens nous les font voir comme des réunions d'amis, passant le temps agréablement, sans but précis, sans action déterminée. Mais, sans doute, ce n'est pas uniquement sur ces adeptes, fidèles à la pensée du maître, qu'il convient de juger l'épicurisme. La doctrine, ne le méconnaissons pas, contenait en elle-même des éléments de dissolution morale, que sa molle discipline n'était pas capable de réprimer. En persuadant à l'homme qu'il avait le droit de vivre sans faire vraiment œuvre d'homme, elle encourageait les dispositions morales qui tendaient à la ruine de la vieille civilisation hellénique. Dégager l'individu de toute obligation, laisser aller la vie au gré des circonstances sans essayer de les diriger, c'était, qu'elle le voulût ou non, briser le ressort des volontés qui seul assure le progrès des sociétés humaines.

Anciennes écoles et esprit nouveau. — Si l'on met à part l'épicurisme et le stoïcisme, les autres écoles de philosophie, dont l'activité s'est manifestée dans le monde grec entre la mort d'Alexandre et l'établissement de l'Empire romain, ne se donnaient pas pour nouvelles. L'Académie prétendait perpétuer l'enseignement de Platon, le Lycée celui d'Aristote, la secte pythagoricienne celui de Pythagore. Pourtant, sans le déclarer, et peut-être sans le vouloir, elles s'accommodaient plus ou moins à l'esprit de leur temps; et, par conséquent, elles apportaient, elles aussi, certaines nouveautés. Trois tendances méritent surtout d'être signalées ici, à savoir le scepticisme, le syncrétisme et le mysticisme.

Scepticisme. — Le scepticisme, tel qu'il apparut à la fin du IVe siècle avec Pyrrhon d'Élis, fut en quelque sorte la condensation des doutes qui s'étaient élevés précédemment, soit au sujet du témoignage des sens, soit à propos des jugements eux-mêmes. Une certaine lassitude de l'intelligence générale, en face des spéculations trops abstraites et des controverses incessantes, y eut aussi sa part. Ni Pyrrhon, ni son disciple Timon ne nous sont assez connus pour qu'on puisse aujourd'hui reconstituer exactement toute leur doctrine. Elle consistait, en somme, dans un refus de se prononcer sur quoi que ce soit, dans un abandon systématique à la coutume, dans une sorte de passivité, d'où devait résulter, d'après eux, la tranquillité de l'âme. Car tel était, pour ces sceptiques comme pour les épicuriens, l'objet dernier de la philosophie.

Mais ce fut dans l'Académie, au IIIe siècle, que cette tendance de la pensée prit une forme savante. L'auteur de ce changement fut l'éolien Arcésilas de Pitané, disciple de Crantor. Il en devint le chef vers 280 et la dirigea pendant une quarantaine d'années. Esprit brillant, cultivé, plein de ressources, disputeur infatigable, séduisant par son caractère aimable et désintéressé, ses idées, transmises à ses successeurs, trouvèrent, au siècle suivant, un représentant non moins remarquable en Carnéade de Cyrène, orateur disert, toujours prêt à l'attaque ou à la riposte, qui eut la direction de l'école de 160 environ à 120. Le scepticisme académique fut leur œuvre commune.

Ce n'était, à vrai dire, qu'un scepticisme atténué, assez bien défini par le terme de *probabilisme* qui sert communément à le désigner. Se donnant surtout pour tâche de réfuter les assertions tranchantes du dogmatisme stoïcien et les négations de l'épicurisme, ses représentants professaient que ni les sens ni la raison ne peuvent procurer la certitude. Ils affectaient de reprendre à leur compte l'attitude expectante que Platon avait prêtée à Socrate dans plusieurs de ses dialogues. N'affirmant rien, ils contredisaient tout ce que soutenaient les écoles rivales. La seule concession qu'ils consentissent à faire, c'est

266

que certaines opinions sont, à tout prendre, plus probables que d'autres, et ils admettaient qu'il était sage d'y acquiescer provisoirement, sans renoncer pourtant à la liberté du doute. Dans les longues disputes qu'ils avaient avec leurs contradicteurs, ils mirent en forme presque tous les arguments dont les sceptiques ont depuis lors fait usage; et, par là, ils ont exercé une influence qui n'a jamais cessé complètement. On leur a reproché avec raison l'inconséquence qui consiste à dire que l'esprit, incapable de discerner le vrai, serait cependant apte à reconnaître le vraisemblable. Mais ce qu'on ne peut leur refuser, c'est d'avoir fait vivement sentir les difficultés d'une connaissance tout à fait assurée. Serait-il juste d'être sévère pour des penseurs qui, en refusant d'acquiescer à des dogmatismes prématurés et trop confiants, réservaient au doute sa part nécessaire dans les progrès de l'esprit humain?

Syncrétisme. — L'Académie toutefois ne persista pas indéfiniment dans ce demi-scepticisme. Au premier siècle avant notre ère, Antiochus d'Ascalon, son chef, le répudia formellement. Le nouveau dogmatisme qu'il adopta était d'ailleurs un syncrétisme dans lequel se mélangeaient les idées platoniciennes, péripatéticiennes et stoïciennes. Il obéissait en cela à une tendance alors générale. La spéculation philosophique avait multiplié les hypothèses. Aucune n'avait pu s'imposer définitivement, mais presque toutes avaient mis en lumière quelque aspect intéressant des choses. Après tant d'essais, on était peu porté à tenter des explications entièrement nouvelles; il semblait préférable de réviser ce qui avait été dit antérieurement, de prendre partout ce qu'on trouvait de bon, de concilier autant que possible tout ce qui n'était pas inconciliable. L'Académie nouvelle s'y essaya, trop timidement; elle n'osa pas construire, elle se contenta de réparer. Mais son éclectisme marque du moins le début d'un mouvement qui allait se continuer et d'où devait sortir plus tard le néoplatonisme.

A la même tendance on peut rattacher le renouveau du péripatétisme qui n'avait guère attiré sur lui l'attention depuis Théophraste. Vers le début du premier siècle avant notre ère, on le voit se ranimer à Athènes avec Aristonicos de Rhodes et Boéthos. Commentateurs zélés d'Aristote, dont ils révisent les manuscrits et dont ils interprètent les idées, eux aussi attestent par leur tour d'esprit cette pénétration mutuelle des doctrines; mais ce qui doit leur valoir une place dans l'histoire générale de la civilisation grecque, c'est surtout d'avoir remis en pleine lumière l'ensemble de la philosophie aristotélicienne, dont l'influence devait être si grande dans la suite.

Mysticisme. — D'une manière générale, toutes ces philosophies prétendaient faire œuvre de raison; mais on en aurait une idée certainement incomplète, si l'on négligeait la part de mysticisme qui s'y mêlait de plus en plus. Répandu partout, c'est toutefois dans le néopythagorisme du premier siècle qu'il se manifeste le plus complètement. Ce fut probablement à Alexandrie, ville cosmopolite entre toutes, que la doctrine néopythagoricienne naquit et se développa d'abord; et il y a lieu de croire qu'elle résulta d'une fusion entre l'orphisme de tradition grecque, les religions juives et orientales et certains éléments de l'ancienne sagesse pythagoricienne qui en formèrent le noyau. Divers emprunts faits aux doctrines philosophiques énumérées plus haut vinrent s'y ajouter. Mais ce néopythagorisme n'était, à vrai dire, qu'une manifestation particulière d'un état d'esprit général. Le monde hellénique, moralement affaissé, cherchait dans le surnaturel un réconfort et des espérances. Jamais il ne s'était si fortement attaché aux mystères, aux révélations qui ouvraient aux croyants des perspectives sur la vie future. Il acceptait avec empressement la croyance à des dieux nouveaux ou à des êtres intermédiaires entre l'humanité et les dieux. Les purifications et les expiations trouvaient faveur auprès d'âmes inquiètes et troublées que tourmentaient de vagues superstitions. Rien ne leur semblait plus désirable que d'entrer en communion avec la divinité par des initiations et des pratiques théurgiques, sources de grâces privilégiées. Idées tantôt diffuses, tantôt coordonnées en doctrines, plus fermes et plus précises chez quelques-uns, plus indistinctes chez beaucoup d'autres, mais dont l'importance déjà grande allait devenir prépondérante dans le dernier stade de la civilisation grecque.

Les sciences. Inégalité du progrès dans les diverses sciences. — En ce qui concerne les sciences proprement dites, mathématique, physique, mécanique, astronomie, biologie, les trois siècles de l'époque hellénistique nous offrent le spectacle d'inégalités frappantes. Tandis que les sciences mathématiques font alors des progrès remarquables, les sciences de la vie demeurent a peu près stationnaires. La raison en est sans doute que les premières se construisent par un enchaînement logique d'idées qui ne relève que du travail de l'esprit; de toute vérité acquise naît immédiatement une autre vérité, qui en est la conséquence. Dans les sciences de la vie, au contraire, les premières observations recueillies n'apportent à l'intelligence qu'une masse de matériaux confuse, prodigieusement complexe, pleine d'énigmes et d'apparentes contradictions; et lorsque quelques esprits supérieurs les ont une première fois classées, une longue patience est nécessaire pour vérifier leurs interprétations, noter leurs erreurs, tirer de leurs aperçus tout ce qu'ils contiennent d'utilisable. L'antiquité d'ailleurs manquait de bien des ressources indispensables : elle n'avait à sa disposition ni le microscope ni l'analyse chimique. Il lui était bien difficile, dans ces conditions, de faire mieux qu'Aristote et Théophraste.

Sciences naturelles. — Passons donc ici très rapidement sur cet ordre de sciences. En fait de zoologie, de botanique, de médecine même, l'époque hellénistique n'a rien produit qui mérite d'être signalé dans une revue aussi sommaire que celle-ci. La médecine, toutefois, en raison de son utilité pratique, se montrait toujours active, mais sans réaliser de gains scientifiques appréciables. A côté d'un dogmatisme qui prétendait perpétuer la tradition d'Hippocrate, mais qui, très infidèle à son esprit, se figeait dans des formules rigides, on vit naître alors un empirisme, qui, se refusant à toute coordination des faits, aboutissait à la négation même de la science. Le plus grand mérite des médecins de ce temps fut de faire vivre un art qui devait être renouvelé dans la période suivante par Galien et transmis par lui au moyen âge.

Sciences mathématiques et physiques. — Au contraire, dans les sciences mathématiques et physiques, les premiers progrès qui avaient été réalisés précédemment par Pythagore et ses successeurs, Platon et son école, Théodore de Cyrène, Eudoxe de Cnide, se continuaient avec éclat. Au commencement du IIIᵉ siècle, Euclide rédigeait ses célèbres *Éléments*, qui lui ont valu d'être nommé « le Géomètre » par excellence et que nous lisons encore; il y établissait les fondements de la géométrie tels qu'ils ont subsisté jusqu'à nous; quelques-unes des plus notables qualités de l'esprit grec ne se sont manifestées nulle part plus vivement que dans cet ouvrage. Peu après, Archimède, à Syracuse, faisait preuve d'un génie merveilleusement inventif, soit dans les théories relatives à la mesure du cercle et du cylindre, aux propriétés de la parabole, à l'étude des courbes, soit dans la physique et la mécanique, découvrant à la fois des principes nouveaux et des applications imprévues. Vers la fin du même siècle, le pamphylien Apollonios de Pergé composait le premier trait des sections coniques ; et enfin Héron d'Alexandrie, au début du premier siècle, faisait également progresser la physique, la mécanique et les mathématiques pures.

Presque aussi remarquables étaient les travaux des astronomes. Au savant Aristarque de Samos, qui enseignait vers 250, revient l'honneur d'avoir devancé Copernic et osé dire, le premier, malgré les plus vives contradictions, que la terre tourne sur son axe et exécute une révolution annuelle autour du soleil. Au même temps se rapportent les ouvrages astronomiques d'Ératosthène, — mentionné plus haut comme critique et comme géographe, — ses poèmes didactiques et scientifiques, l'*Hermès* et l'*Érigone*, ses *Catastérismes*, par lesquels il rivalisait avec les *Phénomènes* d'Aratos, son contemporain. Ce dernier, il est vrai, ne faisait guère que vulgariser des connaissances déjà acquises et il mélangeait la fable à la science. Tout au moins, pouvons-nous conclure du succès de son poème à l'intérêt que les contemporains prenaient à la connaissance de l'univers. Mais le grand astronome de ce temps fut le Bithynien Hipparque de Nicée, qui vivait au second siècle, inventeur de l'astrolabe, créateur de la trigonométrie, véritable initiateur des calculs et des mesures astronomiques, premier auteur de tables où furent notés les mouvements du soleil et de la lune. Par l'ensemble de ces travaux, on peut dire que l'astronomie sortait alors de l'enfance et inaugurait les méthodes vraiment scientifiques.

N'insistons pas davantage. Il suffit de l'énumération de ces noms et du rappel sommaire des principales découvertes qui les ont illustrés pour qu'on puisse se faire une idée de la contribution apportée par la science hellénistique à l'ensemble des connaissances que la Grèce a léguées aux civilisations postérieures.

IV. — L'ART HELLÉNISTIQUE ET GRÉCO-ROMAIN

Vue générale. — Après les productions admirables des Vᵉ et IVᵉ siècles, l'art grec se trouvait en possession de traditions d'école et de modèles en tout genre; c'était à la fois pour lui une force et un danger. Il était relativement facile, pour les artistes des siècles suivants, d'imiter leurs prédécesseurs et ils pouvaient faire de belles choses en les imitant; il était, au contraire, difficile de faire autrement qu'eux et de se montrer vraiment original. L'imitation s'imposait en quelque sorte au talent. Il n'est pas surprenant qu'elle domine dans l'ensemble des œuvres de ce temps. Ce qui est remarquable, c'est qu'elle n'ait pas plus complètement paralysé l'invention et que celle-ci se manifeste même, — tout au moins pendant la période hellénistique, — par un si grand nombre de productions d'art qui attestent la brillante vitalité du génie grec.

L'architecture. — L'établissement des royautés qui se formèrent après la mort d'Alexandre fut pour l'architecture l'occasion de travaux considérables. Aux commandes des cités succédèrent celles des rois. Ceux-ci tenaient à donner la plus haute idée de leur puissance et, pour satisfaire leurs ambitions politiques ou leur vanité, ne regardaient guère à la dépense. Un certain faste était pour eux un moyen de gouvernement; pouvoir absolu dont ils disposaient leur assurait des ressources abondantes. Épris de gloire, ils exigeaient que tout prît autour d'eux un air de magnificence. Ce qui avait paru grand autrefois était trop petit à leurs yeux. Il fallait que l'art se mît à la mesure de leur orgueil. D'ailleurs, n'étaient-ils pas obligés, puisqu'ils régnaient en Orient, de rivaliser avec les œuvres imposantes ou même colossales que les vieilles civilisations de l'Assyrie et de l'Égypte avaient produites et qui frappaient d'étonnement tant de visiteurs? Le problème que les architectes grecs eurent à résoudre fut de concilier ces exigences nouvelles avec leurs traditions d'harmonie et de mesure; plusieurs d'entre eux se tirèrent à leur honneur de cette difficulté.

Rien n'est plus propre à nous donner une idée de la passion de bâtir qui régnait alors que la description d'Alexandrie qu'on lit dans Strabon (1). Elle fait apparaître devant nous une ville immense, sortie de terre en 331, et grandissant comme à vue d'œil sous les règnes successifs des premiers Ptolémées. Chacun d'eux voulant avoir sa demeure toute neuve, une série de palais contigus s'ajoutent peu à peu à celui du fondateur de la dynastie; le quartier royal finit par occuper le quart ou même

(1) Strabon, XVII, 1, 6, et suiv.

le tiers de la ville. Là s'élève le Musée, vaste édifice contenant bibliothèque, portiques, exèdres, salles de conversation, cours plantées; non loin est la nécropole des rois, avec le tombeau d'Alexandre et les sépultures princières. Une partie de ces constructions magnifiques dominaient la mer. Tout autour et en arrière s'étendait la ville, bâtie sur un plan rectiligne, avec ses deux longues voies, larges et droites, perpendiculaires l'une à l'autre, auxquelles aboutissaient les rues secondaires. Le long du rivage, les ports, les quais, les docks, appropriés aux besoins de la plus grande place de commerce qu'il y eût alors; le tout défendu par un môle immense et couvert du côté du large par l'île de Pharos, où se dressait la tour célèbre, considérée comme une des merveilles du monde, monument qu'avait élevé l'architecte Sostratos de Cnide. Dans la ville même, on admirait plusieurs temples, le grand gymnase avec ses portiques qui se développaient sur plus d'un stade de longueur, le belvédère en spirale appelé Paneion, d'où le regard embrassait une vaste perspective, l'hippodrome et de nombreuses constructions particulières. Outre l'ampleur extraordinaire du plan, cette description accuse une régularité de conception vraiment caractéristique. On retrouve là l'esprit géométrique dont l'architecture grecque ne s'est jamais départie; mais on y sent aussi une liberté d'invention, qui sait s'adapter à un nouvel état de choses. Ce qui est ainsi attesté pour une des plus grandes capitales de ce temps s'applique, sauf des variations de détail, à la plupart des autres, à Antioche à Séleucie, à Pergame, et, dans une certaine mesure, à quelques-unes des villes de la Grèce continentale, notamment à Athènes, qui dut aux Lagides et aux rois de Pergame des embellissements et des édifices nouveaux.

Les ruines de quelques édifices, soigneusement étudiées de nos jours, témoignent du goût qui était alors général. Citons particulièrement celles des temples d'Artémis Leucophryéné à Magnésie du Méandre, de Dionysos à Téos, d'Apollon à Didymes, d'Asclépios à Tralles, construit au IIIe siècle, celles des portiques d'Eumène et d'Attale à Athènes, du temple de Zeus Stratios à Alabanda, édifiés au second siècle. Dans presque toutes ces créations architecturales se manifeste le désir de frapper l'imagination à la fois par la grandeur du plan et par la richesse du décor. L'emploi des marbres, des stucs colorés, des incrustations, l'ornementation des chapiteaux et des frises ajoutent au charme propre des lignes et des proportions la séduction d'une parure opulente et variée. On se plaît à adoucir par de gracieuses ondulations la rigidité des profils; on multiplie et on diversifie ingénieusement les effets de couleur obtenus par la polychronie; on recherche le contraste des ombres et des parties en lumière.

Un des plus remarquables spécimens de cette décoration architecturale nous a été fourni par les fouilles de Pergame. Au second siècle, les Attalides, fiers de l'extension donnée par eux à leur royaume à la suite de leurs victoires sur les Galates, voulurent les commémorer par une construction monumentale. Ils édifièrent dans leur capitale une sorte d'autel gigantesque, qui ressemblait à une acropole artificielle. Au milieu d'une immense esplanade, se dressait un massif de forme carrée, reposant sur un puissant soubassement de pierre, qui était lui-même élevé sur quelques degrés et surmonté d'une corniche. L'aire supérieure était entourée d'un mur plein, sauf du côté sud, où le massif du soubassement était entaillé par un large escalier de 24 marches donnant accès à la plate-forme. On arrivait par ces marches à la cour intérieure, qu'entourait un portique à colonnes, de style ionique; au milieu, se dressait l'autel de Zeus et d'Athéna. Deux frises sculptées formaient la parure extérieure du monument : l'une, la plus grande, décorant le soubassement et les parois de l'escalier, se développait sur une longueur de plus de 120 mètres; l'autre, plus petite, ornait le haut du mur. Qu'il y eût, dans la conception de cet ensemble, une sorte d'emphase, résultant de la disproportion trop sensible entre la grandeur du plan et la destination de l'édifice, c'est sans doute ce qu'un Athénien du temps de Phidias et d'Ictinos aurait senti vivement; mais il fallait à une société très différente des moyens d'effet nouveaux; et on ne peut refuser aux architectes de Pergame le mérite d'une invention hardie qui n'était pas sans beauté.

Le résultat nécessaire de travaux si nombreux et si divers fut de développer et de perfectionner à certains égards la technique architecturale. Amenés à résoudre des problèmes multiples, les constructeurs de ce temps durent imaginer des procédés appropriés et, peu à peu, se faire des règles qui se fixèrent en formules. Pour l'aménagement des théâtres particulièrement, pour l'assainissement des villes, pour l'installation des bains, des gymnases, des stades, l'expérience et l'observation suggérèrent des inventions d'où dérivèrent bientôt des théories. Ainsi se constitua une doctrine que les architectes grecs de l'époque hellénistique transmirent, d'une part, aux architectes latins et, d'autre part, à leurs successeurs des premiers siècles de l'empire. Nous la trouvons condensée dans le traité de Vitruve, composé sous le règne d'Auguste, et l'on sait quelle influence elle a exercée sur les architectes de la Renaissance. C'est donc, dans le legs de la civilisation hellénique, un élément qu'il n'est pas permis de méconnaître.

La sculpture. — Les circonstances qui favorisaient l'architecture n'étaient pas moins propices aux arts qui contribuent à l'ornementation des édifices, particulièrement à la sculpture et à la peinture. L'époque hellénistique les vit fleurir l'une et l'autre dans toute l'étendue du monde grec. Jamais les ateliers de sculpture ne furent plus nombreux ni plus actifs que pendant ces trois siècles. Les rois commandaient à l'envi des statues, des groupes, des bas-reliefs; et, par un effet ordinaire, les riches particuliers suivaient l'exemple des rois dans la mesure de leurs moyens. Ainsi encouragés et stimulés, les artistes remarquables ne manquèrent pas. Naturellement, ils ne pouvaient apporter dans leurs travaux l'inspiration religieuse et nationale qui avait animé les maîtres des siècles précédents. Il n'y avait plus pour eux de patrie, à proprement parler; et les dieux n'étaient plus considérés avec les mêmes sentiments de piété profonde et de crainte respectueuse. D'autre part, les sculpteurs hellénistiques n'étaient pas moins soumis que les architectes du même temps à l'influence des modèles qui s'imposaient à leur admiration. Quoi qu'il en soit, le génie inventif de la Grèce continuait à vivre en eux. Leur activité féconde sut créer, dans l'imitation même, un art qui eut son originalité et dont l'influence a été grande. Quelques-unes de leurs œuvres, sauvées de la destruction, sont encore justement admirées.

La science moderne a pu classer ces artistes en écoles ou tout au moins en groupes locaux; elle a distingué les ateliers de Pergame, de Rhodes, de Tralles, d'Alexandrie, chacun de ces villes étant représentée soit par des œuvres renommées, soit par des familles de sculpteurs dont elle a recueilli les noms et reconstitué la filiation. Il suffira de définir ici quelques-uns des traits qui caractérisent l'art de ce temps.

Un des plus frappants est ce désir de faire grand que nous avons déjà signalé dans les œuvres de l'architecture contemporaine. La décoration sculpturale du gigantesque autel de Pergame mentionné ci-dessus en offrait le plus décisif témoignage. La frise inférieure dont il a été question, celle qui se déroulait autour du soubassement et sur les parois de l'escalier monumental, représentait la victoire de Zeus et d'Athéna sur les géants, symbole de celle que les Attalides avaient remportée sur les barbares. Jamais l'art grec n'avait fait pareil effort pour donner l'impression du déploiement de la force musculaire, exaltée par la fureur du combat. Des corps convulsés, des gestes violents, des formes monstrueuses, mais habilement combinées, formaient un ensemble d'un effet puissant. La majesté des dieux vainqueurs s'y opposait d'ailleurs à l'acharnement désespéré des géants vaincus. La noblesse ou la grâce de plusieurs figures atténuaient heureusement ce qu'il y avait de brutalité nécessaire dans certaines parties. Et ainsi, du spectacle de ce tumulte, de cette mêlée surhumaine, se dégageait en définitive pour le spectateur le sentiment de la supériorité d'une force intelligente et maîtresse d'elle-même. Par là, comme par le mérite technique du travail, se manifestait la perpétuité de la tradition grecque. Il n'en était pas moins évident qu'on usait de moyens nouveaux.

Un autre fait intéressant du même art était la recherche du pathétique. Il semble que le succès croissant de la tragédie classique y ait été pour beaucoup. La sculpture, s'inspirant des scènes tragiques les plus populaires, fut amenée à essayer, elle aussi, de représenter, par ses moyens propres des situations émouvantes. A l'époque hellénistique appartiennent les groupes célèbres qui témoignent de cette tendance. Mentionnons le Laocoon, le supplice de Dircé (connu sous le nom de Taureau Farnèse), la mort des Niobides; autant de sujets empruntés aux légendes que le théâtre avait vulgarisées. Et, dans toutes ces œuvres, même souci de traduire par des attitudes expressives, dans l'immobilité du marbre, ce que la poésie avait décrit ou mis sous les yeux des spectateurs. A coup sûr, on est en droit de faire des réserves sur l'opportunité de cette alliance entre la statuaire et la littérature. Mais la renommée des œuvres qui viennent d'être citées atteste en tout cas l'influence que l'art hellénistique a exercée jusqu'à notre temps.

La perfection de la technique contribuait aussi à engager les sculpteurs aux réalisations difficiles. Possédant tous les secrets du métier, il était naturel qu'ils fussent tentés d'en faire montre. Trop de science risque d'aboutir à la virtuosité. La sculpture hellénistique n'y a pas toujours échappé. Dans l'analyse des détails du corps humain, dans l'observation des mouvements et des gestes, les maîtres de ce temps n'avaient plus rien à apprendre. Ils aimaient à le prouver par le fini de leurs productions. La statue bien connue dite le Gladiateur combattant, et qui représente probablement un Galate se défendant contre un cavalier, est presque, dans sa perfection technique, une étude d'anatomie sur un corps vivant. D'ailleurs, si l'Aphrodite de Milo et quelques-unes de ses sœurs sont aussi, comme il y a lieu de le croire, des œuvres de la même époque, on ne peut nier que cette virtuosité n'ait été parfois créatrice d'exquise beauté. Elle permettait, en tout cas, à ceux qui la possédaient de reproduire à leur gré, avec la plus fine exactitude, toutes les variations, tous les caprices mêmes de la nature. C'est ainsi qu'ils excellèrent à la fois dans le portrait en marbre ou en bronze et dans la sculpture de genre. Aucune époque n'a produit plus d'effigies sculptées, attestant chacune, par des traits expressifs, une ressemblance individuelle qui dut être frappante. Aucune, non plus, n'a imaginé plus de sujets gracieux et amusants, amours rieurs ou irrités, enfants jouant entre eux ou avec des animaux domestiques, figures grotesques. Mieux encore que le marbre, le bronze et quelquefois l'or ou l'argent se prêtaient à ces caprices de l'invention artistique. Tous nos musées possèdent des statuettes, des groupes, des reliefs ciselés sur des coupes ou des vases, des manches de miroir qui nous font admirer la variété d'invention, l'imagination et l'adresse ingénieuse de leurs auteurs ; et l'anthologie grecque nous a conservé bon nombre d'épigrammes qui sont autant de descriptions de ces jolies choses.

La peinture. — Il n'est pas douteux que, pour la décoration des édifices énumérés plus haut, il n'ait été fait appel à l'art des peintres autant qu'à celui des sculpteurs. Et le goût du portrait, auquel ces derniers devaient satisfaire si fréquemment, ne mit pas moins en œuvre le talent des premiers. Malheureusement, les productions de la peinture sont essentiellement périssables. Rien ne nous est resté qui nous mette à même d'apprécier par nous-mêmes celles qui firent alors la célébrité de quelques artistes, tels qu'Aétion, Théon de Samos et d'autres, dont on trouve les noms cités par divers auteurs. Ce que l'on peut affirmer, c'est que le goût hellénistique, tel qu'il vient d'être caractérisé dans la sculpture, se manifesta également dans la peinture. Là aussi, les artistes se complurent aux scènes pathétiques, inspirées par la tragédie; et, d'autre part, ils se montrèrent appliqués à l'étude des détails. Ils s'essayèrent à traduire, par les moyens qui leur étaient propres, telles ou telles phases de sentiments violents que des acteurs en renom avaient réalisées, les tortures morales de Médée, ses hésitations suprêmes et ses fureurs, la résolution sombre d'un Ajax, l'horreur du supplice d'Iphigénie, le déchirement de cœur d'Agamemnon. Épris de naturalisme, ils mirent à la mode les scènes familières, les sujets de genre, les vues d'intérieurs, dans lesquelles la reproduction des objets réels n'excluait pas une part de fantaisie. Il paraît probable aussi que, sous l'influence du genre pastoral, ils donnèrent au paysage une importance nouvelle; beaucoup de légendes s'y prêtaient, notamment celles qui mettaient en scène les centaures, habitants des montagnes, Polyphème et Galatée, les dieux de la mer et leurs aventures. La caricature même paraît avoir été alors en honneur. A défaut des originaux, beaucoup de vases peints témoignent encore de cette diversité de tentatives, qui souvent furent des succès; et nous tirons de là, en somme, l'idée d'un art qui sans doute vécut beaucoup d'imitation, qui ne produisit probablement rien de grand, au vrai sens du mot, mais qui fit preuve d'une remarquable habileté technique, associée à la grâce, parfois à l'émotion et presque toujours à une invention ingénieuse ou amusante.

L'art grec sous l'empire. — Entre cet art hellénistique et l'art grec de l'époque impériale, il n'y eut point interruption de continuité. Le second n'est que le prolongement du premier. Nous n'avons pas à l'en séparer ici. Seulement, par l'effet de l'unification politique que le régime impérial imposait au monde, l'échange des idées, la pénétration mutuelle des exemples et des influences deviennent alors de plus en plus faciles. Le goût romain se fait accepter partout. Mais il est lui-même tout pénétré des enseignements de la Grèce. Aussi, à partir du Ier siècle de notre ère, est-il à peu près impossible de distinguer ce qui est proprement grec de ce qui est romain ou oriental. Il n'y a guère de production artistique de ce temps qui ne soit faite d'éléments d'origines diverses. Ce que l'on peut dire toutefois, c'est que, dans tous les arts, jusqu'au temps où prédomine le christianisme, la tradition grecque, en Orient, est de beaucoup la plus forte. L'architecture particulièrement, au Ier et au IIe siècle, reste dans cette partie de l'Empire une architecture grecque par tous ses traits essentiels. Les empereurs, depuis les Césars jusqu'aux Antonins, embellissent les villes grecques, celles d'Asie surtout, autant ou plus que les rois de l'époque hellénistique. Mais, quels que soient le nombre et l'importance des œuvres d'art dont ils les gratifient, ni l'art du constructeur ni celui du sculpteur ou du peintre ne paraissent s'être alors signalés par des créations originales : et quant aux combinaisons qu'ils ont réalisées plus ou moins heureusement, elles ne peuvent être étudiées ici. C'est, en somme, le goût hellénistique, diversement modifié dans le détail, qui continue à régner ; et, tant que se maintiennent la connaissance et la pratique du métier, l'art se perpétue honorablement. La décadence ne se fait définitivement sentir qu'à partir du IIIe siècle de notre ère, par le fait des guerres civiles d'abord, puis des invasions barbares. Mais c'est alors aussi que, sous l'influence du christianisme, commence à se former un art grec nouveau, qui sera l'art byzantin. Nous n'avons pas à en parler ici. L'avènement de la civilisation byzantine marque le moment où finit la civilisation hellénique proprement dite.

10 LA CIVILISATION GRECQUE
SOUS L'EMPIRE ROMAIN

I. — LA SOCIÉTÉ ET LA LITTÉRATURE

Persistance de la civilisation hellénique sous la domination romaine. — L'établissement de l'Empire romain fit disparaître les derniers États grecs. En Orient comme en Occident, il n'y eut plus que des provinces romaines. Ce qui avait pu subsister d'autonomie jusque-là fut définitivement anéanti. Sous l'autorité des gouverneurs de titres divers envoyés par Rome, tout releva du pouvoir impérial, qui tenait le monde entier sous sa domination. Mais il s'en fallut de beaucoup que la civilisation grecque ne pérît avec les royautés hellénistiques. Ce fut elle, au contraire, qui s'imposa à ses vainqueurs. Déjà, dans les derniers siècles de la République, Rome avait subi profondément son influence. Elle la subit plus encore dans les premiers siècles de l'Empire; et l'on vit, au temps des Antonins, un empereur romain écrire en grec le journal de sa vie intime. A plus forte raison, l'Orient resta entièrement grec. La culture latine réussit à peine à l'effleurer; elle n'y pénétra jamais. L'histoire de la civilisation hellénique se continue donc sous l'Empire, sans changement brusque ni très apparent, jusqu'au temps où commence, avec la création d'un empire d'Orient, la civilisation byzantine. Ni l'aspect ni la constitution intime de la société ne se modifient très sensiblement pendant ces quatres siècles. Et cependant, celle-ci subit incontestablement une crise qui eut sa cause dans le déclin du polythéisme. Dès le second siècle, le christianisme, qui grandit et s'étend, commence à ébranler la vieille religion. Au IIIe siècle, il se pose en rival du paganisme; il a ses apologistes, ses docteurs et ses écoles; il se fortifie même dans les persécutions. Au IVe siècle, il triomphe avec Constan-

279

tin et ses successeurs. Et, sans doute, la religion nouvelle, à mesure qu'elle attire à elle l'élite intellectuelle, s'imprègne de la culture grecque; elle devient elle-même, à vrai dire, une forme nouvelle de l'ancienne civilisation, en Orient du moins. Mais c'est une forme trop distincte, inspirée d'un esprit trop différent, pour que nous ayons à l'étudier ici. Le paganisme grec est le cadre que nous ne devons pas dépasser.

Tout en déclinant, cette ancienne civilisation fit preuve, pendant ces derniers siècles, d'une vitalité qui ne peut être méconnue. Il semble même que, grâce à la paix romaine, elle ait eu alors comme une seconde floraison, un peu pâle assurément, comme il était naturel en une arrière-saison, mais non dénuée de charme malgré tout. Quelques-unes des œuvres qui en sont issues sont de celles dont l'influence a persisté jusqu'à nos jours. Elles nous font connaître une société qui, certes, en se comparant à un passé glorieux, ne se dissimulait pas son infériorité et qui, d'autre part, ne se sentait plus orientée vers l'avenir par de fermes espérances; mais qui, du moins, s'attachait avec zèle et amour à ses traditions et s'appliquait de son mieux à les continuer. Elle y trouvait plaisir et elle a réussi à s'en faire honneur.

La vie des Grecs cultivés sous l'empire romain. — C'est au premier et au second siècle de notre ère que la vie des Grecs cultivés de ce temps s'offre à nous sous son aspect le plus intéressant. A tout prendre, ce fut, dans les classes cultivées, une vie intelligente. Plutarque, dont nous aurons plus loin à mentionner les œuvres, nous a laissé sur ce point des témoignages qui nous en donnent une idée vraiment favorable; et ce qu'il nous dit de lui-même ou de sa famille, n'ayant rien d'exceptionnel, peut être largement généralisé sans risque d'erreur.

Dans une petite ville de Béotie, à Chéronée, trois ou quatre générations se succèdent sous nos yeux entre le temps d'Auguste et celui d'Adrien. C'est d'abord le bisaïeul de Plutarque, Nicarque, témoin des guerres civiles dont le contrecoup se fait cruellement sentir autour de lui ; puis, voici son fils, Lamprias, et son petit-fils, le père de Plutarque, qui, l'un après l'autre, semblent avoir joui paisiblement du rétablissement de l'ordre dans le monde. Ils s'occupent à faire valoir leur domaine, à remettre en bon état leur fortune héréditaire; honnêtes gens, dénués d'ambition, contents de l'estime publique qui les entoure et peu tourmentés du regret de l'indépendance nationale, depuis longtemps perdue. Dans ce milieu, où l'esprit de famille se transmet de père en fils, la culture intellectuelle et morale est hautement appréciée. Toutes les belles traditions de la Grèce, tous ses souvenirs y sont en honneur. Aussi Plutarque et ses frères sont-ils envoyés jeunes à Athènes, qui reste toujours le foyer des bonnes études et où se développe une véritable vie universitaire. Là, des écoles renommées attirent de tous les points du monde grec les meilleurs maîtres et la jeunesse studieuse. Nulle part, les relations entre les professeurs et les élèves ne sont mieux réglées; sous la garantie d'une saine discipline, elles sont familières et cordiales. On se réunit amicalement, on cause autour d'une table hospitalière, on discute à perte de vue, on fait assaut d'esprit, d'érudition, de réflexions ingénieuses et subtiles. Un goût très vif de la littérature, de la philosophie, des sciences, des questions religieuses règne dans tous les cercles. En revanche, peu ou point de politique. Il semble que l'échange des idées soit devenu l'objet principal de la vie. Aussi bien, il ne cesse pas, lorsque l'on quitte les écoles. On voyage beaucoup en ce temps, pour raison d'affaires assurément, mais aussi par curiosité. Les communications étant désormais plus sûres et plus faciles, on va d'Orient en Occident, de Grèce en Italie et d'Italie en Grèce. Plutarque, son éducation achevée, visite l'Égypte et sa grande ville, Alexandrie, puis Rome et l'Italie, où il séjourne à plusieurs reprises. Il y fait des conférences, car les conférences sont à la mode; il y fréquente des philosophes, car il y en a partout, et il professe lui-même la philosophie; mais il visite aussi les lieux célèbres, il fait connaissance avec de grands personnages, il se rend familier avec l'histoire romaine en interrogeant les descendants de ceux qui en avaient été les acteurs. La pénétration mutuelle des deux civilisations nous apparaît là vivement. Puis, il revient dans son pays; et, décidé à ne pas l'abandonner, il s'occupe des affaires municipales sans négliger les siennes; il exerce des magistratures locales, fréquente le sanctuaire voisin de Delphes, si riche en monuments et en souvenirs, s'y laisse même rattacher par des fonctions sacerdotales. Peu à peu, il est devenu célèbre. Des étrangers de distinction viennent le voir et sont reçus chez lui. De son côté, il circule en Grèce, se rend de temps en temps à Athènes, sa patrie intellectuelle, où l'attire bientôt l'éducation de ses fils. Chez lui, la meilleure partie de son temps se passe à lire et à écrire. Qu'écrit-il? Des traités de morale, des lettres, des biographies surtout, dont nous aurons bientôt à parler. Pour le moment, ce qui nous intéresse en lui, c'est sa manière de vivre; car elle représente celle d'une grande partie de ses contemporains et compatriotes. Une oisiveté laborieuse, une existence paisible, une activité qui aboutit à des dissertations, une culture variée, le goût du savoir, tels sont les traits qui donnent à la meilleure société grecque du siècle des Antonins sa physionomie propre. Nous allons les retrouver dans sa littérature, et celle-ci nous laissera voir en même temps quelques autres aspects de cette même société, quelques-uns des changements qu'elle subit sous l'influence des événements.

Caractère général de la production intellectuelle sous l'empire. — Déjà, au temps des royautés hellénistiques, la production intellectuelle avait beaucoup perdu de sa spontanéité; déjà l'imitation tendait à y étouffer l'originalité. Sous l'empire, malgré le nombre et la variété des œuvres, malgré le mérite de quelques-unes, ce caractère devient plus sensible encore. En tout genre, on ne réussit désormais qu'à la condition d'imiter. Presque plus de nouveauté dans la littérature; moins encore dans les arts. Seules, la science et la philosophie font preuve d'une certaine faculté créatrice. C'est donc principalement d'elles qu'il y a lieu de s'occuper ici. Toutefois il est indispensable de jeter au moins un coup d'œil sur l'ensemble du mouvement littéraire, dont la philosophie d'ailleurs est inséparable.

L'éloquence et la rhétorique. Les atticistes. — Chose curieuse, jamais l'art de la parole ne fut plus cultivé ni plus admiré qu'à cette époque, où il avait perdu ses meilleures raisons d'être. Le monde gréco-romain, au second siècle, est plein d'orateurs; l'Asie, la Grèce, l'Italie même acclament ces maîtres de la parole, ces improvisateurs merveilleux, ces virtuoses du discours, qui ont repris le titre de *sophistes*, tombé en désuétude, et qui le portent orgueilleusement. Les écoles où ils enseignent les secrets de la rhétorique sont plus fréquentées que jamais; les grandes villes tiennent à honneur de fonder des chaires d'éloquence. Marc-Aurèle en institua plusieurs à Athènes, qui devient ainsi une véritable Université. Mais c'est surtout dans les discours d'apparat que triomphent les orateurs de ce temps : éloges des cités, compliments aux personnages officiels, harangues prononcées dans les cérémonies publiques.

Des occasions plus sérieuses leur sont données, lorsqu'ils vont porter aux magistrats romains, quelquefois au sénat ou à l'empereur même les doléances ou les congratulations de leurs concitoyens. Et, en dehors de cela, ils convoquent à des auditions oratoires un public toujours empressé. Des noms furent alors illustres qui sont tombés depuis longtemps dans un juste oubli, tels ceux des Scopélien, des Favorinus d'Arles, des Ælius Aristide, des Philostrate. A leur éloquence a manqué tout élément substantiel. La postérité a eu le droit de la considérer comme un verbiage sonore, sans intérêt durable. Et, toutefois, il faut reconnaître que ces artistes de la parole ne faisaient pas œuvre inutile en réveillant le sens de la beauté littéraire que leurs prédécesseurs immédiats avaient trop laissé s'oblitérer. Ceux qu'on appelait alors les « Atticistes », grammairiens ou rhéteurs, tout en exagérant leurs scrupules de puristes, remirent en honneur la correction, la bonne tenue du langage; ils l'assainirent en imposant aux orateurs et aux écrivains l'autorité des meilleurs prosateurs attiques d'autrefois. Ils l'empêchèrent ainsi de dégénérer trop vite : évidemment, il n'était pas en leur pouvoir de faire davantage, ni surtout de lui rendre la fraîcheur, la spontanéité qui fait le charme éternel des chefs-d'œuvre.

L'histoire. — Le genre historique était mieux défendu, par sa nature même, du danger de la frivolité. Il y eut, au IIe et au IIIe siècle, des historiens grecs dont les ouvrages ont survécu et sont justement estimés. Imitateurs d'Hérodote, de Thucydide, de Xénophon, leur mérite commun est d'avoir su exposer clairement, honnêtement, dans une langue correcte et assez pure, les événements qu'ils entreprenaient de raconter. Ils ont utilisé sagement des informations qui, sans eux, nous manqueraient aujourd'hui. C'est à eux qu'il faut recourir pour la connaissance de périodes importantes. Nous devons à Adrien de Nicomédie, contemporain de l'empereur Adrien, le meilleur récit que nous ayons de l'*Expédition d'Alexandre;* il y a lieu d'en louer la simplicité et la véracité. Appien d'Alexandrie écrivit sous le règne d'Antonin son *Histoire romaine*, dont nous possédons encore d'importantes parties; composition un peu terne, sans originalité ni critique personnelle, mais bien ordonnée et faite en général de bons matériaux. Ni l'un ni l'autre ne peut être égalé à Dion Cassius, le plus remarquable historien de ce temps. De sa grande *Histoire romaine* une vingtaine de livres seulement, un peu plus du quart de l'ouvrage, nous restent encore. On y trouve exposés, dans un langage ferme, les événements tragiques de la fin de la république, les guerres civiles, et l'histoire de l'empire sous les premiers Césars; mais il est regrettable qu'ayant pris Thucydide pour modèle, Dion n'ait pas su s'approprier la liberté de son esprit ni l'indépendance de ses jugements et qu'il ait abusé des discours fictifs. Après lui, le syrien Hérodien, dont on lit encore l'histoire des *Successeurs de Marc-Aurèle*, ne mérite qu'une simple mention.

Ce qui fait le plus d'honneur à l'historiographie de ce temps, c'est très certainement le recueil des *Vies parallèles* de Plutarque. Grâce à cet ouvrage, la biographie, qui était restée jusque-là une forme subalterne de l'histoire, a pris vraiment une valeur nouvelle. Sans doute, on ne peut considérer Plutarque ni comme un grand écrivain, ni comme un penseur vigoureux et hardi. En tant qu'historien même, il prête le flanc à des reproches sérieux. Nous ne trouvons chez lui ni la critique attentive des sources, ni un souci suffisant de la chronologie, ni l'intelligence complète des grands desseins politiques. Moraliste et curieux avant tout, c'est par la peinture des mœurs, par la notation de détails variés, qu'il a su faire revivre la plupart des hommes remarquables de l'antiquité, Grecs et Romains. Une large information, tirée de lectures aussi abondantes que variées, l'a mis à même de rassembler, d'une part, quantité de faits d'importance secondaire et pourtant suggestifs, de l'autre de nombreux traits de mœurs qui révèlent le caractère de ses personnages. Attentif à rechercher leurs motifs d'action, à se renseigner autant que possible sur leur vie privée, à les surprendre, pour ainsi dire, dans leurs moments d'abandon, afin de saisir sur le vif leurs sentiments secrets, leurs habitudes morales et le fond de leur nature, il réussit souvent à nous les faire mieux connaître que ne l'ont fait les historiens proprement dits. Ajoutons qu'il sait conter avec agrément, qu'il a le sens dramatique à un haut degré et que les réflexions, un peu longues parfois, dont il entremêle ses récits, ne manquent ni de finesse ni de portée. Il résulte de là que l'ensemble de son œuvre biographique met sous nos yeux presque tous les aspects de la civilisation antique. La popularité dont elle a joui depuis la Renaissance s'explique ainsi. Elle a fourni plus de sujets de tragédies qu'aucune autre, elle a été goûtée par quelques-uns de nos meilleurs moralistes, et nul peut-être n'a plus contribué à l'influence que la Grèce a exercée à certains moments de notre histoire, particulièrement à l'époque de la Révolution. Aussi, aujourd'hui encore, bien que les progrès de la critique historique en aient affaibli l'autorité, elle est encore une de celles qu'on ne peut ignorer, si l'on veut connaître la vie morale de la Grèce ancienne.

La littérature satirique et fantaisiste. Lucien. — Dans un genre bien différent, un autre écrivain du second siècle, le syrien Lucien de Samosate s'est fait, lui aussi, un renom durable. Comme Plutarque, il a dû beaucoup aux œuvres classiques du passé; mais, comme lui également, bien qu'il ait beaucoup emprunté, il a été, en une assez large mesure, créateur; et, à ce titre, il a eu son influence. C'était par profession un de ces sophistes dont il a été question plus haut; mais le tour de son esprit se révéla bien vite fort différent du leur. S'inspirant à la fois de la comédie ancienne et des satires acerbes que la secte cynique avait mises à la mode, il donna carrière à sa verve étincelante et moqueuse dans des œuvres légères et variées, dialogues des morts, entretiens plaisants de dieux et de personnages mythologiques, traités ou dissertations, pamphlets, compositions fantaisistes; il y raillait tantôt les superstitions et les fables du polythéisme, tantôt les enseignements ou les ridicules des philosophes contemporains, critiquant tous les dogmatismes, arrachant tous les masques, perçant de ses traits tous les charlatanismes. C'était au fond un sceptique, qui peut-être cherchait avant tout l'occasion de faire briller son talent. Mais son scepticisme, associé à un bon sens aiguisé, ne pouvait manquer d'éveiller bien des réflexions, de fortifier bien des doutes. Il nous laisse voir le vide qui se creusait alors sous les anciennes croyances dans beaucoup d'esprits. D'ailleurs la vivacité de l'imagination, la grâce, l'enjouement ironique, un style leste et piquant, assaisonné de sel attique, faisaient de lui un maître de la prose satirique. Son œuvre est restée un modèle en un genre qui a suscité maint imitateur, parmi lesquels notre Rabelais.

Le roman. — Signalons enfin, parmi les créations littéraires du temps de l'Empire, le roman. C'est en effet dans le roman que l'imagination libre, s'étant détournée de la poésie, trouvait surtout à s'exercer alors. Le roman grec n'est pas une fiction quelconque. C'est essentiellement une histoire d'amour, insérée dans un récit d'aventures. Il procède à la fois de la littérature érotique antérieure et des récits de voyages, vrais ou fabuleux. Par l'ensemble de ses caractères, il représente bien l'état des esprits et des mœurs dans le monde grec pour lequel il était fait. Une société détachée de toutes les grandes choses, et où l'influence des femmes était considérable, ne pouvait manquer de faire de l'amour un de ses sujets préférés. Elle était d'ailleurs trop frivole pour demander à ses romanciers des études psychologiques approfondies. Ce qu'ils représentent n'est pas une passion en lutte avec d'autres passions ni avec le sentiment d'un devoir. Si l'amour, dans le roman grec, est contrarié, c'est seulement par des obstacles extérieurs, par des événements imaginaires, plus ou moins invraisemblables. Aventures compliquées, enlèvements, histoires de brigands et de pirates, rencontres fortuites, péripéties sur péripéties, tels en sont les éléments ordinaires. Les amants, séparés l'un de l'autre par quelque accident, sont promenés à travers le monde, ballottés par les caprices du hasard, jusqu'au moment où ils se retrouvent enfin, toujours fidèles, ayant échappé par miracle aux plus terribles dangers. Dans ces fictions peu croyables, le merveilleux abonde. On sent vite, à les lire, qu'elles ont été composées pour des esprits à qui la réalité semblait sans attraits, et qui trouvaient même plaisir à s'en détacher. Une curiosité passablement puérile s'associait en eux à un manque complet d'esprit critique. Leur crédulité acceptait sans la moindre objection tous les coups de théâtre, tous les prodiges, toutes les combinaisons fortuites, jusqu'aux plus étranges. Aussi ces romans, malgré la diversité des fictions et des personnages, se ressemblent-ils tous étonnamment. Ce sont toujours les mêmes traits généraux qu'on retrouve dans les narrations d'un Antonius Diogène, d'un Jamblique, d'un Xénophon d'Éphèse, du syrien Héliodore, de l'alexandrin Achille Tatius, de Chariton, composées et publiées entre le Ier siècle et le Ve de notre ère. Il n'y a guère entre ces auteurs que des différences de talent. Parmi eux, Xénophon d'Éphèse avec ses *Éphésiaques*, Héliodore avec ses *Éthiopiques* ou *Aventures de Théagène et de Chariclée* sont les moins mauvais. Il est difficile aujourd'hui de s'intéresser à de telles œuvres. Pourtant, elles n'ont pas été sans influence sur l'éclosion du roman moderne. Et cela est plus vrai encore de la pastorale de Longus, *Daphnis et Chloé*, dont la date précise est inconnue, mais qui appartient certainement à la même période. L'amour de deux enfants y est décrit avec une ingénuité plus apparente que réelle, mais non sans quelque charme. Malgré ce qui s'y fait sentir d'affection et de raffinement, ce petit livre est un de ceux qui n'ont pas cessé d'être lus.

Littérature érudite et technique. — Ne négligeons pas entièrement, dans cette revue, si sommaire qu'elle soit, la littérature érudite; car elle aussi nous montre à quel point la Grèce vivait alors de son passé. Que sont en effet les traités de rhétorique dus à des maîtres du IIe et du IIIe siècle, tels que ceux d'Hermogène de Tarse, d'Apsinès de Gadara, de Ménandre de Laodicée, sinon des recueils de recettes oratoires tirées des œuvres classiques ou extraites plus ou moins habilement des écrits spéciaux d'Aristote et de Théophraste? Le petit livre de Longin *sur le Sublime* mêle à des préceptes inspirés du même esprit un commentaire parfois éloquent de quelques beaux passages des poètes ou des orateurs d'autrefois. De leur côté, les grammairiens travaillent à étudier dans les moindres détails la langue des anciens auteurs, qui de plus en plus devient différente du parler courant; ils cherchent à en établir les règles; c'est l'œuvre d'un Apollonios Dyscole, d'un Hérodien. De zélés lexicographes se font leurs collaborateurs en se donnant pour tâche de recueillir, chez ces mêmes écrivains, les mots tombés en désuétude, les termes rares, ou ceux qui faisaient allusion à des usages oubliés. Les lexiques d'Harpocration, de Julius Pollux, composés vers la fin du second siècle et transmis jusqu'à nous, sont les témoins de leur labeur. Et le *Banquet des sophistes* d'Athénée de Naucratis, publié quelques années plus tard, nous met en quelque sorte sous les yeux le travail d'un collectionneur passionné de vieux souvenirs, qui, ne voulant rien laisser perdre de cette précieuse antiquité, s'applique à enchâsser, dans un dialogue interminable, toutes les notes qu'il a pu recueillir au cours de ses laborieuses lectures.

II. — LES SCIENCES ET LA PHILOSOPHIE

Vue générale. — L'amoindrissement de l'activité créatrice qui vient d'être signalé dans la littérature ne pouvait manquer de se faire sentir aussi dans la science et la philosophie. Non pas qu'il y ait eu alors moins de savants ou de philosophes. Mais les uns et les autres s'appliquèrent plus à coordonner ou à commenter les idées de leurs prédécesseurs qu'à inaugurer des recherches nouvelles. La pensée grecque se repliait, pour ainsi dire, sur elle-même, au lieu de continuer à se déployer librement. Toutefois il s'en faut de beaucoup que le travail ainsi accompli ait été sans intérêt ou sans résultat. Car il était impossible, malgré tout, que ce remaniement des idées, des connaissances et des systèmes antérieurs ne les renouvelât pas en une certaine mesure. Il arriva qu'avec des matériaux en grande partie anciens, on construisit des édifices d'un aspect sensiblement différent. Et si, dans les sciences proprement dites, ce renouvellement ne fut pas en somme très considérable, il aboutit dans la philosophie, comme nous le verrons, à la formation d'une doctrine dont l'influence devait être profonde et prolongée.

Sciences mathématiques et naturelles. — Alexandrie, qui avait été, dans la période hellénistique, un foyer d'études si intense, produisit encore dans les siècles suivants quelques-uns des plus remarquables représentants des sciences mathématiques et physiques. Au premier rang parmi eux se place Claude Ptolémée, qui s'illustra comme astronome, comme géographe, comme théoricien de la musique et comme physicien, dans la seconde moitié du IIe siècle de notre ère. Son grand *Traité d'Astronomie*, connu au moyen âge d'après les traductions arabes sous le nom d'*Almageste*, resta le fondement de la science astronomique jusqu'au temps de Copernic. Il nous a conservé l'ensemble des observations faites soit par l'auteur lui-même, soit par ses prédécesseurs. Dans sa *Géographie*, nous trouvons rassemblées toutes les informations dont la science de ce temps pouvait disposer pour déterminer les longitudes et les latitudes des lieux mentionnés sur les cartes ; c'était le plus grand travail en ce genre qui eût encore été exécuté. Ses *Harmoniques* nous le font connaître comme continuateur d'Aristoxène et des Pythagoriciens dans la théorie musicale. Enfin, outre son *Optique*, dont nous possédons une traduction latine, il avait écrit divers ouvrages perdus sur la mécanique et sur quelques parties de la physique.

Dans l'ordre des mathématiques, un autre grand nom à citer est celui de l'alexandrin Diophante, qui semble avoir vécu au IIIe siècle de notre ère. Son *Arithmétique,* dont le texte ne nous est parvenu malheureusement que mutilé et remanié, représente aujourd'hui pour nous l'ensemble des recherches effectuées sur les nombres par les mathématiciens grecs. Quelle est au juste dans cet ouvrage la part qui lui appartient en propre ? C'est un point sur lequel les spécialistes ne sont pas entièrement d'accord. On admet en général que le savant Alexandrin avait fait plus que mettre en œuvre, dans une série de problèmes, des méthodes déjà employées. Il avait tout au moins choisi les meilleures et il en a fait ressortir la valeur. Il a pu être considéré comme un des créateurs de l'arithmétique savante et aussi comme celui qui a fourni aux Arabes les éléments constitutifs de l'algèbre.

Sciences biologiques. — Le rôle de Galien, dans la médecine, en prenant ce mot au sens le plus large, fut à peu près le même que celui de Ptolémée dans l'astronomie et la géographie, de Diophante dans l'arithmétique. Comme eux, il résume dans ses écrits toutes les connaissances acquises par ses prédécesseurs ; mais, comme eux aussi, il les développe par ses observations personnelles. Instruit dans la philosophie, dans les lettres, il portait partout, quel que fût le sujet auquel il s'appliquait, l'habitude de la réflexion méthodique, il savait coordonner et généraliser, il raisonnait bien et clairement. Une longue pratique médicale à Pergame, sa patrie, à Smyrne, à Alexandrie, à Rome, sous les règnes d'Antonin, de Marc Aurèle et de Commode, lui avait permis d'acquérir une riche expérience. Écrivain fécond, il la mit à profit dans ses très nombreux ouvrages, dont les plus importants nous ont été conservés. On y trouve la preuve des progrès qu'il fit faire à l'anatomie, à la physiologie, à la pathologie. Admirateur d'Hippocrate, dont il a commenté les principaux écrits, il mérite d'être rapproché de lui dans l'histoire de la médecine grecque. Le premier avait été l'initiateur de la science médicale, le second lui donna la forme sous laquelle elle devait se transmettre jusqu'aux temps modernes, en attendant l'apparition de méthodes et de connaissances nouvelles.

Rôle de la philosophie grecque sous l'empire. — Mais le rôle de la philosophie fut bien plus important alors que celui des sciences dans la survivance de la civilisation hellénique. Déjà, pendant la période hellénistique, elle était sortie des écoles et elle avait pénétré largement dans la société grecque et romaine. Au temps de l'Empire, elle exerce une action encore plus variée et plus étendue. A vrai dire, on trouve des philosophes partout. Comme professeurs, ils continuent à grouper autour d'eux toute la jeunesse cultivée; des chaires d'État sont instituées en leur faveur, à côté de celles qu'entretenaient les villes ou qui gardaient un caractère privé. Comme conseillers intimes, comme directeurs de conscience, ils deviennent de plus en plus les familiers des grands personnages, et en même temps ils donnent à une foule d'âmes inquiètes des consultations morales, soit oralement, soit par écrit. Mais cela même ne leur suffit pas. Ils se transforment en véritables prédicateurs et beaucoup d'entre eux vont par le monde porter de ville en ville la bonne parole. Les uns s'adressent surtout à des auditoires choisis, auxquels le beau langage n'est pas indifférent et qui veulent être instruits ou morigénés en termes délicats, avec élégance et littérairement. D'autres, moins raffinés ou plus hardis, vont droit au peuple, ils affrontent les foules, ils critiquent les vices sur les places publiques, dans les stades ou les théâtres, partout où l'occasion leur en est donnée. Naturellement, cette philosophie de harangues ou de conférences ne peut guère vivre que de lieux communs. C'est dans les petits cercles, dans l'intimité des véritables penseurs ou des natures supérieures, qu'il faut chercher, d'une part, les plus beaux exemples, les rares vertus, et, d'autre part, les idées personnelles, celles qui s'organisent en doctrines.

Quant à son esprit général, ce qui caractérise cette philosophie grecque de l'Empire, c'est le développement de la tendance morale déjà signalée antérieurement, à laquelle s'ajoute une préoccupation religieuse et même mystique de plus en plus prononcée. Par là, elle se rattache à la tradition platonicienne, et c'est en effet à un renouvellement du platonisme qu'elle aboutit. Mais, chemin faisant, elle recueille, elle absorbe dans un large syncrétisme bien des éléments provenant d'autres écoles, notamment du stoïcisme et du pythagorisme. Elle s'applique d'ailleurs à sauver tout ce qui, dans les religions nationales, ne lui paraît pas inconciliable avec la loi morale et l'idée de Dieu. Elle devient ainsi la forme supérieure du paganisme et c'est elle qui le représente vraiment en face du christianisme grandissant. D'où résulte le conflit inévitable qui amène sa ruine.

Auparavant, toutefois, et jusque vers le milieu du IIIe siècle, les sectes de la période hellénistique subsistent encore, quelques-unes du moins, et leur activité, leur valeur propre se manifestent dans des œuvres qui ne peuvent être passées sous silence.

Le stoïcisme sous l'empire. — Parmi elles, le premier rang appartient sans conteste au stoïcisme. Nous avons vu comment la doctrine du Portique s'était constituée définitivement dans la période précédente et quelle autorité elle avait prise jusque dans la société romaine. Elle n'avait plus rien à gagner au point de vue dogmatique et, d'un autre côté, si elle subissait à certains égards l'influence de l'éclectisme général, ce n'était qu'à un faible degré, tant sa rigidité originale la préservait des empiètements étrangers. Fidèle aux leçons de ses fondateurs, elle trouvait dans leurs affirmations tout ce qui lui semblait nécessaire pour assurer au sage la paix intérieure au milieu des difficultés de la vie et des révolutions politiques. Renonçant donc à rajeunir ses dogmes, elle s'appliquait à en faire sentir toute l'efficacité ; et cette sorte de vérification quotidienne de leur valeur devenait l'occasion d'un enseignement pratique qui a survécu dans quelques ouvrages particulièrement précieux.

C'est d'abord le *Manuel* d'Épictète avec le recueil de ses *Entretiens*, l'un et l'autre écrits en quelque sorte sous sa dictée par l'historien Arrien qui a été mentionné plus haut à un autre titre. Le manuel particulièrement, parce qu'il contient sous une forme condensée toute la substance de cette haute morale, a subsisté comme un des livres les plus réconfortants que l'antiquité grecque nous ait légués. Nulle part, n'a été affirmée plus énergiquement la puissance d'une âme humaine, résolue à se libérer par ses propres forces de toutes les servitudes. Nous y entendons la parole fière et un peu rude d'un ancien esclave syrien, d'un affranchi, que l'édit de Dioclétien contre les philosophes, en l'an 89 de notre ère, avait chassé de Rome. Retiré à Nicopolis d'Épire, il y vivait dans la pauvreté, solitaire, sans famille, sans affections intimes ; et pourtant un optimisme profondément religieux respire dans tout ce qui a été recueilli de sa bouche. Persuadé que l'univers est bon tel qu'il est, que tout s'y passe sous la loi d'une sagesse supérieure qui mène l'ensemble des choses à des fins déterminées par elle, il trouve une pleine satisfaction dans l'adhésion qu'il donne sans réserve à toutes les volontés de cette providence bienveillante, en laquelle il a foi. Et dès lors, sûr que cette adhésion ne dépend que de lui-même, que rien au monde ne peut l'empêcher de la donner, il se sent libre et heureux tout à la fois, libre malgré tout ce qui semble l'opprimer, heureux malgré l'exil, malgré la misère, malgré la souffrance et tout ce qui trouble la plupart des hommes. Il le sent et il veut que les autres le sentent comme lui; car c'est un maître de force morale et de bonheur, un maître exigeant, impérieux dans sa bienveillance.

Tel est le livre de l'esclave; et voici celui d'un empereur, de Marc-Aurèle, tout semblable par la doctrine, tout inspiré de la même foi, du même idéal. Mais tandis que l'esclave fait la leçon à ses disciples, l'empereur ne s'adresse qu'à lui-même et n'entend corriger que ses propres faiblesses. Pleinement conscient de son immense responsabilité, de l'étendue de ses devoirs, il examine sa conscience, il note ses pensées jour par jour pour se juger et s'améliorer. Juge sans indulgence, à qui rien n'échappe, puisqu'il est en même temps l'accusé et l'accusateur. Touchant par sa sincérité, attachant par la noblesse et la délicatesse de ses sentiments, il laisse voir ses scrupules, sa lutte intime contre les découragements inévitables, sa résistance aux influences dangereuses, ses inquiétudes secrètes, et, par-dessus tout, sa volonté constante de bien faire, son admirable force d'âme. Aucun livre jamais n'a mieux découvert l'homme dans l'auteur; et cet homme qu'il nous fait connaître est un des meilleurs, un des plus dignes d'être admirés et aimés. Ce n'est pas, pourtant, un être d'exception; il ressemble par quelque côté à chacun de nous; et ainsi ce livre de confidences personnelles, cet entretien qu'il tenait avec lui-même, nous offre, dans ses analyses psychologiques, une image toujours vraie du cœur humain. Il n'a jamais cessé d'être lu, n'ayant jamais cessé d'être profitable.

La tradition platonicienne. — Tandis que le stoïcisme se maintenait ainsi, presque en son intégrité, jusqu'à la fin du second siècle, la tradition platonicienne apparaît au contraire mélangée dès le commencement de l'Empire.

Nous la trouvons, très imprégnée de judaïsme, chez le juif alexandrin Philon, dans la première moitié du premier siècle de notre ère. Rien de plus curieux que de voir la philosophie grecque pénétrer ainsi dans le milieu qui semblait devoir être le plus réfractaire à son influence. Elle se mêle chez Philon à la théologie judaïque au point de la modifier profondément. Emprisonnant aux stoïciens leur méthode d'interprétation allégorique, le docteur d'Israël prétend retrouver dans l'Ancien Testament la plupart des idées de Platon, et il n'hésite même pas à penser que Platon les a empruntées à ses livres sacrés! Quant à sa morale, elle est en grande partie stoïcienne. Mais dans cette philosophie, qui doit presque tout au passé, apparaissent des éléments révélateurs de tendances nouvelles. Le plus important est l'effort par lequel Philon, tout en restant fidèle au monothéisme d'Israël, cherche cependant à l'élargir. Le dieu qu'il conçoit se manifeste par des « puissances », qui semblent prendre par moments, à ses yeux, une sorte de personnalité propre. La principale est le « Logos » ou Verbe Divin, auquel il attribue le rôle d'un indermédiaire entre Dieu lui-même et les hommes. Il y a là déjà comme une première ébauche de la doctrine néoplatonicienne.

On retrouve aussi la tradition de l'Académie, mais plus influencée par le stoïcisme, chez le bithynien Dion de Pruse, surnommé Dion Chrysostome. Personnage assez étrange, d'abord sophiste à la mode du temps dans la première partie de sa vie, puis proscrit par Domitien et devenu philosophe dans l'exil, il se fit en quelque sorte prédicateur de morale sous les règnes de Nerva et de Trajan. Les discours qui nous restent de lui témoignent d'une culture d'esprit riche et variée, d'une éloquence abondante, d'un talent d'écrivain distingué. On y trouve naturellement beaucoup de lieux communs, dont l'orateur ne réussit pas toujours à dissimuler la banalité par l'agrément des détails ou par d'ingénieuses inventions. Mais il est intéressant de l'entendre reprocher au peuple d'Alexandrie sa frivolité, sa turbulence, son engouement pour les jeux du cirque et les courses de chevaux. Et, d'autre part, la philosophie chez lui joue un assez beau rôle lorsqu'elle trace à l'Empereur lui-même l'image idéale du roi, ou lorsqu'elle nie que l'esclavage soit fondé en droit, affirmant que la qualité morale établit seule entre les hommes une distinction réelle. Ajoutons qu'on trouve, dans certains de ces discours, une haute idée de Dieu, conçu principalement comme l'être suprême en qui se réalise tout ce que la raison juge excellent. C'est pourquoi, s'il n'y a de vraiment original chez Dion que sa personnalité, il faut reconnaître que son œuvre est du moins l'expression intéressante d'un ensemble d'idées et de sentiment qui nous

montrent la sagesse grecque en voie de perfectionnement.

Mais le plus renommé des platoniciens de ce temps, celui,
en tout cas, qu'on lit le plus, aujourd'hui encore, fut Plutarque sur lequel nous devons revenir rapidement pour compléter ce que nous en avons dit plus haut. Car ce biographe était
aussi un disciple déclaré de l'Académie; et, en cette qualité, il
combattit le stoïcisme et l'épicurisme, tandis qu'il aimait à
invoquer l'autorité de Platon. Ses traités de morale, dans
lesquels il disserte agréablement sur des questions de conduite
en mêlant les anecdotes aux conseils, nous le font voir sous
l'aspect d'un directeur de conscience, qui unit l'observation
et les leçons de l'expérience à une saine doctrine, sans exagération de rigueur et sans excès d'indulgence. Toutefois, ce
qu'il y a peut-être de plus intéressant dans la partie philosophique de son œuvre, c'est celle qui se rapporte à la religion.
D'une part, il se fait le défenseur zélé des croyances nationales de la Grèce, il demeure attaché de cœur aux anciens cultes,
il essaye de démontrer la véracité des oracles, il refuse d'admettre leur défaillance ou l'explique de manière à en préserver le caractère divin. D'autre part, les religions étrangères,
particulièrement celles de l'Égypte, l'intéressent vivement,
non pas comme simple objet de curiosité ou d'étude, mais
parce qu'il croit retrouver en elles, sous des noms différents,
les dieux mêmes de la Grèce. C'est ce qu'il prend à tâche de
prouver par d'ingénieux rapprochements, fondés sur des
interprétations allégoriques. Il aboutit ainsi à grouper les
principales variétés du polythéisme dans un syncrétisme qui
entend rester hellénique. En réalité, les influences étrangères
s'y font sentir fortement. Le dualisme, dont Platon n'avait pu
se défendre entièrement, prend chez Plutarque une tout autre
importance. En face du Dieu suprême, principe du bien, il
reconnaît comme nécessaire un principe mauvais, duquel
procède tout ce qu'il y a de mal dans l'univers. Et ce principe
n'est pas la matière; car il se la représente comme purement
passive, par conséquent également capable de bien et de mal.
C'est une puissance active, essentiellement malfaisante, qui
s'oppose de tout son pouvoir à la puissance divine, source de
tout bien; il la rapproche de l'Arimane de Zoroastre, du
Typhon des Égyptiens, témoignant ainsi de la pénétration
des croyances de l'Orient dans l'hellénisme. Entre ces deux

puissances contraires, des intermédiaires sont indispensables. Ce sont les êtres que Plutarque, comme autrefois Platon, appelle les démons ; sa philosophie leur attribue un rôle varié. Très inégaux et dissemblables entre eux, les uns sont pour lui les dieux mêmes du polythéisme grec, tandis que d'autres lui apparaissent comme des esprits impurs ; et c'est ainsi qu'il croit pouvoir expliquer une grande partie des traditions mythologiques, notamment les cultes violents ou grossiers, sanguinaires ou immoraux. Théologie singulièrement complexe, comme on le voit, qui atteste le trouble des meilleurs esprits, leur désir de ne rien abandonner de ce qu'ils considéraient comme un legs sacré, et en même temps leur besoin de ne pas rester obstinément fermés aux apports étrangers. Dans cette confusion, le génie grec persistait à chercher la coordination et l'harmonie.

Le néopythagorisme. — Des dispositions analogues se retrouvent dans le néopythagorisme, dont la formation a été signalée plus haut à la fin de la période hellénistique. Reconstitué alors comme école, nous le voyons se développer notablement sous l'Empire. Il est représenté principalement par Apollonios de Tyane et Moderatos au Ier siècle, par Nicomaque et Noumenios au IIe, par Philostrate au début du IIIe. Mais ses doctrines en elles-mêmes, où des éléments platoniciens, aristotéliciens et stoïciens se mêlent à d'anciennes idées pythagoriciennes, n'offrent rien de très original. C'est uniquement par sa morale, par son idéal de vie qu'il intéresse l'histoire de la civilisation. La biographie d'Apollonios de Tyane écrite par Philostrate nous montre vivement quelle part de crédulité et de superstition s'associait chez ses adeptes à un spiritualisme qui confinait parfois à l'ascétisme. La philosophie, telle qu'ils la concevaient, était moins une science qu'une forme de vie toute pénétrée de religion. La pureté des mœurs, la pratique des abstinences en constituaient la discipline essentielle ; et cette discipline était surtout pour les pythagoriciens un moyen de se mettre en étroite union avec Dieu. Cette union, leur démonologie la représentait comme facilitée par des intermédiaires surnaturels. Et ainsi, monothéistes de profession, non seulement ils adoraient les dieux grecs et certains dieux étrangers, mais ils faisaient de Pythagore lui-même et, plus tard, d'Apollonios de Tyane, sinon des dieux, tout au moins des hommes divins, prophètes, magiciens, thaumaturges autant que sages doués d'une infaillible raison. C'était l'école où se manifestait le plus le mysticisme qui allait devenir un des éléments constitutifs de la doctrine néoplatonicienne.

Le scepticisme. — En opposition avec ces dogmatismes divers, il était naturel que le scepticisme revendiquât également ses droits. Après Ænésidème, dont nous ne connaissons guère que le nom, le médecin empirique Sextus, qui semble avoir écrit à la fin du second siècle, s'en fit le défenseur convaincu. Ses *Hypotyposes pyrrhoniennes* et ses traités *Contre les dogmatiques* résument tous les arguments que le scepticisme grec des siècles précédents avait successivement opposés aux affirmations des diverses écoles; il prétend même ruiner toute science, tout enseignement positif; c'est le défi le plus systématique qui ait été jamais porté à la raison humaine. Mais si la tendance qu'il représente doit être notée ici, ce ne peut être qu'en passant. Il est hors de doute qu'elle est restée confinée dans un cercle étroit. Le mouvement général des esprits tendait alors dans une tout autre direction; il allait aboutir au néoplatonisme.

Naissance et caractère général du néoplatonisme. — Ébauchée à Alexandrie, dans le premier tiers du IIIe siècle, par Ammonios Saccas, la philosophie néo-platonicienne fut constituée définitivement à Rome, quelques années plus tard, par un de ses disciples, l'alexandrin Plotin, entre les années 245 et 270. Ce fut vraiment la dernière grande création du génie grec. L'effort dont elle témoigne montre ce qu'il y avait encore en lui de vitalité. Refusant de se renier lui-même ou de consentir à se dissoudre misérablement, il essaya de coordonner dans un large syncrétisme tout ce qu'il avait autrefois produit de meilleur, et il sut adapter la doctrine ainsi formée à des besoins nouveaux, dont il avait pleine conscience. Cette doctrine se présentait comme un renouvellement ou plutôt comme une interprétation de celle de Platon. C'était, en tout cas, une interprétation fort libre, qui associait aux enseignements de l'Académie beaucoup d'idées empruntées aux Pythagoriciens, à la tradition péripatéticienne et au Portique, sans compter celles qu'elle y ajoutait d'elle-même. D'étranges contrastes, comme il est naturel, devaient résulter de cette fusion d'un passé lointain avec un présent si différent. Aucune école n'a poussé plus loin l'abstraction; aucune, non plus, n'a fait plus large part au sentiment; d'un côté, une extrême subtilité, un abus de l'analyse qui se perd en distinctions innombrables; de l'autre côté, une ferveur poussée jusqu'à l'exaltation. Ce double caractère, si peu fait pour plaire à l'esprit moderne, fut pourtant la raison même du succès du néoplatonisme. Par l'abstraction et la subtilité, il réussit à concilier, en apparence du moins, des croyances, des traditions, des doctrines diverses; par l'appel à la sensibilité, il donna satisfaction aux tendances mystiques qui régnaient alors. Le résultat fut une construction, fragile sans doute dans son ensemble, puisqu'elle ne réussit guère à durer plus de deux siècles environ, et néanmoins contenant des éléments qui ont subsisté sous d'autres formes et dans d'autres combinaisons.

L'élément monothéiste dans le néoplatonisme. — Depuis des siècles, comme on l'a vu, l'esprit grec tendait, sans se dégager entièrement du polythéisme, à le simplifier, en le subordonnant à la conception d'un dieu suprême, en qui se condensait, pour ainsi dire, l'idée essentielle de la divinité. Cette tendance, Plotin, par la hardiesse d'une abstraction que rien n'arrêtait, la poussa jusqu'à un point où elle semble un défi à l'intelligence humaine. Le Dieu du néoplatonisme est, en effet, au-delà de toutes les formes sensibles, au-delà de tous les attributs imaginables, au-delà de toute détermination précise; il ne peut être ni défini ni par conséquent nommé. C'est seulement par une opération logique que la pensée, incapable de l'atteindre directement, peut se faire une idée de ce qu'il est. La pluralité révèle à l'intelligence l'unité d'où elle procède, les effets visibles lui permettent de remonter à une cause première, les formes variées du bien, dont elle constate l'existence, l'obligent à concevoir un Bien absolu, qui en est la source. Ainsi c'est le mouvement naturel de l'esprit qui le force à s'élever jusqu'à l'Unité absolue, d'où découle toute existence. Une telle unité étant admise, comment la mettre en rapport avec la pluralité que nos sens nous font connaître? Plotin s'est persuadé qu'il pouvait rendre cette communication intelligible sans détruire par là même la notion de l'unité absolue. Tout ce qui existe tient son être de Dieu; mais Dieu, selon lui, en produisant la vie dans sa variété, ne subit ni changement ni diminution. Les formes vivantes ne sont que des reflets qu'il projette sans s'extérioriser. De telles formules se prêtent à dissimuler les contradictions intimes d'un système; elles ne les suppriment pas; mais elles peuvent faire illusion à leurs auteurs mêmes. Aussi voyons-nous Plotin traiter ces reflets de Dieu comme autant d'êtres distincts. Il les multiplie à plaisir, sans doute pour mieux ménager la transition entre deux extrêmes inconciliables. Il en vient ainsi à concevoir une chaîne immense d'existences, qui vont s'affaiblissant et s'obscurcissant à mesure qu'elles s'éloignent de la cause première. Autour du foyer central, une première zone se dessine dans son imagination de métaphysicien; il la voit tout illuminée par ce foyer, et c'est pour lui celle de la raison; au-delà, une seconde zone, moins brillante déjà, plus rapprochée des ténèbres du monde sensible, qui commencent à l'envahir : c'est celle de l'âme; et enfin, contiguë à celle-ci, mais tout assombrie, tout enveloppée de la nuit matérielle, la dernière zone, celle des corps. En les parcourant, la pensée suit un mouvement descendant. Et pourtant, Plotin pense, comme autrefois Aristote et d'après lui, que tous ces êtres aspirent vers Dieu, de qui ils semblent s'éloigner indéfiniment. De telle sorte qu'à la dégradation progressive qui vient d'être décrite répond une ascension également progressive. Tel est le plan général dans lequel se meut sa pensée.

Bien entendu, il ne saurait être question de la suivre ici pas à pas. Le détail des combinaisons qu'il imagine est étrangement complexe et souvent obscur. Ce qu'il y faut noter, c'est l'effort d'une philosophie qui, manifestement, veut se détacher le plus qu'elle peut des choses passagères et contingentes. Le monde suprasensible est le seul qui lui paraisse vraiment intelligible; elle en fait son objet propre. Loin de chercher la réalité dans le mouvement et dans le changement, elle pose en principe qu'elle ne se trouve qu'en dehors du temps, dans l'identité éternelle et dans l'immutabilité absolue. Qu'est-ce dès lors que la matière, qui semble au commun des hommes ce qu'il y a de plus réel? Plotin est disposé à n'y voir que néant; et, s'il faut absolument la considérer sous un aspect positif, il dirait volontiers qu'elle est le mal. Il est vrai que parfois, d'un autre point de vue, il admire l'univers visible, il n'admet pas qu'on en méconnaisse la beauté ou qu'on en critique l'organisation. Mais comprenons-le bien. L'objet véritable de son admiration n'est pas ce qui réjouit les sens, le mouvement, la variété, le charme fugitif des formes et des couleurs, les jeux merveilleux de la lumière, enchante-

ment des artistes et des poètes; c'est l'harmonie et l'agencement des parties, c'est l'ordre intime que la réflexion découvre,
c'est en un mot ce qu'il y a de raison derrière les choses que
l'on voit ou que l'on touche. Cette raison, qui est Dieu même,
il la sent et la proclame partout présente. De là son optimisme
profond, analogue à celui des stoïciens. Dans un tout ordonné
par le Bien suprême, il ne peut rien se trouver qui ne soit bon
par son rapport avec l'ensemble des choses.

Le néoplatonisme et le polythéisme hellénique. — Voilà,
certes, une théologie qu'une sorte d'élan intérieur orientait
plus qu'aucune autre vers l'unité divine. Et, pourtant, qui
n'aperçoit à première vue quelle large place elle faisait aux
croyances polythéistes? Non pas que le polythéisme, à vrai
dire, eût grand parti à tirer de la théorie des hypostases, qui
semblait distinguer plusieurs personnes en Dieu. Les hypostases néo-platoniciennes ressemblaient plus à des abstractions
qu'aux dieux de la mythologie. Mais le panthéisme de Plotin
lui permettait de concilier sa croyance à l'unité divine avec
la conception de tout un monde de dieux, simples émanations
de l'Être des êtres. A ce monde appartenaient les astres, considérés comme divins, et rien n'empêchait d'y faire entrer
aussi les anciens dieux grecs ou ceux des nations étrangères,
à la seule condition d'interpréter par la méthode allégorique
les mythes relatifs à chacun d'eux. Sans doute, cet Olympe
différait grandement, dans la pensée du philosophe, de celui
qu'avaient imaginé les poètes et que la foule se représentait
vaguement d'après leurs descriptions. Qu'importait cette
différence intime, si elle ne se manifestait au-dehors ni par
l'action ni par la parole? Or, le néoplatonisme se montrait
respectueux du culte et des pratiques communes de la religion.
L'adoration des images, la croyance aux oracles, la prière,
les sacrifices étaient expliqués, justifiés et même recommandés
par d'ingénieuses raisons. Le philosophe pouvait donc rejeter
en esprit les absurdités grossières, les superstitions puériles;
il ne se détachait pas pour cela de l'hellénisme traditionnel,
il ne cessait pas de prendre part aux cérémonies religieuses,
aux actes consacrés. A cet égard, d'ailleurs, la démonologie
venait en aide à la théologie proprement dite. On a vu plus
haut quel emploi en faisait déjà Plutarque au siècle précédent.
Nous la retrouvons développée ou, pour mieux dire, organisée
dans la doctrine de Plotin. Nettement distincts des dieux,

les démons sont pour lui des êtres intermédiaires entre le monde divin et le monde terrestre. Il les tient pour immortels, supérieurs de beaucoup aux hommes en intelligence et en puissance, mais assujettis comme eux à la vie des sens, susceptibles de passions, et par conséquent inconstants, différents les uns des autres, bienfaisants ou malfaisants selon leur nature propre et suivant les circonstances. D'après ces données, une sorte de religion inférieure devenait nécessaire pour régler les relations qu'il était utile d'entretenir avec eux. Et l'on voit immédiatement qu'une large porte était ainsi ouverte par la philosophie à quantité de superstitions, aux opérations théurgiques et à la magie. Ce fut une des faiblesses du néoplatonisme, un des traits qui font reconnaître en lui, l'œuvre d'une époque de décadence.

La destinée de l'homme et la morale. — L'esprit qui dominait cette philosophie ne pouvait manquer de se manifester aussi dans ses vues sur la destinée de l'homme et dans sa morale. Comme Platon, Plotin affirmait la préexistence de l'âme. Il pensait qu'émanée de la sphère supra-sensible, elle venait, par la naissance, s'unir à un corps et que, de cette union, résultait pour elle une dualité en quelque sorte congénitale. Une partie de l'âme, d'après lui, tendait instinctivement vers la région supérieure, lieu de son origine, tandis que l'autre inclinait vers le monde des sens, dans lequel elle se trouvait captive, sans que d'ailleurs sa volonté cessât de demeurer libre. De cette liberté, il estimait qu'elle devait faire usage pour préparer sa destinée future; car l'immortalité n'était pas moins certaine pour lui que pour Platon, dont il reprenait à son compte les arguments. S'attacher trop étroitement au corps, c'était se condamner à subir dans une série de vies successives l'union avec d'autres corps; et cette captivité, sans cesse renouvelée, risquait d'être d'autant plus lourde, d'autant plus humiliante pour cette âme venue du ciel, qu'elle se serait enchaînée davantage à la matière. Elle se voyait alors menacée de passer dans des corps d'animaux, ou même réduite temporairement à la condition purement végétative de la plante. Au contraire, celle qui aurait su se mieux garder, pouvait avoir l'espoir de revêtir des formes humaines supérieures, ou même de se dégager de plus en plus du contact dégradant de la matière. A ces âmes libérées était promise une vie de bonheur et de lumière dans les astres, et aux plus pures, le retour définitif à la source de l'être, l'union à Dieu dans la félicité absolue.

Un ascétisme profondément spiritualiste était la conséquence nécessaire de ces conceptions. Tout l'effort de la morale se trouvait orienté vers le renoncement, vers le détachement absolu. La matière étant le mal, tout devait être donné à l'esprit. L'action ne pouvait qu'être sacrifiée systématiquement à la méditation; et celle-ci devait avoir pour règle de s'élever vers l'invisible. Il était nécessaire que la pensée se fît une habitude de regarder toujours en haut, de chercher Dieu en toute chose. C'est ici que le mysticisme néo-platonicien se manifestait dans toute sa force. A cette philosophie avide de Dieu, les opérations ordinaires de l'esprit ne suffisaient pas; elles étaient trop timides et trop courtes pour ses désirs; ce qu'il lui fallait, c'était la vision immédiate de l'Unité suprême, le contact direct avec elle. Comment y parvenir, sinon en abolissant la pensée elle-même? Voilà précisément ce qu'elle prétendait réaliser par l'extase; état de l'âme vraiment indescriptible, où, s'oubliant elle-même, elle s'identifiait dans une sorte de transport avec le Dieu qu'elle cherchait.

Rien ne laisse mieux voir que ce rêve mystique à quel point l'âme hellénique était alors fatiguée du raisonnement. Elle en venait à se servir de la raison pour en démontrer l'impuissance. Ce qu'elle réalisait dans cette large construction intellectuelle où semblait revivre tout son passé, c'était en somme le renoncement à ce passé même, qui avait été essentiellement caractérisé par la sagesse pratique et l'activité raisonnée. Et ce n'était pas là un fait individuel. Le néoplatonisme a prouvé par son succès qu'il était bien la forme adéquate de l'hellénisme vieilli.

11 LA FIN DE L'HELLÉNISME

Suprême résistance de l'hellénisme. — La dernière partie du IIIe siècle de notre ère et le IVe presque entier nous font assister à la fin de la civilisation hellénique, en ce sens du moins qu'au terme de cette période, cessant de vivre sur son propre fonds et dans son intégrité, elle ne se perpétue désormais que partiellement dans le christianisme grec, qui puise à d'autres sources sa force principale. Mais avant de s'effacer ainsi, elle essaya d'opposer une digue à la marée qui montait et qui allait la submerger. Il est nécessaire de dire brièvement ce que fut cette résistance pour faire juger des ressources de vie qui lui restaient encore.

I. — LE CONFLIT DES RELIGIONS

Invasion des religions étrangères. — Depuis bien longtemps, nous l'avons vu, les relations de la Grèce avec les peuples qu'elle appelait barbares avaient eu pour résultat d'introduire dans sa religion nationale bon nombre d'éléments étrangers. Mais cette sorte d'invasion, lente et sourde, n'avait jamais donné lieu à un conflit. Le plus souvent même, le polythéisme grec avait accueilli sans beaucoup de résistance les dieux étrangers et avait fini par leur conférer une sorte de nationalisation. Pendant la période hellénistique surtout, beaucoup des cultes de l'Orient, de la Phrygie, de la Syrie, de l'Égypte étaient devenus des cultes helléniques. Leurs dieux étaient reconnus et célébrés dans les royautés d'origine grecque qui avaient succédé aux anciennes monarchies locales, et la théologie officielle se chargeait d'assigner à ces nouveaux venus une place dans l'Olympe. D'autre part, la philosophie n'était jamais à court d'interprétations allégoriques, qui s'appliquaient aussi bien aux croyances des nations hellénisées qu'à l'antique religion de la Grèce propre. Jamais, par conséquent, celle-ci n'avait été profondément troublée par ce qu'elle recevait du dehors.

Seul, le judaïsme intransigeant avait refusé, même en acceptant la culture grecque, de se laisser ainsi absorber. Son monothéisme résolu ne se prêtait à aucun compromis avec le polythéisme. Mais la propagation du judaïsme n'était ni assez rapide ni assez intense pour inquiéter l'hellénisme. Il en fut de même du christianisme pendant deux siècles environ. Tant qu'il apparut seulement aux écrivains représentants du polythéisme grec comme une secte obscure, il ne leur inspira guère qu'un sentiment de mépris; et nul d'entre eux ne prit la peine de le combattre par des raisonnements. Les incrédules eux-mêmes, tels que Lucien, qui faisaient la satire des cultes publics, se contentaient de lui décocher quelques traits de raillerie en passant; et probablement Celse, qui semble l'avoir attaqué plus directement, ne le prenait pas, lui non plus, pour un adversaire bien redoutable. C'est cependant, vers ce temps, à la fin du second siècle, que les choses commencèrent à changer. Aux apologistes succédaient les docteurs. L'enseignement de Clément d'Alexandrie marque une époque nouvelle. Et cet enseignement se multiplie, s'affermit, se précise au cours du IIIe siècle, à mesure que l'Église chrétienne s'organise et ouvre des écoles. En face des philosophies du paganisme, on voit alors s'élever une philosophie chrétienne, qui oppose sa doctrine aux doctrines des sectes renommées; et c'est naturellement au néoplatonisme qu'incombe le devoir de lui tenir tête. Au début, toutefois, il semble que, ni d'un côté ni de l'autre, on n'ait pris position très nettement. Les docteurs chrétiens étaient eux-mêmes des platoniciens. Origène eut peut-être le même maître que Plotin et, en tout cas, ses écrits témoignent d'une certaine communauté d'idées avec lui sur plusieurs points. D'autre part, Plotin ne paraît pas avoir pris à partie le christianisme ni dans son enseignement ni dans ses écrits. C'est après lui que la rivalité se déclara ouvertement.

Porphyre. — Elle se manifeste sous deux formes dans l'œuvre de Porphyre, son plus célèbre disciple et son continuateur : par des attaques directes contre les chrétiens, et par une volonté très nette de rajeunir le polythéisme et de le fortifier en le mettant sous la protection de la philosophie. Il ne nous reste presque rien de l'ouvrage en quinze livres qu'il avait composé contre les chrétiens : seuls, les témoignages des Pères, notamment ceux de Saint Augustin, attestent le retentissement qu'il eut en son temps. Autant que nous pouvons en juger, ce n'était pas une diatribe injurieuse; Porphyre considérait Jésus comme un homme remarquable par ses vertus; ce n'était donc pas sa personne qu'il attaquait, c'était l'idée d'un dieu fait homme et le dogme fondamental de la rédemption ainsi que ses conséquences pratiques. Il devait voir, en effet, dans cette théologie, un principe nouveau, contraire à la notion essentielle que le néoplatonisme se faisait de Dieu et de ses rapports avec l'humanité. Mais cette critique du christianisme n'eut probablement pour Porphyre lui-même qu'une importance secondaire. Ce qui l'occupa surtout, ce fut d'affermir la doctrine de Plotin. Celui-ci l'avait chargé de publier ses écrits; il mit en ordre les *Ennéades* et en fit l'ouvrage que nous lisons. Son érudition, son activité d'écrivain, étaient grandes. Grammairien, commentateur, critique littéraire, il avait une variété de connaissances que son maître n'avait pas eue, bien que d'ailleurs il fût très inférieur à celui-ci par l'originalité de la pensée. Toutes ses ressources furent mises au service de la philosophie qui lui était chère. Plusieurs choses méritent d'être signalées dans son œuvre.

Porphyre eut le sentiment très vif qu'en fait, c'était toute la tradition hellénique qui se trouvait en jeu dans la lutte d'idées où il était engagé et que, par conséquent, c'était cette tradition dont le néoplatonisme devait prendre la défense. Il s'agissait pour lui de remettre en lumière à la fois des exemples et des idées. Ce fut l'objet de son *Histoire de la Philosophie*, dont nous possédons encore le 1er livre, consacré à la *Vie de Pythagore*. Celui-ci y était représenté, non seulement comme un penseur, mais comme un sage inspiré, presque supérieur à l'humanité, doué d'une puissance, d'une autorité sur les âmes vraiment miraculeuses. La légende s'y mêlait à l'histoire; les fidèles de l'hellénisme trouvaient, dans un tel livre, une apologie de leurs croyances et un sujet d'édification.

305

Même intention sans doute dans l'ouvrage intitulé *La Philosophie d'après les oracles*. Au polythéisme hellénique manquait un livre sacré, auquel il pût se rattacher. Porphyre pensa que les recueils d'oracles qui avaient cours alors pouvaient constituer ce livre fondamental, si quelqu'un savait les commenter de manière à établir qu'ils contenaient une doctrine. Tel fut l'objet qu'il se proposa. Il voulut démontrer que sa religion, celle qu'il opposait au christianisme, n'était pas œuvre d'invention humaine, qu'elle procédait d'une révélation divine, et que cette révélation, bien interprétée, se trouvait en accord avec les enseignements platoniciens modernisés. Dans cette entreprise, son syncrétisme ne craignait pas de mêler aux oracles grecs ceux des astrologues chaldéens, fidèle en cela à l'esprit du temps qui ne concevait plus les religions comme nationales.

En morale, Porphyre paraît avoir eu des intentions analogues. Son traité *De l'Abstinence des viandes*, en quatre livres, d'ailleurs mutilés, est tout autre chose qu'un écrit de circonstance, comme le titre pourrait le faire croire. C'est en réalité une sorte de corps de préceptes, destinés à régler, sinon la vie commune, du moins celle des âmes éprises d'un haut idéal de perfection. La question des aliments n'y est considérée que dans son rapport avec la spiritualité, qui est tout pour l'auteur. Ce qu'il enseigne, ce qu'il demande avec une conviction intransigeante, c'est le renoncement décidé aux satisfactions des sens, c'est le détachement, d'où résultent toutes les vertus et sans lequel il les juge impossibles. Nous voyons là le néoplatonisme s'orienter nettement vers l'ascétisme, comme s'il sentait le besoin d'exalter ses forces, de redoubler son énergie intime, pour se mieux défendre. Au moment où il semble concentrer en lui toute la civilisation hellénique, il est curieux d'observer que, par la force des choses, il perd précisément ce sens de la mesure qui en avait été un des caractères les plus originaux à la belle époque.

Jamblique et Julien. — A Porphyre succède, comme chef de l'école, un autre Syrien, Jamblique, et avec lui les tendances qui viennent d'être signalées s'exagèrent encore. L'Orient pénètre de plus en plus dans l'hellénisme, l'exaltation et le mysticisme s'y développent aux dépens de la saine raison. Jamblique est pour ses disciples plus qu'un homme; il y a en lui quelque chose de divin. L'admiration pieuse qui s'attache à sa personne ne se justifie pas par la force de ses pensées ; elle est due à la puissance mystérieuse qu'on lui attribue. Son rôle est celui d'un interprète de Dieu. On l'écoute avec dévotion ; et, en l'écoutant, on se sent éclairé, consolé, exalté. Par le peu qui nous reste de ses nombreux écrits et par les témoignages qui s'y ajoutent, nous pouvons nous le représenter moins comme un philosophe à proprement parler, que comme une sorte de prédicateur. Il ne discutait guère, il commentait pieusement, abondamment, il enseignait à croire et à prier. Son esprit subtil trouvait dans les écrits de Platon, d'Aristote, des pythagoriciens et de Plotin, et aussi dans ceux des Orphiques et des Chaldéens, tout ce qui était nécessaire à sa théologie. La pratique religieuse, chez lui, était non seulement inséparable de la doctrine, mais apparemment plus importante. Il attachait le plus grand prix aux sacrifices, aux prières, au culte des images, à la divination ; il vivait et il entretenait ses disciples dans la croyance aux miracles. La magie elle-même trouvait accueil dans ce milieu, où le sens critique s'oblitérait de plus en plus et où se développait la plus étrange crédulité.

C'était le temps où Constantin se convertissait à la religion chrétienne qui devenait la religion officielle de l'Empire. Si le concile de Nicée ne réussissait pas à détruire les dissidences qui la compromettaient, il donnait cependant à ses dogmes fondamentaux une autorité qui devait à la longue en assurer le succès. D'ailleurs l'arianisme de Constance ne fut pas plus favorable au polythéisme que l'orthodoxie de Constantin. Contre cette puissance nouvelle qui triomphait, c'était une bien faible défense que cette philosophie dégénérée, si infidèle aux principes qu'elle prétendait représenter. Le règne de Julien (361-363) put, il est vrai, faire illusion un instant à ceux qui lui demeuraient attachés. Le jeune prince n'avait rien plus à cœur que de régénérer le polythéisme et d'en faire de nouveau la religion de l'État. Et, pour cette réforme, il s'inspirait du néoplatonisme, dont il avait embrassé les doctrines avec ardeur. Jamblique, en particulier, bien que mort depuis une trentaine d'années, était l'objet de sa plus vive admiration. Il fit donc tout ce qui dépendait de lui, soit comme empereur, soit comme écrivain, pour donner aux cultes anciens une vie nouvelle et pour leur assurer le soutien d'une théologie

307

appropriée. Sa mort prématurée mit fin à une tentative qui, de toute façon, était condamnée à échouer.

L'hellénisme à la fin du IVe siècle. — Dès lors l'hellénisme ne pouvait que marcher rapidement à sa fin. Dans la dernière moitié du IVe siècle, ceux qui perpétuent encore ses traditions ne sont que des hommes de second ordre, philosophes ou rhéteurs. A côté des néoplatoniciens de l'école d'Athènes, les seuls que nous devions citer ici sont le philosophe Thémistios, les rhéteurs Libanios et Himérios. Thémistios, qui professa la philosophie à Antioche, à Nicomédie, à Constantinople, et qui devint un personnage politique sous le règne de Théodose, était un esprit clair et superficiel, écrivain agréable, orateur disert, mais qui, en somme, ne s'élève pas au-dessus d'une élégante médiocrité dans ses paraphrases de divers écrits d'Aristote, non plus que dans ses discours. Son contemporain Himerios se fit une grande réputation avec de petites œuvres, compositions d'école, où son imagination brillante mettait comme un reflet des œuvres classiques dont il s'inspirait. Libanios d'Antioche a plus de droits que l'un et l'autre à une mention dans un aperçu historique de la civilisation grecque. On ne peut nier qu'il ne l'ait représentée avec un certain éclat, au moment où elle allait s'éteindre. Sa renommée, l'amitié de plusieurs empereurs, les honneurs dont il fut revêtu lui valurent une haute considération dans le monde grec de ce temps. Dans les nombreux écrits que nous possédons de lui, discours, lettres, compositions scolaires, notices biographiques et historiques relatives à Démosthène, nous reconnaissons un esprit remarquablement cultivé, une connaissance étendue de la littérature classique, un jugement généralement sain. L'homme lui-même n'est pas sans inspirer de l'estime et de la sympathie. Au milieu des conflits religieux qui divisaient alors le monde gréco-romain, il sut garder l'attitude d'un honnête homme, étranger aux violences de langage, attaché sans intransigeance à une tradition que beaucoup d'autres abandonnaient par intérêt. Par là, il tient honorablement sa place au bout de cette longue galerie de figures, qui, tour à tour et à des degrés très divers, avaient exprimé les aspects changeants de l'hellénisme.

Les derniers néoplatoniciens. — Bien que refoulé définitivement par le christianisme à partir de la mort de Julien, le néoplatonisme se perpétua encore comme secte indépendante pendant tout le ve siècle et le premier tiers du suivant. Il serait sans intérêt d'énumérer ici les noms, depuis longtemps oubliés, de ceux qui professèrent alors ses doctrines, soit à Alexandrie, soit à Athènes. Rendons-leur seulement la justice de reconnaître qu'ils firent preuve, dans leur attachement au passé, d'une fermeté qui ne manquait pas de noblesse. Hommes de tradition, d'esprit timide et dénué d'originalité, mais de conviction sincère, ils ne pouvaient se résoudre à renier tant d'enseignements admirables, dont ils se sentaient les dépositaires; d'autre part, ils n'étaient pas capables de les développer par des recherches nouvelles. La libre investigation scientifique, qui, seule, aurait pu fournir à leur pensée un élément fécond, leur était étrangère. On n'étudiait plus directement ni la nature, ni l'homme, ni la société. Il semblait que, sur ces sujets, pourtant inépuisables, tout eût été dit. La science leur paraissait achevée, et ils croyaient la posséder toute faite dans les ouvrages qu'ils ne cessaient de méditer. Était-il raisonnable de vouloir dépasser Platon et Aristote? Toute leur activité intellectuelle s'employait à les commenter. Le plus illustre de ces commentateurs fut le syrien Proclos, dont nous lisons encore d'assez nombreux ouvrages relatifs à divers traités de Platon, deux abrégés de la doctrine néo-platonicienne et quelques opuscules secondaires. D'autres nous ont laissé toute une collection de commentaires sur Aristote. Leur défaut commun est une prolixité, d'autant plus fâcheuse qu'elle tend moins à éclaircir la vraie pensée de l'auteur dont ils s'occupent, qu'à l'altérer ingénieusement, pour la rapprocher des doctrines néoplatoniciennes.

Si peu dangereux que fussent ces derniers représentants du polythéisme grec, leur refus d'adhérer à la religion victorieuse leur fut imputé à crime pour l'empereur Justinien. Un édit qu'il rendit en 532 ordonna la fermeture de l'École d'Athènes et interdit l'enseignement d'une philosophie que l'Église chrétienne réprouvait. Ses derniers représentants durent prendre le chemin de l'exil. Ils se réfugièrent auprès du roi des Parthes, Chosroès. Mais, à vrai dire, la civilisation proprement hellénique avait cessé de vivre bien avant que l'empire lui signifiât son arrêt de mort. Elle s'était éteinte progressivement dans le cours du IVe siècle. Une partie de sa sève était alors passée dans le christianisme et avait animé l'éloquence des Basile, des Grégoire de Nazianze, des Jean Chrysostome.

Une autre s'était incorporée depuis longtemps à la civilisation latine.

II. — Conclusion

Valeur durable de la civilisation grecque. — Ainsi se clôt cet aperçu de la civilisation hellénique. Et maintenant qu'elle vient d'être tout entière passée en revue, comment convient-il de la juger dans son ensemble? C'est à l'histoire qu'il convient de s'en référer sur ce point. Demandons-nous donc quelle influence cette civilisation a exercée sur l'évolution de l'humanité. Les faits consultés parleront d'eux-mêmes et nous n'aurons qu'à recueillir leur témoignage.

Or, à première vue, il apparaît qu'une survivance de la civilisation hellénique se laisse voir dans presque toutes les civilisations qui lui ont succédé. Nous la trouvons présente et agissante dans la Rome impériale et à Byzance, puis à travers tout le moyen âge, à l'époque de la Renaissance, et dans les temps modernes. Ce qui dure ainsi a nécessairement en soit une vertu qui ne peut être contestée ; et le meilleur moyen de la déterminer est sans doute d'en noter les effets là où elle s'est fait sentir le plus fortement.

La civilisation grecque à Rome. — C'est une vérité banale, mais incontestable, que Rome, pour achever son éducation intellectuelle et morale, a dû se mettre à l'école de la Grèce. Les Romains eux-mêmes ont été les premiers à le reconnaître et ils s'en sont fait honneur. Sans doute, en acceptant cette influence étrangère, ils ne renoncèrent pas à leur caractère propre. Tout en s'hellénisant, ils restèrent romains. Mais leur culture a été une culture grecque. C'est à la Grèce qu'ils ont dû leur littérature, leur philosophie, leurs connaissances scientifiques et leurs arts. C'est elle qui les a faits complètement humains. Qu'elle leur ait apporté en même temps des défauts et même des vices, on ne peut le nier : n'est-ce pas là, dans toute civilisation très développée, la contre partie inévitable du bien? La Grèce vieillie n'avait pas su réagir assez vigoureusement contre ce mal intérieur; la Rome impériale ne le sut pas davantage. Il n'en est pas moins vrai que, dans sa décadence même, les plus hautes vertus qui subsistèrent en elle furent inspirées par l'idéalisme grec.

C'est dans l'ordre politique que Rome a le moins subi

l'influence de la Grèce; il semble même, si l'on s'en tient aux institutions, qu'elle y ait complètement échappé. La république a évolué chez le peuple romain, par l'effet de causes qui lui étaient propres, en dehors de toute influence extérieure; et l'empire a succédé à la république parce que les circonstances en avaient préparé l'avènement. Mais l'histoire des institutions ne se confond pas avec celles des idées et des sentiments. Si nous considérons chez les Romains, d'une part les théories politiques, d'autre part les lois et les sentiments, il est impossible de méconnaître combien la part de la Grèce y a été grande. La *République* de Cicéron n'aurait pas été conçue si Thucydide, Platon, Aristote, Polybe et d'autres historiens ou philosophes n'eussent écrit auparavant. Quant aux lois romaines, n'est-ce pas aussi sous l'influence de la philosophie grecque que nous les voyons s'adoucir, s'humaniser, à mesure que pénètre dans la société latine l'esprit hellénique? Enfin, si le sentiment de la liberté a subsisté encore sous l'Empire, s'il s'est manifesté même parfois sous forme d'opposition, comment méconnaître qu'à côté des souvenirs traditionnels et des résistances aristocratiques, les doctrines stoïciennes y furent bien pour quelque chose ? Tout cela est si évident qu'il n'y a même pas lieu d'y insister.

La civilisation grecque et le christianisme. — Si du paganisme romain nous passons au christianisme, la part de la civilisation hellénique n'y est pas moins manifeste. Ne parlons pas ici de la période évangélique de la religion nouvelle, bien que, là même, l'influence grecque puisse être sentie et signalée; elle n'y est, en tout cas, que secondaire. C'est un peu plus tard qu'elle prend toute sa force, lorsque le christianisme pénètre dans les classes cultivées. Qu'y rencontre-t-il en effet? Des esprits préparés par la civilisation hellénique à l'intelligence des choses spirituelles. Ses premiers apologistes, notamment Justin, le plus remarquable d'entre eux, sont des disciples lointains de Platon, qui ont pris dans les écoles grecques l'habitude du raisonnement, de l'étude des idées, et qui cherchent à formuler leurs sentiments dans le langage de la philosophie grecque. Puis viennent les docteurs proprement dits, les Clément, les Origène, l'École d'Alexandrie, qui organisent la théologie du christianisme; ce qui revient à dire qu'ils font entrer les croyances nouvelles dans les cadres intellectuels préparés par la pensée hellénique. Et lorsque la religion chrétienne prévaut définitivement, au IVe siècle, l'essor littéraire qui accompagne sa victoire est en quelque sorte une prise de possession de l'hellénisme par ses vainqueurs. Dans l'éloquence et la dialectique de ses orateurs, dans l'érudition de ses historiens, dans le travail patient de ses chronographes, c'est l'esprit même de la Grèce, c'est le savoir constitué par elle, ce sont en partie ses méthodes qui revivent. La facilité charmante de Saint Basile, l'abondance ingénieuse de Saint Jean Chrysostome, l'élégance savante de Saint Grégoire de Nazianze ne procèdent-elles pas de toute la littérature grecque, aussi bien de la poésie que de la prose, comme de leur source naturelle? Ajoutons que l'hellénisme pénétrait encore dans le christianisme d'autre façon. C'était la philosophie grecque qui alimentait toutes les hérésies ; et c'était elle aussi qui fournissait à l'orthodoxie beaucoup des armes qui lui servaient à les combattre. Elle était présente, pour ainsi dire, dans toutes les discussions d'où naissaient les formules dogmatiques, elle inspirait presque également les partis en lutte. Et, d'autre part, en dehors des conflits, dans le domaine paisible de la morale, ne fournissait-elle pas à l'enseignement chrétien la plus riche variété de préceptes, de conseils, d'observations et d'exemples, trésor que celui-ci pouvait s'approprier sans scrupule, puisqu'il y trouvait l'expression exquise de la raison pratique et des meilleurs sentiments dont vit l'humanité? Aussi le christianisme, dès qu'il se sentit assuré de la victoire, reconnut-il de lui-même sa dette envers la civilisation grecque. L'homélie de Saint Basile aux jeunes gens *Sur la manière de tirer profit des auteurs profanes* est comme le manifeste d'un rapprochement qui, sans doute, ne se faisait pas sans de sérieuses réserves, mais qui n'en était pas moins l'aveu d'une large communauté de sentiments.

La civilisation grecque au moyen âge. — L'alliance ainsi contractée dès le IVe siècle était destinée à subir plus d'une vicissitude, mais elle tenait à des causes trop naturelles pour être jamais rompue complètement. Comme on pouvait s'y attendre, ce fut dans l'Orient grec qu'elle se maintint le plus solidement. Bien que chrétienne, la civilisation byzantine se montra l'héritière et à beaucoup d'égards la continuatrice de la civilisation hellénique, dont elle procédait en ligne directe. Il ne pouvait en être autrement et il est inutile d'insister sur un fait aussi évident.

En Occident, les choses se présentaient sous un aspect différent. Là, c'était la civilisation latine qui s'était étendue partout. Ce fut elle encore, qui, après avoir subi l'assaut des invasions barbares, restaura peu à peu la tradition des études et releva l'esprit humain de sa déchéance passagère. Il n'en est que plus curieux de voir la Grèce exercer pourtant son influence dans ce domaine qui semblait lui être étranger. On sait par quel détour elle y pénétra. Ce furent des traductions latines, ou plutôt de pauvres manuels latins, où survivaient quelques débris du savoir et de la philosophie helléniques, qui rendirent possible, au temps de Charlemagne et de ses premiers successeurs, la restauration des écoles. Déjà, sous cette forme, quelque chose des pensées de Platon, d'Aristote et de Plotin s'insinuait dans cette demi-barbarie. Grâce à Jean Scot Érigène, à Gerbert, à Bérenger, à Lanfranc, à Pierre Damien, à saint Anselme, cette première connaissance s'élargit quelque peu entre le xᵉ siècle et le xıᵉ. Vers la fin de cette période et au commencement du xıııᵉ siècle, au temps de Roscelin, de Guillaume de Champeaux, d'Abailard, la querelle des réalistes et des nominalistes oppose les partisans de Platon à ceux d'Aristote, dont l'*Organon* était connu en Occident depuis le règne de Charlemagne, mais dont le crédit grandissait au milieu de ces conflits. Il s'accrut rapidement lorsque de nouveaux écrits de lui se répandirent dans le cours du xıııᵉ siècle, à la faveur des traductions qu'en avaient faites les philosophes arabes. Ces traductions, les docteurs juifs les retraduisaient en hébreu, et par l'hébreu les rendaient accessibles aux savants de ce temps. Ce fut ainsi qu'au xıııᵉ siècle Alexandre de Hales, Albert le Grand se firent les propagateurs de l'aristotélisme, interprété selon leur esprit. Saint Thomas d'Aquin, en y mêlant des emprunts faits à Platon et au néoplatonisme, en tira une doctrine plus large, plus savamment coordonnée, à laquelle Duns Scot fit une opposition que continua plus vivement son disciple Occam. En somme, c'était la philosophie grecque qui, avec les enseignements des Pères et les dogmes définis par les Conciles, faisait les frais de ces longues et mémorables disputes. Sous les subtilités dont l'enveloppait la scolastique, elle était le ferment qui excitait les esprits; et déjà, tout en se mettant ordinairement au service de la théologie, elle préparait l'avènement d'une philosophie indépendante.

La civilisation hellénique dans le monde moderne. — Avec

la Renaissance, s'ouvre, dès la fin du xv⁵ siècle, une période nouvelle pour l'influence de la civilisation grecque. Confinée au moyen âge dans le domaine de la philosophie et de la théologie, elle va désormais se faire sentir non seulement dans la philosophie et les sciences, mais dans la littérature, dans les arts, dans la politique et même, passagèrement au moins, dans les mœurs. En d'autres termes, plus ou moins puissante selon les époques et selon les lieux, elle devient un des éléments intégrants de la civilisation moderne. Seulement, le principe de liberté qui était en elle ayant pour effet nécessaire d'émanciper les esprits sur lesquels elle s'exerce, il en résulte qu'elle tend à s'éliminer par son action même, quant à ses formes extérieures du moins, pour se réduire de plus en plus au rôle d'un facteur d'affranchissement intellectuel et moral. Donner un aperçu d'une action aussi étendue, aussi variée, serait évidemment une œuvre de longue haleine, la manière d'un gros volume. Nous devons nous contenter ici de quelques rapides indications.

Dans la philosophie, cette force d'excitation émancipatrice est particulièrement sensible. Au xv⁵ et au xvi⁵ siècle, c'est autour de Platon et d'Aristote, désormais interrogés directement dans l'ensemble de leurs œuvres, et par conséquent mieux compris, plus passionnément étudiés, que s'engagent les discussions savantes. Pour les interpréter, pour développer leurs pensées, on fait appel au néoplatonisme, à Plotin, à Porphyre, à tous leurs commentateurs, à mesure qu'ils reparaissent au jour. Mais alors on prend connaissance par là même des autres systèmes philosophiques de la Grèce. On s'intéresse à Pythagore et à son école, aux Ioniens, à l'atomisme de Démocrite et d'Épicure, comme aussi au stoïcisme et au scepticisme. C'est tout un monde de pensées, tout un ensemble de problèmes et de solutions diverses qui se révèlent ainsi. Quelle excitation pour les esprits hardis! Du coup, l'insuffisance de la scolastique apparaît; et voici qu'on éprouve le besoin de reprendre à nouveau toutes les recherches, de créer des méthodes neuves. Le xvii⁵ siècle les inaugure avec éclat : ni Bacon, ni Descartes ne veulent être des disciples de la Grèce; ce sont des novateurs, qui frayent par eux-mêmes leurs voies. Mais, en face de Descartes, Gassendi reste encore attaché à la pensée grecque, qu'il essaye de défendre avec les connaissances récemment acquises. Et les novateurs eux-mêmes ne procèdent-ils pas du mouvement d'idées que la philosophie grecque avait suscité dans les deux siècles précédents? Leibnitz se rattache aux conceptions d'Aristote et de Platon, tout en les modifiant. Cette émancipation, il est vrai, va en s'accentuant. La Grèce semble de plus en plus oubliée par la philosophie du XVIIIe siècle. D'autre part, le rapide développement des sciences apporte à la réflexion une si grande quantité de matériaux nouveaux qu'elle s'absorbe chaque jour davantage dans leur étude. C'est à les organiser que s'applique surtout la philosophie du XIXe siècle; et elle le fait en pleine indépendance. Pourtant, il n'est pas nécessaire d'un grand effort d'attention pour s'apercevoir qu'au fond les grandes questions agitées sont toujours les mêmes, et que les solutions nouvelles ne sont bien souvent que celles de l'antiquité grecque rajeunies et mises au point. Relativement à l'esprit et à la matière, à la nature de la connaissance, aux éternelles énigmes du monde, aux rapports de l'infini et du fini, à la destinée de l'homme, ne remarque-t-on pas chaque jour que les doutes, les hypothèses des Grecs sont encore, à peu de chose près, les nôtres? Aussi l'histoire de la philosophie grecque a-t-elle été profondément étudiée et presque renouvelée, à mesure que s'est imposée l'habitude de remonter à l'origine des questions pour en suivre tout le développement? Qu'importe que, sur bien des points, nous les sentions loin de nous? Nous ne pouvons méconnaître qu'ils ont posé les données essentielles des plus difficiles problèmes avec une simplicité, une netteté, dont il y a toujours à tirer profit.

Dans la littérature, quelque chose d'analogue s'est produit. Au XVIe siècle, quand les chefs-d'œuvre de la poésie et de la prose grecques sont remis en lumière, les meilleurs esprits en sont comme éblouis. Devant ces modèles, il leur semble qu'ils n'aient rien de mieux à faire que d'imiter. En France, c'est le fait de Ronsard et de la Pléiade. Ainsi pratiquée, l'imitation nuit manifestement à l'originalité. Mais, dans cette lecture assidue et quelque peu superstitieuse des œuvres de l'antiquité, le jugement se forme et s'affermit. Montaigne a dit en termes excellents ce qu'il devait à Plutarque et son témoignage, tel qu'il le donne, s'applique à beaucoup de ses contemporains. D'ailleurs les influences latines, qui s'associent alors à celles de la Grèce, sont pour une large part, elles aussi, des influences grecques indirectes; il en est de même d'un certain nombre d'influences italiennes. Au xviiᵉ siècle, nous constatons un changement. Notre art classique, s'il continue à s'inspirer de l'antiquité, se fait alors de l'imitation une tout autre idée, et chacun la pratique selon ses goûts. Balzac et Corneille sont plus romains que grecs, bien que ce dernier emprunte de nombreux sujets à l'histoire de la Grèce; mais chez Racine, chez Fénelon, le sentiment de la beauté hellénique est extrêmement vif. Il y a comme un contact d'âmes immédiat entre Euripide et le poète de *Phèdre* et d'*Iphigénie*, entre Homère et l'auteur de *Télémaque*. Et, en effet, ce qui les rapproche ainsi, ce sont moins leurs emprunts directs, si importants qu'ils soient, qu'une certaine forme de sensibilité ou un certain tour d'imagination. Quelque chose de l'esprit grec a vraiment passé en eux et transparaît sous l'adaptation qu'ils font des sujets anciens au goût d'un public très éloigné de la simplicité antique. Le fait évident c'est qu'on a cessé de copier; on admire autant qu'au siècle précédent, mais on essaye de rivaliser plus librement. La Bruyère commence par traduire Théophraste; puis, ayant appris de lui la valeur de l'observation précise, il observe à son tour et fait une œuvre originale. Il arrive même que les chefs-d'œuvre nouveaux inspirent à quelques-uns l'idée de se révolter contre l'antiquité. La célèbre querelle des anciens et des modernes témoigne d'une volonté d'indépendance qui s'autorise des progrès des connaissances et des exigences d'une civilisation plus avancée. Ce sentiment devient plus fort et plus général encore au xviiiᵉ siècle. Voltaire, qui en représente l'esprit mieux que personne, met de fortes réserves à son admiration pour les Grecs. Et les érudits eux-mêmes, qui les traduisent et les commentent, ne les comprennent que médiocrement. Toutefois, dans la seconde moitié du siècle, sous l'influence de Rousseau, une réaction a lieu contre l'abus de l'esprit et la frivolité mondaine; on revient à la nature, on s'éprend de simplicité, d'ingénuité, et même de vertu civique; Plutarque, loué expressément par l'auteur de l'*Émile*, retrouve une popularité qu'il fait partager à ses grands hommes; l'abbé Barthélemy promène ses nombreux lecteurs dans la Grèce antique à la suite de son jeune Scythe, Anacharsis; André Chénier, dans des poésies délicates et charmantes, qui ne seront publiées, il est vrai, qu'au début du siècle suivant, s'inspire à la fois d'Homère, de Théocrite et des poètes de l'Anthologie.

Enfin, l'image de Sparte idéalisée domine la première période de la Révolution. Puis, à travers le xixᵉ siècle, il semble que cette influence hellénique, tantôt exaltée, tantôt refoulée et passagèrement diminuée, ait tendu à prendre sa juste valeur. Il est devenu évident qu'elle ne peut s'imposer aux littératures modernes comme un type unique de perfection. Trop de pensées nouvelles ont surgi, trop de sentiments que la Grèce connaissait à peine se sont développés, trop de formes d'art créées par d'autres peuples ont séduit l'âme moderne, pour que celle-ci puisse désormais s'enfermer dans le cadre des conceptions antiques. Mais justement parce que le goût s'est élargi, parce que la sensibilité s'est assouplie, il est devenu plus facile de les comprendre, d'en apprécier la simplicité associée souvent à tant de vérité et de profondeur.

Et ce qui est vrai de la littérature l'est aussi des beaux-arts. Certes, depuis la Renaissance, l'étude de l'architecture et de la sculpture grecque n'a pas cessé d'être féconde. Elle l'est même devenue plus que jamais, depuis qu'à une admiration trop confuse, s'est substituée une critique plus délicate qui sait discerner et distinguer les époques, noter les caractères individuels, en un mot classer et juger par comparaison les artistes et les œuvres. Mais si cette critique nous a fait mieux sentir à quel titre la Grèce est une magnifique école de beauté et quels services elle nous rendra toujours en cette qualité au besoin d'idéal qui est en nous, elle nous a aussi appris à retrouver dans d'autres créations du génie humain, sous des formes très différentes, les mêmes aspirations et des réalisations qui valent les siennes. L'architecture de quelques-unes de nos cathédrales ne nous paraît pas aujourd'hui inférieure à celle du Parthénon, ni le mérite de certaines statues du moyen âge inégal à celui de telles ou telles œuvres de Scopas ou de Praxitèle. De plus en plus, aussi, se révèle à nous l'art d'autres peuples, trop méconnu précédemment. L'Orient, mieux étudié, nous étonne et nous séduit. De cette expérience élargie résulte le sentiment très net que l'art ne peut pas s'enfermer dans des formules traditionnelles et immuables, qu'il lui est même interdit de s'attacher servilement aux mêmes modèles, si beaux qu'ils soient, et qu'au contraire la variété, le renouvellement incessant est la loi même de sa vie. Mais, si, d'autre part, il ne peut pas devenir un simple abandon de l'imagination à tous ses caprices, s'il doit en définitive se subordonner toujours à certains préceptes essentiels de la nature et de la raison, comment ne trouverait-il pas, demain comme hier, dans les exemples de la Grèce, des leçons excellentes, qu'il appartient à chacun d'approprier à son temps, à son milieu, à son talent personnel et à ses conceptions?

En politique, l'influence grecque a été jusqu'à présent fort restreinte. Les grands États modernes, constitués en monarchies, ne pouvaient rien demander, en fait d'exemples ou de leçons, aux petites républiques grecques, dont les conditions d'existence étaient si différentes des leurs. Et les démocraties elles-mêmes, comme celles des deux Amériques, dominées par leurs traditions propres, ne s'imaginaient pas qu'il y eût rien de commun entre elles et ces États minuscules d'autrefois, qu'elles connaissaient d'ailleurs si peu. Cependant les théoriciens politiques ne partageaient pas cette indifférence. Bossuet, dans son *Histoire universelle*, consacrait un chapitre aux gouvernements de la Grèce ancienne, et, par là, appelait sur eux l'attention des esprits réfléchis; il y mêlait à de nombreuses erreurs quelques fortes observations, qui faisaient ressortir ce que ces républiques avaient dû à l'amour de la liberté et aux vertus civiques. Montesquieu, dans son *Esprit des lois*, sans présenter un tableau d'ensemble de leur vie publique, insiste néanmoins à son tour sur un certain nombre de leurs traits caractéristiques. Grâce à ces grands écrivains, l'étude de la Grèce ancienne a pris place dans la science politique. Elle suggéra, nous l'avons vu, quelques idées et certains arguments à plusieurs des hommes de la révolution. Puis le rétablissement et la succession des gouvernements monarchiques la reléguèrent de nouveau dans le domaine des théories. Mais voici que, de nos jours, l'extension de la forme républicaine et démocratique à un grand nombre de nations lui rend un intérêt d'actualité. Elle redevient pour nous une expérience historique de haute valeur, et ce changement coïncide avec un accroissement de savoir qui en augmente aujourd'hui sensiblement l'importance. Nous connaissons maintenant les institutions de la démocratie athénienne avec bien plus de précision qu'on ne les connaissait au siècle dernier, et notre pays est lui-même une démocratie en relation avec d'autres démocraties. Comment n'aurions-nous pas profit à interroger curieusement une histoire qui a des rapports si manifestes avec la nôtre?

Or, cette histoire est instructive : elle l'est doublement, par les défauts et par les qualités qu'elle met en lumière. La démocratie, comme toute forme de gouvernement, a besoin d'une organisation solide et souple; elle en a même d'autant plus besoin que, tendant par sa nature propre à l'individualisme, elle est exposée, plus que tout autre, au danger de voir ses éléments se désintégrer. Athènes a-t-elle réussi à réaliser cette organisation? Ce qui lui a manqué surtout, nous l'avons vu, c'est un frein assez fort pour arrêter l'esprit démagogique, c'est aussi un pouvoir exécutif capable de donner au peuple une direction suivie. Elle n'a pas su établir un gouvernement qui assurât suffisamment la continuité de sa politique, en la préservant des improvisations et des entraînements irréfléchis. A ce premier défaut s'en est ajouté un second : la mauvaise constitution du pouvoir judiciaire. En confiant le soin de rendre la justice à des tribunaux qui étaient de véritables assemblées, elle l'a mise à la discrétion de l'ignorance et des passions. Par là, elle a enlevé presque toute valeur à la conception, si juste en elle-même, de la responsabilité personnelle, qu'elle attachait à toute fonction publique. Voilà en quelques mots la part qu'il convient de faire tout d'abord à la critique, afin de dégager plus librement ce qui mérite d'être loué.

Reste qu'Athènes, la première dans l'antiquité, a montré ce qu'un peuple qui se gouverne lui-même est capable de faire pour s'assurer une place d'honneur dans l'histoire. De cet honneur Athènes s'est rendue digne par son esprit civique, par son humanité, par sa culture supérieure. Nul ne peut nier que les Athéniens, à la belle époque de leur démocratie, n'aient eu vraiment une haute idée des droits et des devoirs du citoyen. On les vit alors se montrer sincèrement soucieux du bien public, prêts à tous les services que l'intérêt de l'État leur imposait, courageux et endurants sous les armes, respectueux de la discipline, acceptant de bon cœur les sacrifices et les fatigues nécessaires, et, au-dedans subissant sans se plaindre les charges qui leur étaient imposées, fiers de la réputation de leur ville et heureux de contribuer à l'accroître dans un sentiment de noble solidarité.

Chez eux, l'énergie se conciliait d'ailleurs avec une douceur naturelle qui leur valait un renom mérité d'humanité. En général, la démocratie athénienne a été accueillante pour l'étranger. Elle tenait à honneur d'attirer non seulement les Grecs des autres cités, mais aussi les barbares. C'est à Athènes que le sentiment de la fraternité humaine trouvait les dispositions morales les plus favorables à son développement. Et cette humanité instinctive se manifestait jusque dans la politique nationale. En sa qualité de démocratie, la république athénienne se sentait obligée à soutenir partout les principes démocratiques. Elle était donc l'ennemie naturelle des puissances oppressives, la protectrice des faibles, elle avait pour mot d'ordre la défense de la liberté. Et si l'on ne peut nier que ce rôle n'ait pas été toujours aussi désintéressé dans la réalité qu'il semblait l'être dans les discours de ses orateurs, il n'en est pas moins vrai qu'il y a profit moral et honneur pour un peuple à se complaire ainsi dans un idéal généreux. Il en résulte pour lui une habitude de pensée qui l'ennoblit en l'élevant au-dessus de l'obsession constante des intérêts égoïstes.

Mais, entre tous les titres qui recommandent le nom d'Athènes, aucun ne vaut celui qu'elle s'est acquis par sa brillante culture intellectuelle, morale et artistique. Or ce qui est particulièrement intéressant à noter, c'est l'étroite relation de cette culture avec ses institutions démocratiques. On sait avec quel accent de fierté le poète Eschyle, dans sa tragédie des *Perses*, exalte par la bouche des vieillards de Suse, devant la reine Atossa étonnée de ce qu'elle entend, la force redoutable de ce peuple qui n'a point de monarque. Cette influence vivifiante de la liberté, un étranger, Hérodote, l'a signalée également. On ne peut se refuser à reconnaître, comme lui, qu'elle a été une des sources principales des sentiments qui ont animé les Athéniens du Ve siècle, à commencer par le plus grand d'entre eux, Périclès. C'est dans une atmosphère de liberté démocratique que se sont produites toutes les grandes œuvres de ce temps. Aucun milieu n'était plus favorable au brillant développement de la tragédie, qui a pu donner là en spectacle les passions humaines, devant un public préparé par les discussions publiques à comprendre le jeu des intérêts contraires; nul autre ne se serait également prêté aux hardiesses de la comédie, à ses critiques insolentes et incisives, qui faisaient penser. Et que dire des orateurs, des historiens, mûris dans cette agitation féconde des esprits, dans ce conflit des idées, où l'on apprenait à étudier les événements, à scruter les motifs, à noter les conséquences, c'est-à-dire à juger et à prévoir ? N'est-ce pas la liberté athénienne qui a fait un

Thucydide, comme elle avait fait un Périclès ? La philosophie même, du moins la philosophie morale et sociale, qui s'est montrée sévère pour la démocratie, d'où est-elle née, sinon de cette démocratie qu'elle condamnait? Se représente-t-on Socrate ailleurs que dans Athènes? Ne fallait-il pas à cet observateur le spectacle humain qu'on ne trouvait que là, et à ce moraliste ironique et moqueur la liberté de parole qui n'existait alors au même degré nulle part ailleurs? Enfin, quant à l'art, ce n'est point par hasard assurément qu'il a pris dans Athènes, à la même époque, un essor si merveilleux. Il l'a dû, sans aucun doute possible, non seulement au désir, commun à tous les Athéniens de ce temps, de donner à leur ville une parure digne de sa grandeur et d'honorer les dieux auxquels ils l'attribuaient, mais aussi à une culture générale du goût, résultant de l'activité de tous, de leurs relations mutuelles, de l'échange incessant des idées, de l'accueil fait aux hommes de talent de tous pays. En somme, c'est parce que la liberté avait fait l'éducation d'Athènes que cette ville, à son tour, a pu contribuer si largement à celle de l'humanité.

Ainsi, nous le voyons clairement, la civilisation hellénique, bien loin de perdre pour nous rien de sa valeur, à mesure qu'elle s'enfonce dans le passé, semble au contraire en acquérir davantage de nos jours, en proportion de l'effort qui est fait pour la mieux connaître. Considérée dans la succession des époques que nous avons parcourue rapidement, elle présente assurément, comme tout ce qui est humain, de grandes inégalités et, à côté des parties brillantes, mainte défaillance. Mais, si au lieu de l'envisager ainsi, siècle par siècle, selon la méthode de l'histoire, on rassemble sous un seul regard tout ce qu'il y a eu en elle de meilleur, tout ce qui a été et reste encore profitable à l'humanité, elle apparaît comme une source merveilleuse de sagesse, de lumière et de beauté. C'est pourquoi le dernier mot de cette étude ne peut être que l'expression d'un sentiment d'admiration et de reconnaissance pour cette petite nation de l'antiquité à laquelle nous devons tant.

BIBLIOGRAPHIE SOMMAIRE

L'histoire de la civilisation touchant à la fois à l'histoire générale, à celle des institutions, des mœurs, de la littérature, des arts, exigerait une immense bibliographie. Celle qu'on donne ici se réduit nécessairement à un petit nombre d'ouvrages qui ont semblé particulièrement utiles.

1° ENCYCLOPÉDIES, MANUELS

PAULY-WISSOWA, *Real-Encyclopaedie der classischen Altherthumswissenschaft*, ouvrage d'une importance capitale, en cours de publication chez Metzler, à Stuttgart.

DAREMBERG et SAGLIO, *Dictionnaire des antiquités grecques et romaines*, 10 vol., Paris, Hachette, 1879-1919.

SCHŒMANN, *Griechische Alterthumer*, 4ᵉ éd., Berlin, Weidmann, 1897. Traduction française par Galusky.

IWAN VON MÜLLER, *Handbuch der classischen Alterthumswissenschaft*, P. Beck, Munich ; collection de savants manuels, qui embrassent toutes les parties de l'antiquité grecque et latine, histoires, sciences auxiliaires, littérature, grammaire, métrique, etc.; la plupart remaniés et réédités à plusieurs reprises.

SALOMON REINACH, *Manuel de Philologie classique*, Paris, Hachette, 1904.

PARIS et ROQUES, *Lexique des Antiquités grecques*, Paris, Fontemoing, 1909.

LAURAND, *Manuel des Études grecques et latines*, Paris, A. Picard, 1921.

2° HISTOIRES GÉNÉRALES

FUSTEL DE COULANGES, *La Cité antique*, 14ᵉ éd., Paris, Hachette, 1893.

GROTE, *History of Greece*, 12 vol. 8°, Londres, 1846-1855. Traduction française de A. L. de Sadous, 19 vol., Paris, 1864-1867.

CURTIUS, DROYSEN, HERTZBERG. Les ouvrages de ces trois auteurs allemands ont été traduits en français sous la direction de M. Boucher-Leclercq et forment ensemble une histoire complète de la Grèce depuis les origines jusqu'au VIᵉ siècle de notre ère. Cette histoire, publiée chez Leroux, à Paris, se décompose ainsi : CURTIUS, *Histoire grecque*, 5 vol. et un atlas. — DROYSEN, *Histoire de l'Hellénisme*, 3 vol. — HERTZBERG, *La Grèce sous la domination romaine*, 3 vol.

BOUCHER-LECLERCQ, *Histoire des Lagides*, Paris, Leroux, 1903.

BOUCHER-LECLERCQ, *Histoire des Séleucides*, Paris, Leroux, 1913.

G. MEYER, *Geschichte des Alterthums*, 5 vol., Stuttgart et Berlin, 1902, 2ᵉ éd., 1907.

BAUMGARTEN, *Die hellenische Kultur*, Leipzig, Teubner, 1905.

EUG. CAVAIGNAC, *Histoire de l'Antiquité*, 3 vol., Paris, Fontemoing, 1913-1920.

DUSSAUD, *Les civilisations préhelléniques*, P. Geuthner, Paris, 1910 ; 2ᵉ éd., 1921.

GLOTZ, *La solidarité de la famille dans le droit criminel en Grèce*, Paris, Fontemoing, 1904. — *Le travail dans la Grèce ancienne*, Paris, Alcan, 1921. — *La civilisation égéenne*, Paris, Renaissance du livre, 1923. — *La Cité grecque*, Paris, même éditeur, 1928.

GLOTZ et COHEN, *Histoire de la Grèce*, Paris, Presses universitaires, T. I, 1929, T. II, 1931.

JARDÉ, *La formation du peuple grec*, Paris, Renaissance du livre, 1923

JOUGUET, *L'impérialisme macédonien* et *L'hellénisation de l'Orient*, Paris, 1925.

G. FOUGÈRES, CONTENAU, R. GROUSSET, P. JOUGUET, JEAN LESQUIER, *Les premières civilisations*, Paris, Alcan, 1926.

The Cambridge ancien history, en cours de publication. Cambridge University Press.

3º HISTOIRE DE LA LITTÉRATURE ET DE LA PHILOSOPHIE

P. MASQUERAY, *Bibliographie pratique de la littérature grecque*, Paris. Klincksieck, 1914.

ALFRED et MAURICE CROISET, *Histoire de la littérature grecque*, 5 vol., 8º, Paris, de Boccard, 3ᵉ éd., 1910-1921.

W. CHRIST, *Geschichte der Griechischen Literatur*, 6ᵉ éd., par W. Schmid, Munich, Beck, 1912 (fait partie du Handbuch d'Iwan von Müller, cité plus haut).

G. MURRAY, *A history of ancient greek littérature*, Oxford and London, Heynemann, 1897.

U. VON WILAMOWITZ-MŒLLENDORFF, *Griechische Literatur und Sprache*, 1 vol. 8º, Leipzig, Teubner, 2ᵉ éd., 1907.

Susemihl, *Geschichte der griechischen Literatur in der Alexandriner-zeit*, 2 vol. 8°, Leipzig, Teubner, 1891-1892.

Legrand, *Daos*, Paris, Fontemoing, 1910.

A. Meillet, *Aperçu d'une histoire de la langue grecque*, Paris, Hachette, 1913, 3e éd., 1930.

Ed. Zeller, *Die Philosophie der Griechen*, 5 vol. 8°, 4e éd., Leipzig, Fues, 1876-1881. Traduction française inachevée par E. Boutroux, 3 vol. 8°, Paris, Hachette, 1877-1886.

Th. Gomperz, *Die Griechische Denker*, 3 vol. 8°, 2e éd., Leipzig, Veit, 1903-1907. Traduction française de A. Reymond, 3 vol. 8°, Payot, Paris, 1910.

L. Robin, *La Pensée grecque*, Paris, 1923.

Burnet, *Early greek philosophy*, Londres, 2e éd., 1908. Traduit en français par A. Reymond sous le titre de « l'Aurore de la philosophie grecque », Payot, Paris, 1919.

E. Boutroux, *Études d'histoire de la philosophie*, Paris, Alcan 1904.

Brochard, *Les sceptiques grecs*, Paris, Alcan, 1887. *Études de philosophie ancienne et de philosophie moderne*, Alcan, 1912.

Tannery, *La géométrie grecque*, Paris, Gauthier-Villars, 1887.

G. Milhaud, *La philosophie géométrique de la Grèce*, Paris, Alcan, 1900.

4° MYTHOLOGIE ET RELIGION

Gruppe, *Griechische mythologie*, 2 vol. (dans le Handbuch d'Iwan von Müller, cité plus haut).

Decharme, *Mythologie grecque*, 2e éd., Paris, Garnier 1886.

Frazer, *The Golden Bough*, 3 vol. 8°, 2e éd., 1900. Traduit en français (*Le rameau d'or*) par Toutain, Paris, Leroux.

Salomon Reinach, *Cultes, mythes et religion*, 3 vol., Paris, Leroux, 1908. — *Orpheus*, Paris, Alcide Picard, 1910.

P. Foucart, *Les grands mystères d'Éleusis*, Paris, Klincksieck, 1900. — *Le culte de Dionysos en Attique*, Paris, Klincksieck, 1904. — *Le culte des héros chez les Grecs*, Paris, Klincksieck, 1918.

5° LES ARTS

Perrot et Chipiez, *Histoire de l'art dans l'antiquité*, Paris, Hachette (t. VI, *La Grèce primitive*, 1894 ; — t. VII, *La Grèce de l'épopée et la Grèce archaïque ; le temple*, 1898 ; t. VIII, *La Grèce archaïque, la sculpture*, 1903).

Collignon, *Histoire de la sculpture grecque*, 2 vol., Paris, Didot, 1897. — *Archéologie grecque*, Paris, Quentin, s. d.

P. Girard, *La peinture antique*, Paris, Imprimeries réunies, 1892.

325

F. BENOIT, *L'architecture : Antiquité*. Paris, Laurens, 1911.

H. LECHAT, *Le temple grec*, Paris, Leroux, 1902. *L'Acropole d'Athènes*, Lyon, s. d. *La sculpture grecque*, 1 vol. in-16 de la COLLECTION PAYOT, 1921. Payot, Paris.

A. DE RIDDER et W. DEONNA, *L'art en Grèce*, Paris, Renaissance du Livre, 1924.

PETITE BIBLIOTHÈQUE PAYOT

Cette collection vous propose :

dans un format de poche
à un prix modique
dans une présentation soignée
et en édition intégrale

une bibliothèque moderne qui vous fera faire le tour des connaissances humaines

Histoire

Philosophie

Religion

Psychologie

Sociologie

Sciences

Arts

etc.

ÉDITIONS PAYOT, PARIS
106, boulevard Saint-Germain, Paris 6e

PETITE BIBLIOTHÈQUE PAYOT

Préhistoire :

| 17 G. Clark | La préhistoire de l'humanité. |
| 24 V. G. Childe | L'Europe préhistorique. |

Histoire :

5 J. Hatzfeld	Histoire de la Grèce ancienne.
8 R. Grousset et G. Deniker	La face de l'Asie.
10 J. C. Risler	La civilisation arabe.
20 R. Barrow	Les Romains.
23 J. Le Floc'hmoan	La genèse des sports.
33 L. M. Chassin	La conquête de la Chine par Mao Tsé-Toung.
35 J. Dupuis	Histoire de l'Inde.
50 J. C. Risler	L'Islam moderne.
51 G. Welter	Histoire de Russie.
57 R. et M. Cornevin	Histoire de l'Afrique.
67 E. F. Gautier	Le passé de l'Afrique du Nord.
69 B. Voyenne	Histoire de l'idée européenne.
74 M. Le Roy	Initiation à l'archéologie romaine.
75 W. Atkinson	Histoire d'Espagne et du Portugal.
80 F. L. Schoell	Histoire des Etats-Unis.
83 W. Duyzings	La mafia.
108 J. Huizinga	Le déclin du moyen âge.
111 A. Weigall	Histoire de l'Egypte ancienne.
115 F. Masnata	Pouvoir blanc, révolte noire.
133 M. Croiset	La civilisation de la Grèce antique.

Philosophie :

1 A. Schweitzer	Les grands penseurs de l'Inde.
7 I. M. Bochenski	La philosophie contemporaine en Europe.
12 B. Russell	La conquête du bonheur.
14 Ch. Werner	La philosophie grecque.
38 Liu Wu-Chi	La philosophie de Confucius.
65 J. Palou	La franc-maçonnerie.
79 B. Russell	Problèmes de philosophie.
88 G. Gusdorf	Pourquoi des professeurs ?
93 K. Jaspers	Initiation à la méthode philosophique.
101 L. Sebag	Marxisme et structuralisme.

PETITE BIBLIOTHÈQUE PAYOT

Religions :

2	E. Wood	La pratique du yoga.
9	J. Lortz	Histoire de l'Eglise.
13	W. M. Watt	Mahomet.
19	I. Epstein	Le judaïsme.
22	K. M. Sen	L'hindouisme.
40	Mahomet	Le Coran (Tome I).
41	Mahomet	Le Coran (Tome II).
120	M. Eliade	Le yoga.
128	R. Otto	Le sacré.
131	R. Bultmann	Le christianisme primitif.

Psychologie, psychanalyse, médecine :

3	E. Aeppli	Les rêves.
6	S. Freud	Introduction à la psychanalyse.
11	F. Alexander	La médecine psychosomatique.
15	A. Adler	L'enfant difficile.
28	S. Ferenczi	Thalassa. Psychanalyse des origines de la vie sexuelle.
31	Dr A. Hesnard	La sexologie.
34	G. N. M. Tyrrell	Au-delà du conscient.
44	S. Freud	Essais de psychanalyse.
48	H. Bloch et A. Niederhoffer	Les bandes d'adolescents.
53	C. G. Jung	L'homme à la découverte de son âme.
56	F. L. Mueller	La psychologie contemporaine.
58	Marthe Robert	La révolution psychanalytique (Tome I).
59	Marthe Robert	La révolution psychanalytique (Tome II).
66	Dr J. G. Lemaire	La relaxation.
71	Dr S. Nacht	Le masochisme.
76	Dr L. Chertok	L'hypnose.
77	S. Freud	Totem et tabou.
82	J. A. Hadfield	L'enfance et l'adolescence.
84	S. Freud	Cinq leçons sur la psychanalyse.
86	Dr M. Balint	Le médecin, son malade et la maladie.
87	P. Diel	Le symbolisme dans la mythologie grecque.

16	W. Röpke	La crise de notre temps.
29	G. Bouthoul	Le phénomène-guerre.
39	M. Pietsch	La révolution industrielle.
43	Lénine	La révolution bolchéviste.
55	J. Schumpeter	Capitalisme, socialisme et démocratie.
60	P. Bertaux	La mutation humaine.
61	G. Bouthoul	La surpopulation.
85	G. Mosca et G. Bouthoul	Histoires des doctrines politiques.
89	W. Sombart	Le bourgeois.
98	P. Paraf	Le racisme dans le monde.
113	G. Bouthoul	Les structures sociologiques.
114	C. Valabrègue	La condition masculine.
117	G. Bouthoul	Variations et mutations sociales
118	R. Mossé	Introduction à l'économie
125	M. Luther King	Combats pour la liberté.
126	P. Rondière	Rendez-vous 1980.
129	A. M. Dourlen-Rollier	Le planning familial dans le monde.

Ethnologie :

95	B. Malinowski	La sexualité et sa répression.
102	M. Mauss	Manuel d'ethnographie.
106	M. J. Herskovits	Les bases de l'anthropologie culturelle.
109	B. Malinowski	Trois essais sur la vie sociale des primitifs.
132	E. E. Evans-Pritchard	Anthropologie sociale.

Linguistique :

| 100 | A. Dauzat | Tableau de la langue française. |
| 104 | E. Sapir | Le langage. |

Littérature, arts :

27	P. Nettl	Mozart.
32	K. Amis	L'univers de la science-fiction.
36	T. E. Lawrence	Les Sept Piliers de la Sagesse (Tome I).

PETITE BIBLIOTHÈQUE PAYOT

HISTOIRE DE L'ART PAYOT

en 20 volumes de poche illustrés

Les arts de tous les temps
les musées de tous les pays
mis à la portée de chacun

Cette **Histoire de l'Art** comprend 20 volumes :

Cette collection offre aux lecteurs :

3200 pages de texte
160 planches en couleurs
1200 reproductions en noir et blanc
600 figures au trait

Chaque volume comportant environ 160 pages de texte,
8 planches en couleurs, 48 planches en noir et blanc et
de nombreuses figures au trait.

Si vous appréciez les volumes de cette collection et si vous désirez être tenu au courant des publications des ÉDITIONS PAYOT, PARIS, découpez ce bulletin et adressez-le à :

> **ÉDITIONS PAYOT, PARIS**
> 106, Bd Saint-Germain
> Paris 6e

NOM .. ..

PRÉNOM ... ...

PROFESSION ... ...

ADRESSE ... ...

... ...

A découper ici

Je m'intéresse aux disciplines suivantes :

ACTUALITÉ, MONDE MODERNE ☐
ARTS ET LITTÉRATURE ☐
ETHNOGRAPHIE, CIVILISATIONS ☐
HISTOIRE ET GÉOGRAPHIE ☐
PHILOSOPHIE, RELIGION ☐
PSYCHOLOGIE, PSYCHANALYSE ☐
SCIENCES (Naturelles, Physiques) ☐
SOCIOLOGIE, DROIT, ÉCONOMIE ☐

(Marquer d'une croix les carrés correspondant aux matières qui vous intéressent).

Suggestions :

... ...

... ...

... ...

ACHEVÉ D'IMPRIMER LE
30 JANVIER 1969 SUR LES
PRESSES DE L'IMPRIMERIE
BUSSIÈRE, SAINT-AMAND (CHER)

— Nᵒ d'impression 2623. —
Dépôt légal: 1ᵉʳ trimestre 1969.
Imprimé en France